Après la rupture

HUBERT JAOUI - LAURA BULLERI
J'aime mon couple et je le soigne !
Amour, sexe et créativité
InterEditions

MICHÈLE BATANY
Quel parent voulez-vous être ?
Parent, pensez aussi à vous !
InterEditions

DON-DAVID LUSTERMAN
Infidélité ? et après !
Trouver sa réponse sans se détruire ou tout détruire
InterEditions

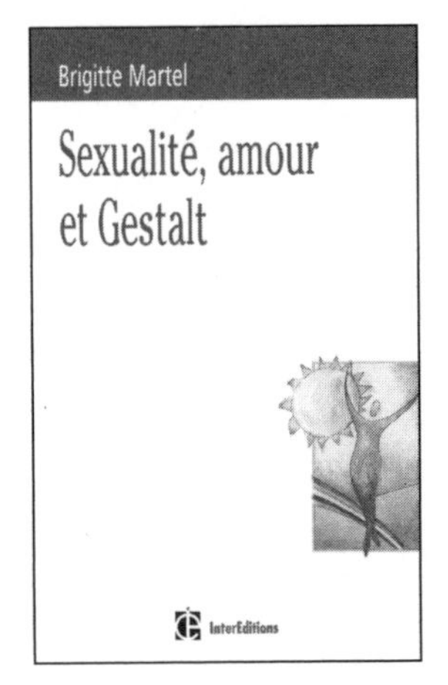
Brigitte Martel
Sexualité, amour et Gestalt
InterEditions

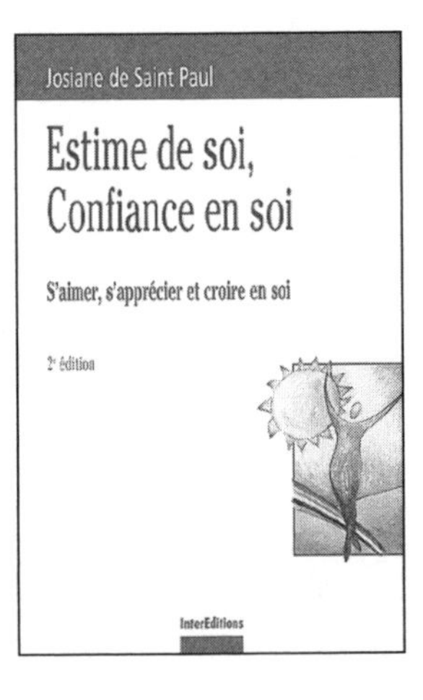
Josiane de Saint Paul
Estime de soi, Confiance en soi
S'aimer, s'apprécier et croire en soi
2e édition
InterEditions

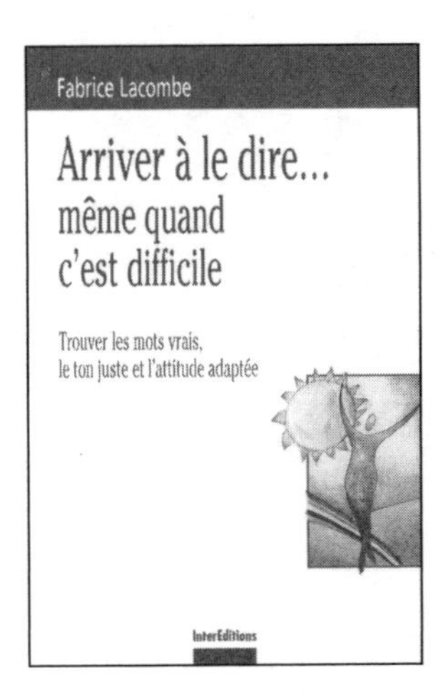
Fabrice Lacombe
Arriver à le dire... même quand c'est difficile
Trouver les mots vrais, le ton juste et l'attitude adaptée
InterEditions

BRUCE FISHER

Après la rupture

Reconstruire sa vie après un divorce ou une séparation

Préface de Virginia Satir

Traduit de l'américain par Elisabeth Spetschinsky et Nathalie Koralnik

2e édition

InterEditions

La version originale de cet ouvrage a été publiée aux Etats-Unis par Impact-publishers, Inc. sous le titre : *Rebuilding : When your Relationship Ends*, second edition.

Published by arrangements with Impact Publishers, Inc.
PO Box 1094 San Luis Obispo California 93406 USA

La version originale du cahier d'exercices a été publiée aux Etats-Unis par Impact-publishers, Inc. sous le titre : *Workbook for Rebuilding, When your Relationship Ends*, second édition

Published by arrangements with Impact Publishers, Inc.

Retrouvez tous nos ouvrages sur le site d'InterÉditions :
www.intereditions.com

ISBN 2 10 048867 8

Cet ouvrage est dédié…

… aux milliers de personnes qui m'ont tant appris alors que j'entendais leur enseigner mon savoir lors des séminaires d'après-divorce que j'anime ;
… à mes enfants, Todd, Sheila et Bobby qui m'ont souvent, par leur amour, apporté davantage de faits, de réponses et de vérités que je n'étais disposé à en entendre ;
… à mes parents, Bill et Vera, car plus j'en sais sur l'existence, sur les familles et sur moi-même, plus j'apprécie la vie et l'amour qu'ils m'ont offerts ;
… à Nina, qui me donne souvent, avec amour, ce dont j'ai besoin plutôt que ce que je demande.

Et tous mes remerciements à Bob Alberti, qui m'a aidé à faire de cet ouvrage celui auquel j'aspirais.

SOMMAIRE

PRÉFACE

Le divorce ressemble à une intervention chirurgicale dont les conséquences se font sentir dans tous les domaines de la vie. J'ai souvent répété qu'il prend ses racines dans les circonstances et les attentes qui prévalent au moment du mariage. Énormément de gens se marient dans l'espoir de trouver une vie meilleure. La gravité de la déception suscitée par le divorce dépend de ce que l'on attendait « de plus », ou de l'importance que l'on attachait au fait même de vivre en couple.

Pour beaucoup, le divorce est une expérience douloureuse qu'il est nécessaire de surmonter pour reprendre une vie normale. Ils éprouvent des sentiments de profond désespoir, de déception, de rancœur et de vengeance ; privés d'espoir, ils se sentent aussi sans défense. Ces personnes doivent redonner un sens à leur vie. Elles doivent faire le deuil de leurs attentes et accepter que leurs espérances ne se concrétisent pas.

De nombreux ouvrages ne traitent que des problèmes liés au divorce. On ne peut certes nier les souffrances qu'il engendre, ni la dépréciation de soi, les questions lancinantes sur les causes de la rupture et les angoisses à propos de l'avenir. Bruce Fisher propose un cadre pratique pour analyser ce moment fort d'une vie, faire le bilan de la situation et se fixer des objectifs pour l'avenir. Pas à pas, le lecteur acquiert les compétences qui lui permettront de jouir de la vie qui l'attend. Cette période peut en effet lui servir à mieux se connaître et à développer des aspects nouveaux de sa personnalité. Elle s'apparente à la convalescence, indispensable après toute intervention chirurgicale.

Les émotions successives que l'on vit pendant et après le divorce ressemblent beaucoup aux étapes que l'on franchit lors d'un deuil. En un premier temps, le déni nous pousse à refuser d'admettre la situation et à la fuir. Vient ensuite la colère qui nous incite à accuser autrui de nos malheurs. C'est alors qu'intervient le marchandage, où chacun fait ses comptes. Cette étape est encore plus âpre lorsque des décisions concernant la garde des enfants doivent être prises ou que des biens doivent être partagés. Puis apparaît la dépression, qu'accompagnent des sentiments intenses de haine de soi et de culpabilité et l'impression d'avoir raté sa vie. Enfin, après avoir franchi ces étapes, nous finissons par accepter la situation et nous accepter tels que nous sommes. La dernière phase donne naissance à un nouvel espoir.

Je suis convaincue que cet ouvrage permettra à de nombreuses personnes de franchir pas à pas chaque étape. Il est important de ne pas précipiter les choses et de laisser s'exprimer les parties paralysées, réprimées ou cachées de notre personnalité. Divorcés ou non, apprenons à avancer et à progresser dans la vie avec espoir et non en traînant un sentiment d'échec.

Virginia Satir

Virginia Satir (1916-1988) a largement contribué à l'élaboration de la thérapie du couple et de la famille. Elle est considérée comme un fondateur de la théorie des systèmes familiaux. Son œuvre a permis l'élaboration d'un cadre pour la thérapie familiale et constitue la référence de cette pratique sous sa forme actuelle. Cette préface fut rédigée pour la première édition de l'ouvrage.

1

ROCHERS GLISSANTS OU PIERRES DE TAILLE ? LA GUÉRISON PAR ÉTAPES

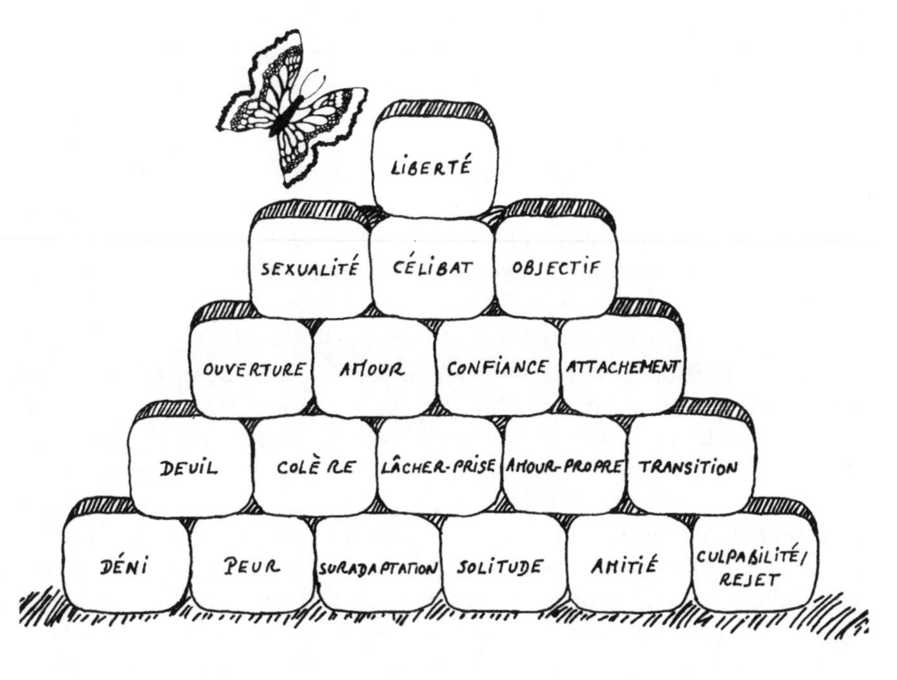

Vous éprouvez probablement de la tristesse après cette rupture. Il existe un processus en dix-neuf étapes qui a fait ses preuves et permet de supporter la perte d'un amour. Ce chapitre contient une présentation résumée de ses différentes étapes.

Vous souffrez et c'est normal après une rupture. Les personnes qui ne paraissent pas souffrir d'une séparation soit ont déjà vécu ces moments difficiles, soit les vivront bientôt.

Ne reculez plus et acceptez votre souffrance ; elle est naturelle, normale et bénéfique. Il est même très *bon* de souffrir. C'est par la douleur que notre corps nous informe que quelque chose en nous doit guérir, alors n'attendons plus et agissons !

Je puis vous aider en partageant certaines leçons tirées des séminaires d'après-divorce que j'anime depuis une vingtaine d'années. L'évolution qui s'opère chez les participants à un séminaire de dix semaines est considérable. Les idées et les remarques que m'ont adressées les milliers de personnes qui ont lu la première édition de cet ouvrage vous aideront à surmonter votre chagrin.

Il existe en effet un processus pour se retrouver : il possède un début et une fin et comporte différentes étapes. Tant que vous souffrez, votre principal souci est de surmonter votre douleur. Probablement, comme tout le monde ou presque, répétez-vous les mêmes schémas de comportement destructeur depuis de longues années, peut-être depuis l'enfance. Tant que vous viviez une relation amoureuse, il était difficile de changer car, jugeant la situation satisfaisante, vous n'en ressentiez pas le besoin. Mais, aujourd'hui, vous ne savez que faire de cette peine qui vous taraude. Or, elle peut vous servir à évoluer pour être encore plus vous-même. Ce n'est pas facile et cela exige beaucoup de travail mais vous en êtes capable. Vous pouvez l'employer à mieux comprendre ce que vous voulez faire de votre vie. À reconstruire un avenir meilleur.

J'ai représenté les étapes de ce processus par une pyramide qui symbolise une montagne. Il faudra escalader la montagne et cette expédition demande de gros efforts. Tout le monde ne possède pas la force et l'endurance nécessaires pour entreprendre cette aventure et certains abandonneront en chemin. Certaines personnes se laisseront tenter par une autre relation amoureuse avant de tirer tout le profit de ce chagrin et n'atteindront jamais le sommet, se privant des possibilités que l'avenir leur réserve. D'autres se refermeront sur elles-mêmes, se croyant à l'abri ; elles non plus ne verront jamais le sommet. D'autres encore, malheureusement, opteront pour l'autodestruction en se jetant du haut de la première falaise venue.

Mais je vous assure que l'entreprise vaut d'être tentée ! Vous verrez que là-haut, votre récompense sera incomparable !

En ce qui concerne la durée de ce processus, mes recherches ont montré qu'il faut en moyenne une année pour dépasser les étapes négatives les plus douloureuses, celles où les cimes des arbres nous empêchent de voir le sommet. Il faut plus de temps pour atteindre celui-ci ; la durée de l'ascension varie d'une personne à l'autre, jusqu'à trois, voire cinq ans pour certaines d'entre elles. Ne vous découragez pas pour autant : l'essentiel est de parvenir au sommet, pas de compter les pas. Souvenez-vous d'avancer à votre rythme et ne vous inquiétez pas si vous vous faites dépasser. La vie est ainsi faite. C'est en évoluant et en grandissant que nous acquérons nos biens les plus précieux !

J'ai beaucoup appris sur les difficultés que vous traversez en écoutant les personnes qui ont participé à mes séminaires et en lisant les centaines de lettres que m'ont adressées mes lecteurs. On m'a souvent interrompu avec des remarques comme : « Vous avez espionné ma dernière discussion avec mon ex ? Comment savez-vous ce qu'il/elle a dit ? » En effet, bien que nous ayons tous vécu des expériences différentes, il existe des schémas auxquels nous nous conformons tous. À votre tour, vous découvrirez dans ce que je dis des ressemblances flagrantes avec ce que vous vivez.

Ces schémas apparaissent lors de toute rupture importante, qu'elle soit ou non amoureuse. François, un prêtre défroqué, affirme avoir parcouru un chemin identique lorsqu'il renonça à la prêtrise. Il en fut de même pour Nadine lorsqu'elle fut licenciée et pour Isabelle, dont le mari mourut subitement. Notre aptitude à nous adapter en période de crise est probablement la meilleure chose à développer ; il est probable que nous connaîtrons beaucoup de périodes difficiles et être capable d'écourter le malaise est un pouvoir extrêmement précieux.

Ce premier chapitre contient une brève description du chemin à parcourir ; les chapitres suivants sont consacrés aux apprentissages émotionnels qui baliseront votre route. Je vous propose de commencer dès maintenant à tenir un journal. Cela vous permettra de beaucoup apprendre. Quand vous aurez atteint votre objectif, vous pourrez le relire et évaluer vos changements et vos progrès. J'en dirai plus sur ce journal à la fin de ce chapitre.

La représentation graphique des étapes du processus comporte dix-neuf sentiments et attitudes, de gros blocs disposés en forme de pyramide ; elle symbolise la montagne que vous devrez gravir. Guérir est quelquefois aussi ardu qu'escalader une montagne. Au début, la tâche vous paraîtra impossible et vous vous demanderez par où commencer, comment vous y prendre. Il vous faut une carte et un guide. C'est là qu'intervient cet ouvrage. Utilisez-le comme une carte qui aurait été dressée par d'autres personnes ayant déjà parcouru le chemin. Au fur et à mesure de votre ascension, vous découvrirez que vous pouvez vous tenir debout et avancer en dépit du choc émotionnel que vous a infligé la rupture.

La première édition de ce livre, publiée aux États-Unis en 1981, ne comportait que quinze étapes. Le travail que j'ai accompli depuis avec des milliers de personnes en période de divorce m'a incité à y ajouter quatre nouvelles étapes et à modifier certaines d'entre elles. Je suis très reconnaissant envers les personnes que j'ai rencontrées grâce à cet ouvrage et aux séminaires. Elles m'ont beaucoup appris et je vous ferai part de leurs expériences.

Ce livre vous indiquera la manière de gérer chaque étape de façon constructive. (Vous en avez probablement assez de buter continuellement sur les mêmes obstacles.) Certaines personnes affirment pouvoir reconnaître immédiatement les étapes à franchir. D'autres se sentent incapables d'identifier celles qui leur posent le plus de problèmes car elles n'ont pas accès à leurs émotions. Elles découvriront plus tard les étapes qu'elles avaient ignorées au départ. Catherine, assistant à l'un de mes séminaires, en a subitement reconnu une : «Je suis restée bloquée à l'étape du rejet et de la culpabilité pendant tout ce temps sans m'en rendre compte!» La semaine suivante elle fit des progrès considérables parce qu'elle avait enfin identifié son problème.

Les pages suivantes contiennent une présentation résumée du chemin à parcourir et de ses différentes étapes. Au pied de la montagne, nous trouvons le *déni* et la *peur*, deux émotions douloureuses qui interviennent très tôt dans le processus de retour à un nouvel équilibre. Parfois très intenses, elles risquent de vous décourager avant même de commencer. Ce sont des rochers glissants qui peuvent toutefois être transformés en pierres de taille.

LE DÉNI : *« Je n'arrive pas à y croire »*

Il ne faut pas croire que le déni soit fondamentalement nocif. Au contraire, les humains sont, fort heureusement, pourvus de ce mécanisme précieux qui leur permet de maintenir la douleur émotionnelle à un niveau supportable. Les douleurs trop importantes sont niées jusqu'à ce que nous soyons assez forts pour les ressentir et en tirer quelque chose.

Pour certaines personnes cependant, ce système est tellement puissant qu'il va jusqu'à faire obstacle à toute idée de changement et les empêche d'entreprendre de grimper là-haut sur la montagne. Il y a de nombreuses raisons à cela. Certains n'ont pas accès à leurs sentiments, sont incapables de les identifier et éprouveront toujours des difficultés à s'adapter. Ils doivent apprendre qu'un problème identifié est un problème résolu. D'autres ont une si mauvaise opinion d'eux-mêmes qu'ils ne se croient pas capables d'accomplir cette ascension. D'autres encore ont tellement peur qu'ils la craignent.

Qu'en est-il de vous ? Quel sentiment vous fait nier ce que vous vivez ? Anne envisageait de s'inscrire à mon séminaire mais ne passait jamais à l'acte. Elle parvint finalement à comprendre la raison de ses hésitations. « Si je m'inscris, cela signifie que mon mariage a échoué et ça, je ne suis pas encore prête à l'admettre. »

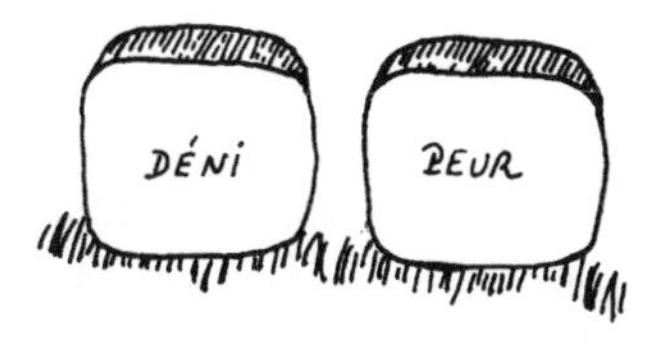

LA PEUR : « Tant de choses m'effraient ! »

Avez-vous déjà été pris dans une tempête de neige ? Le vent souffle si fort qu'on l'entend rugir et la neige est si drue qu'on y voit à peine à quelques mètres. Si vous ne trouvez pas à vous abriter, vous êtes en danger. C'est une expérience effrayante.

Les peurs que vous ressentez au moment de la séparation ressemblent à cela. Vous cherchez un endroit où vous cacher ; vous ne savez où aller. Vous décidez de ne pas gravir la montagne qui se dresse en face de vous car, de là où vous êtes, vous vous sentez comme écrasé et déjà dépassé. Comment trouver le chemin vers le sommet si déjà tout vous paraît aveuglant, menaçant et effrayant ? Vous cherchez à vous cacher, à vous réfugier dans des bras accueillants, à vous mettre à l'abri de cette terrible tempête.

Marie m'a appelé plusieurs fois ; elle désirait s'inscrire mais ne se montrait jamais. J'ai fini par apprendre qu'elle se cachait dans un appartement vide et ne se risquait à sortir que pour se réapprovisionner chez l'épicier. Elle était prise de panique à l'idée d'assister au séminaire.

Comment gérez-vous vos peurs? Que faites-vous quand vous découvrez que la peur vous paralyse? Avez-vous le courage de faire face et d'aller au combat? Chaque fois que vous surmontez vos peurs, vous gagnez en force et en fermeté et vous vous donnez les moyens de poursuivre votre cheminement.

LA SURADAPTATION :
« Mais cela marchait toujours quand j'étais petit ! »

J'ai une personnalité assez équilibrée. Je suis capable de me montrer curieux, créatif, de subvenir à mes propres besoins. Je sais que je suis quelqu'un de bien et je me fâche à bon escient. Mais cet équilibre n'a pas toujours été favorisé par ma famille, l'école, l'Église et les autres relais d'influence de la vie tels que les films, les livres et les magazines. Il m'est arrivé d'être stressé et traumatisé, de manquer d'amour et de souffrir à cause de ma famille d'origine et de la société.

Chaque fois que mes besoins émotionnels et psychologiques d'attention et d'amour n'ont pas été satisfaits, je me suis suradapté pour obtenir ce que je désirais. La suradaptation consiste à surprotéger les autres, à être perfectionniste, à faire plaisir ou à développer le besoin de venir en aide à autrui. Quand ils sont trop marqués, les comportements de suradaptation provoquent un déséquilibre que nous essayons de compenser par une relation avec une autre personne.

Les personnes surprotectrices cherchent un partenaire ayant un besoin excessif de protection. Si ce dernier n'éprouve pas un besoin de protection suffisant, elles le lui apprendront en prenant tout en charge. Elles polarisent les responsabilités en assurant des tâches toujours plus nombreuses, de sorte que l'autre finit par se montrer complètement irresponsable. Cette polarisation est souvent une cause d'échec des relations amoureuses et représente un genre particulier de codépendance.

Julie décrit cela très clairement : « J'ai quatre enfants et j'ai épousé l'aîné. » Elle se plaint de devoir être responsable de tout : surveiller les factures et effectuer tous les paiements. Plutôt que d'en vouloir à Jacques, Julie doit comprendre que cette relation est un système et qu'aussi longtemps qu'elle se montrera surprotectrice, Jacques restera irresponsable.

Les comportements de suradaptation que vous avez appris étant enfant ne vous permettront pas toujours de nouer des relations équilibrées à l'âge adulte. Commencez-vous à comprendre pourquoi vous devez gravir cette montagne ?

Les étapes suivantes constituent des rochers très glissants, des pièges du divorce — *solitude*, manque d'*amitié*, *culpabilité et rejet*, *deuil*, *colère*, *lâcher-prise*. Elles représentent des sentiments pénibles et peuvent être difficiles à surmonter. Il vous faudra peut-être du temps pour les franchir et commencer à vous sentir bien.

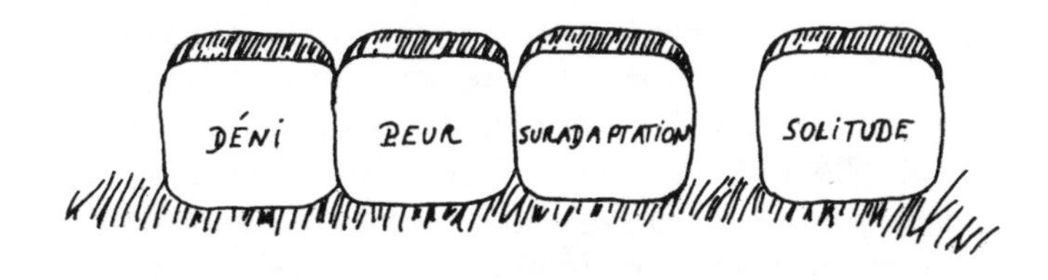

LA SOLITUDE :
« *Je ne me suis jamais senti si seul !* »

Lors d'une rupture, le sentiment qui prévaut est probablement celui d'une intense solitude. De nombreuses habitudes quotidiennes doivent être modifiées après le départ d'un partenaire. Lorsque vous formiez encore un couple, vous avez probablement déjà été séparés, mais le lien continuait d'exister même en l'absence de l'autre. Lorsque la relation prend fin, le partenaire n'est plus disponible. Vous êtes subitement entièrement seul.

L'idée de rester « seul à jamais » est très pénible. Vous pensez que vous ne rencontrerez jamais plus personne. Et même si vos enfants vivent avec vous et que vos amis et votre famille se montrent attentifs, votre sentiment de solitude résiste à leurs efforts. Cette sensation de vide vous paraît insurmontable : jamais, pensez-vous, je ne pourrais être un célibataire heureux.

Jean avait tenté de noyer ses problèmes dans l'alcool. Après mûre réflexion, il comprit qu'il avait ainsi essayé de fuir la solitude et décida de rester chez lui et de tenir un journal dans l'espoir d'y voir plus clair. Célibataire malheureux, il a appris à aimer la solitude.

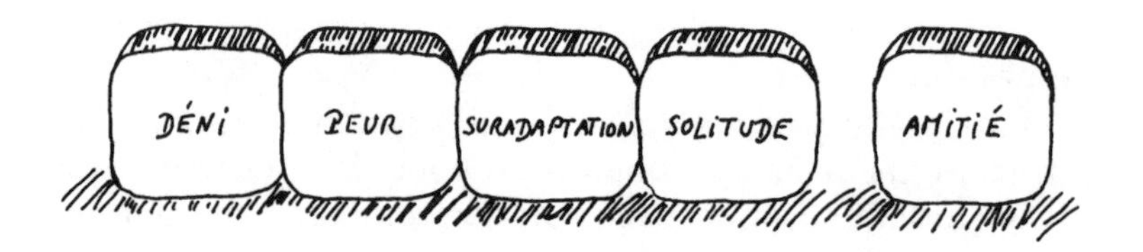

L'AMITIÉ : « Où sont-ils donc tous passés ? »

Vous avez appris que les premières étapes de ce processus peuvent être douloureuses et que vous aurez besoin d'amis pour vous aider à supporter des émotions pénibles. Mais nous perdons malheureusement souvent des amis au moment du divorce. Et ces difficultés s'aggravent si l'on cherche à éviter les contacts sociaux par peur de la souffrance et du rejet. Votre séparation constitue une menace pour vos amis ; eux aussi sont déstabilisés par votre divorce.

Isabelle raconte qu'un couple de vieux amis avait organisé une soirée à laquelle elle et son ex-mari n'avaient pas été invités. « J'étais triste et en colère. Les femmes craignaient-elles que je séduise un de leurs maris ? » Il vous faudra peut-être reconstruire un réseau social avec des personnes capables de comprendre votre chagrin sans vous rejeter. Gardez vos anciennes connaissances, elles en valent certainement la peine, mais faites-vous également de nouveaux amis prêts à vous écouter et à vous comprendre.

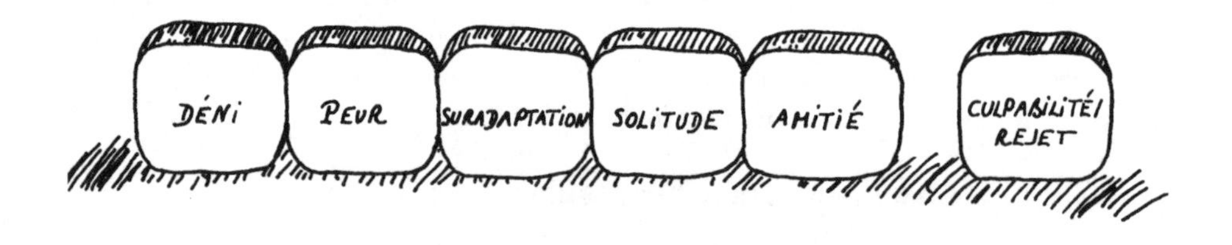

LA CULPABILITÉ/LE REJET : Avez-vous voulu ce divorce ou le subissez-vous ?

La distribution des rôles est inéquitable en période de divorce. Quiconque a vécu une rupture amoureuse sait parfaitement de quoi il retourne. La décision de rompre revient souvent à un seul des deux conjoints. La personne qui souhaite la rupture est considérée comme responsable du divorce, alors que celle qui la subit en est la victime. Les initiateurs du divorce se sentent coupables de faire souffrir leur ancien partenaire qui accepte mal ce rejet.

Le processus de guérison sera donc différent pour chacun : le comportement de la personne qui part est déterminé par un sentiment de culpabilité tandis que le partenaire répudié se sent rejeté. Avant que nous n'abordions ce sujet au cours d'un séminaire, Éric était persuadé que la rupture de son mariage avait été décidée d'un commun accord entre lui et sa femme. Après y avoir mûrement réfléchi, il admit finalement que c'était sa femme qui avait souhaité la séparation. Il fut pris alors d'une colère noire mais finit par prendre conscience de son sentiment de rejet et comprit qu'il devait l'accepter pour continuer à progresser.

LE DEUIL :
« *J'éprouve un tel sentiment de perte* »

Faire son deuil est une étape importante du processus de guérison. Chaque fois que nous souffrons de la perte d'un amour, d'une relation, d'une personne aimée, d'un foyer, nous devons faire le deuil de ce chagrin. D'ailleurs, le divorce a été décrit comme étant un processus essentiellement axé sur le deuil : sentiment qui combine chagrin et désespoir intenses. Ces émotions nous privent d'énergie et, lorsque nous les vivons, nous nous sentons démunis et incapables de changer notre vie. C'est une étape essentielle de la guérison.

L'un des symptômes du deuil est la perte ou le gain de poids. Je n'ai guère été surpris d'entendre Michèle dire à Elisabeth : « Oh la la, je dois absolument maigrir… il va falloir que je rompe avec mon copain ! »

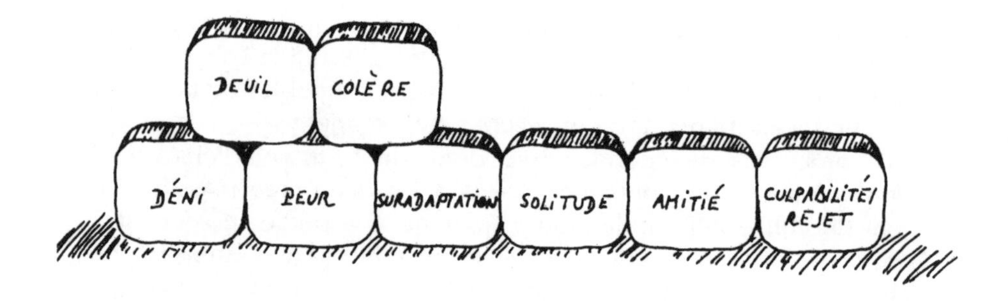

LA COLÈRE : « *Qu'il aille au diable ce… !* »

Il est difficile de comprendre l'intensité de la colère née d'un divorce si l'on n'en a pas soi-même vécu un. Lorsque je donne une conférence, je cite fréquemment certaines anecdotes bien réelles pour tester mon public et déterminer s'il est essentiellement composé de divorcés ou de gens mariés. En voici une : alors qu'elle roulait le long d'un jardin public, une femme aperçut son ex-mari allongé sur l'herbe avec une nouvelle petite amie. Elle pénétra dans le jardin avec sa voiture et les écrasa ! Les divorcés s'exclament habituellement : « Bravo ! Est-ce qu'elle est repassée dessus en marche arrière ? », alors que les personnes mariées sont épouvantées : la violence d'une telle colère dépasse leur entendement.

La plupart des divorcés ignoraient qu'ils étaient capables d'une telle fureur parce qu'ils n'avaient jamais rien ressenti de pareil. Cette rage d'un type particulier est spécifiquement dirigée contre l'ancien partenaire. Elle est utile car elle peut aider à se détacher de cette personne.

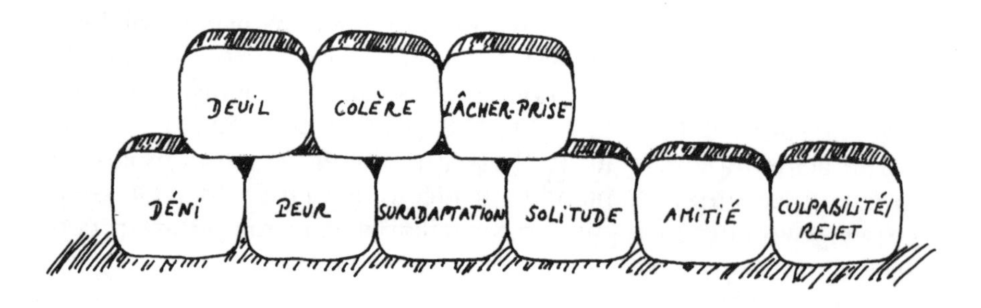

LÂCHER PRISE : « Renoncer n'est pas simple »

Il est dur de renoncer aux liens émotionnels intenses du couple. Et pourtant, il est important de cesser d'investir émotionnellement dans une relation qui n'existe plus.

Estelle, dont nous reparlerons au chapitre 10, s'inscrivit au séminaire quatre ans après que son divorce eut été prononcé. Elle portait encore son alliance ! Investir dans une relation morte, qui n'est que le cadavre d'anciennes émotions, équivaut à jeter de l'argent par les fenêtres. Il faut, au contraire, consacrer son énergie à son développement personnel, afin de vivre le mieux possible les étapes du divorce.

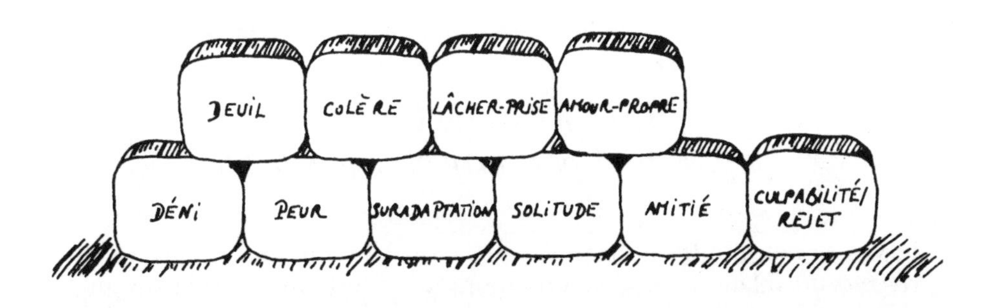

L'AMOUR-PROPRE : « Je ne suis pas si mal après tout ! »

L'amour-propre et l'estime de soi influencent fortement notre comportement. Une mauvaise opinion personnelle et la recherche d'une identité plus affirmée sont des causes fréquentes de divorce. Ce dernier provoque, à son tour, une baisse d'amour-propre et une perte d'identité. Pour nombre d'entre nous, notre estime de nous-mêmes est au plus bas au moment de la rupture. Nous investissons une si grande part de nous-mêmes dans la relation que, lorsqu'elle prend fin, notre amour-propre en est anéanti.

« Je me sens si inutile que je suis incapable de me lever le matin », raconte Jeanne. « Je n'ai aucune raison de faire quoi que ce soit de la journée. Je voudrais retomber en enfance et rester au lit jusqu'à ce que je trouve une bonne raison de me lever. Personne ne m'attend, alors pourquoi me lèverais-je ? »

Vous pourrez éviter les pièges du divorce et vous vous sentirez mieux à mesure que vous remonterez dans votre propre estime. Avoir une meilleure opinion de vous-même vous aidera à trouver le courage nécessaire pour entreprendre ce travail d'introspection.

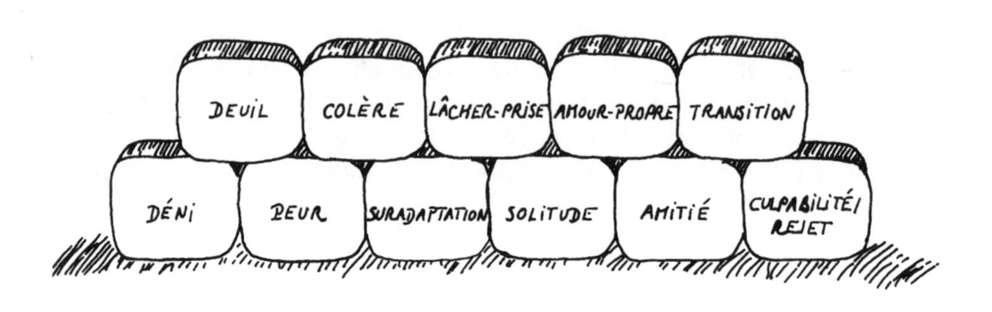

LA TRANSITION :
« Je pose tout par terre et je fais le tri »

Je veux comprendre pourquoi nous avons rompu. J'ai besoin d'analyser cette relation car c'est en comprenant les causes de la rupture que je pourrai mettre en place les changements qui me permettront de créer et de construire des relations différentes à l'avenir.

La transition commence lorsque vous prenez conscience des influences de votre famille d'origine et du fait que la personne que vous avez épousée ressemble fort au parent avec lequel vous êtes encore en conflit. Il est important d'identifier les étapes non résolues de l'enfance auxquelles vous tentez encore d'apporter une solution à l'âge adulte. Cette prise de conscience devient possible lorsque vous renoncez à obéir aux obligations qui vous ont été imposées pour décider vous-même de votre mode de vie. Chaque étape non franchie dans l'enfance risque d'entraîner la rupture. Marc commença à le comprendre le jour où il déclara : « J'ai épousé ma mère et ma femme a épousé son père, et ensemble nous vivons leurs vies. »

Certaines personnes ressentent le besoin de recueillir des « chiens perdus sans collier » pour les remettre sur pieds ; elles finissent généralement par épouser l'un d'eux. Elles continuent à s'occuper d'eux jusqu'à ce qu'elles parviennent à modifier leur personnalité en profondeur. J'ai demandé à une femme quels seraient ses sentiments si elle se rendait compte qu'elle avait à nouveau épousé un « paumé ». À ce moment-là, un des participants, un robuste policier moustachu, m'interrompit pour demander : « Que pensez-vous que l'on ressente quand on *est* soi-même un de ces chiens perdus ? »

Il est grand temps de faire le ménage, de donner une fin à votre passé, à votre ancienne relation et à votre enfance. Vous pensiez en être débarrassé mais au commencement d'une nouvelle relation, vous remarquez que ce n'est pas le cas. Comme le dit Thomas : « Ces névroses ne me lâchent pas ! »

La transition est une période dans laquelle nous réapprenons à communiquer avec autrui. Elle marque le début de la liberté et de la renaissance.

Les quatre étapes suivantes sont des rochers très glissants mais elles procurent de grandes joies. Seul avec vous-même, vous apprenez à vous connaître vraiment et à construire des bases saines pour de futures relations. L'*ouverture*, l'*amour* et la *confiance* constituent les étapes de l'introspection. L'étape de l'*attachement* facilitera l'intimité avec autrui.

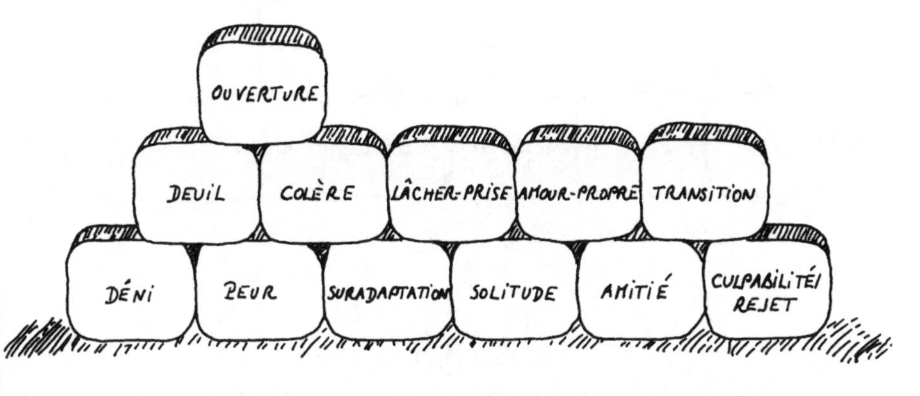

L'OUVERTURE :
« Je me cachais derrière un masque »

Un masque est un sentiment ou une image que vous projetez pour dissimuler votre véritable identité. Le problème est qu'il empêche votre entourage — et vous-même — de vous connaître vraiment. Quand j'étais enfant, j'avais un voisin qui souriait perpétuellement. Ce n'est que bien plus tard que j'ai compris : cette façade cachait une grande colère.

Nous sommes presque tous effrayés à l'idée de faire tomber le masque car nous pensons que notre véritable personnalité déplaira. Mais c'est en nous dévoilant que nous pourrons découvrir un degré d'intimité et une richesse de relation insoupçonnés avec les personnes que nous aimons.

Sandrine révéla aux autres participants qu'elle en avait assez d'être la poupée sans cesse souriante : « J'aimerais faire connaître mes véritables sentiments plutôt que de toujours paraître lisse et heureuse. » Son masque lui pesait, ce qui indique qu'elle était éventuellement prête à y renoncer.

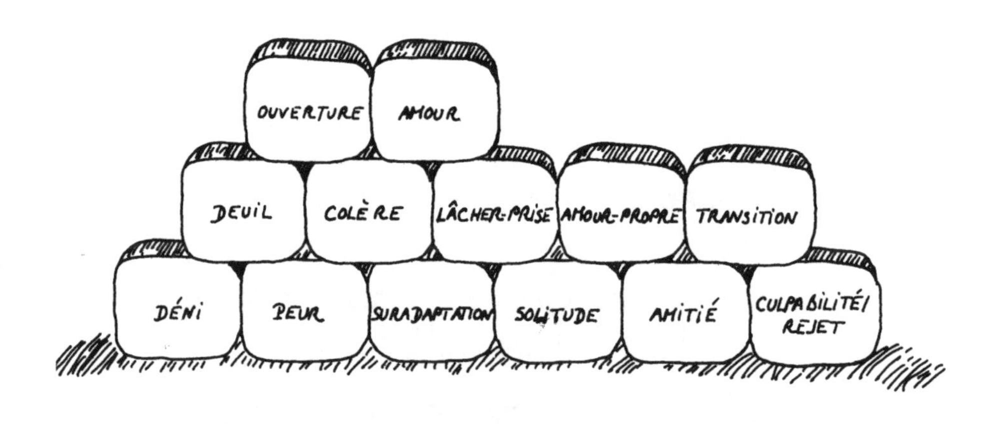

L'AMOUR :
« Quelqu'un pourrait-il vraiment m'aimer ? »

Les divorcés affirment souvent qu'ils pensaient connaître l'amour mais qu'ils ont probablement eu tort. Rompre devrait nous encourager à revoir notre conception de l'amour car l'impression de *ne pouvoir être aimé* peut apparaître au cours de cette étape. Comme dit Léonard : « J'ai l'impression que personne ne m'aime et en plus, je sens que *personne ne m'aimera jamais.* » Une telle angoisse peut être bouleversante.

J'ai assisté, il y a fort longtemps, à un sermon intitulé « Aime ton prochain comme toi-même » et qui soulevait la question suivante : « Qu'arrivera-t-il si je n'éprouve aucun amour-propre ? » Nous aimons souvent davantage l'autre. Au moment du divorce, l'objet de notre amour nous quitte et cette douleur vient s'ajouter au choc occasionné par la perte. Une étape importante de la guérison est d'apprendre à s'aimer. Si vous ne vous aimez pas, pensez-vous que d'autres le pourront ?

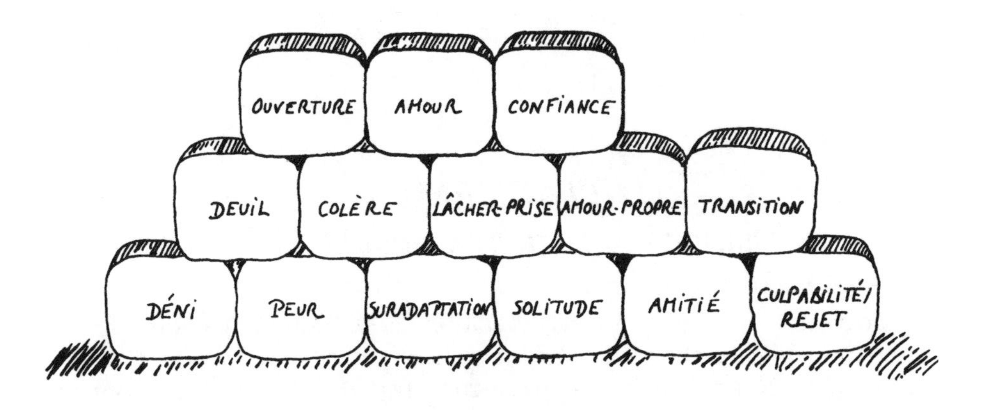

LA CONFIANCE :
« Mes blessures sentimentales commencent à guérir »

Située au centre de la pyramide, la confiance constituera le noyau de votre nouvel équilibre. Les divorcés se cherchent souvent des excuses en affirmant ne pouvoir faire confiance à une personne du sexe opposé. En réalité, comme dit l'adage : qui s'excuse s'accuse. Lorsque les personnes divorcées déclarent se méfier du sexe opposé, cela en dit long sur elles-mêmes.

Les divorcés portent la marque de leur rupture et cette cicatrice les empêche d'aimer à nouveau. Il faut du temps pour se sentir suffisamment fort et risquer à nouveau d'être blessé en acceptant d'être émotionnellement proche. Arriver à garder ses distances peut quelquefois être tout aussi difficile ! Lise raconte qu'en se faisant raccompagner chez elle après son premier rendez-vous, elle portait la trace de la poignée de la portière tant elle s'efforçait de s'écarter du chauffeur !

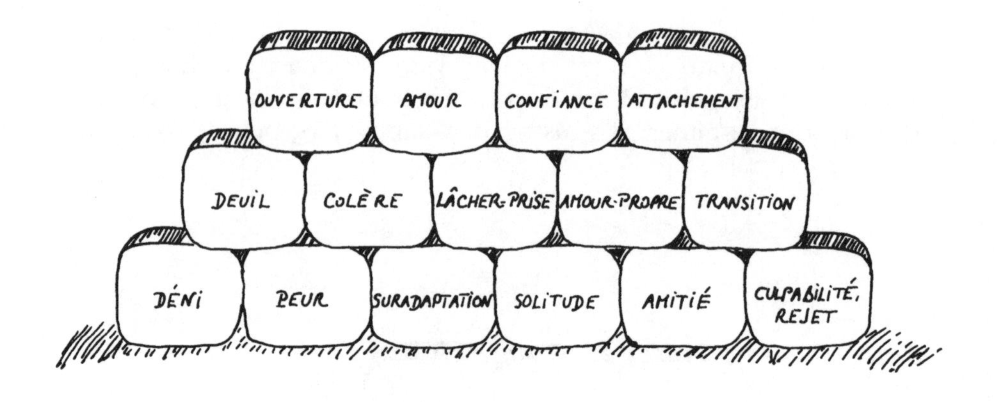

L'ATTACHEMENT :
« Les relations constructives m'aident à guérir »

Il arrive souvent qu'après la séparation, nous nous engagions dans une nouvelle relation qui semble offrir tout ce qui manquait à la première. Nous sommes convaincus d'avoir trouvé la personne idéale avec qui nous passerons le restant de nos jours. Parce que cette nouvelle liaison semble résoudre tous nos problèmes, nous nous y accrochons fermement.

En réalité, ce bien-être tient au fait que nous apprenons à être nous-mêmes. Reprenons le contrôle de notre vie et acceptons la responsabilité de ce bonheur. Voilà les deux choses importantes dont nous devons être conscients.

La nouvelle relation qui survient après un divorce est souvent appelée « relation de renaissance ». Lorsqu'elle cesse, cette seconde rupture est souvent bien plus douloureuse que la première. D'ailleurs, vingt pour cent des participants à mes séminaires s'inscrivent non pas après une première liaison mais à la fin de la deuxième.

Il est possible que vous ne soyez pas encore tout à fait prêt à regarder en face la pierre qui suit. C'est pourtant l'heure.

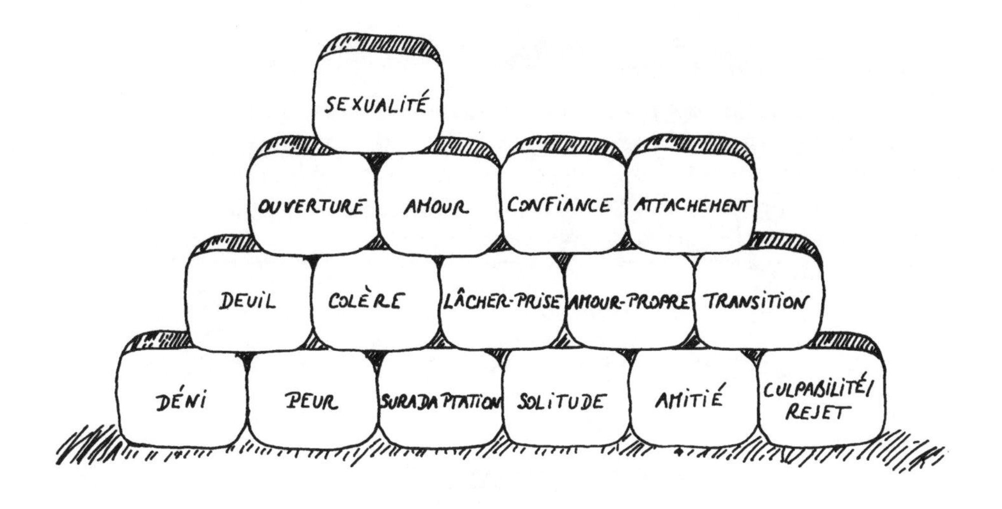

LA SEXUALITÉ : « *J'y pense mais j'ai peur* »

À quoi pensez-vous quand vous entendez le mot « sexe » ? Nous réagissons, pour la plupart, à ce mot de façon émotionnelle et irrationnelle. Notre société accorde trop d'importance au sexe et lui prête trop d'éclat. Les couples mariés imaginent souvent que les divorcés sont obsédés par le sexe et qu'ils vivent une « sexualité débridée ». En réalité, les nouveaux célibataires estiment que les problèmes d'ordre sexuel sont les plus pénibles à résoudre durant toute cette période.

Vous aviez un partenaire sexuel disponible « à la maison » durant votre relation amoureuse. S'il est parti, vos besoins sexuels eux sont toujours là. En fait, à certains stades du processus de divorce, ces besoins se font même plus pressants.

La plupart des gens redoutent les nouvelles rencontres — ils craignent de revivre leur adolescence — en particulier s'ils ont l'impression que les règles du jeu ont été modifiées depuis l'époque de leurs premiers rendez-vous. Ils se sentent vieux, peu attirants, peu sûrs d'eux et craignent de paraître maladroits. Et — c'est un comble — les vieilles rengaines parentales leur dictent à nouveau « d'être sages ». Non contents de se remémorer les sermons de leurs parents, les divorcés se voient souvent protégés par leurs propres enfants. (Ne rentre pas trop tard maman.) C'est pourquoi sortir avec quelqu'un semble périlleux et incertain. Il n'est guère surprenant que les ratages soient si fréquents.

Nous nous approchons du sommet ; les trois dernières étapes, *célibat*, *objectif* et *liberté*, vont nous apporter maintenant, plus que réconfort et consolation, un sentiment d'accomplissement face au travail achevé. Nous allons ainsi pouvoir souffler et prendre le temps de contempler le superbe paysage que l'on découvre du sommet de la montagne.

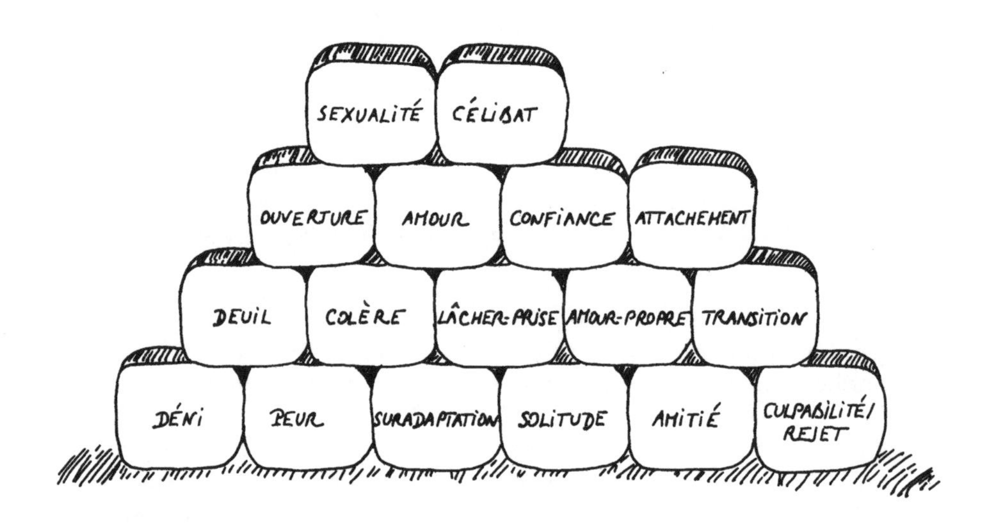

LE CÉLIBAT : *« Il n'y a donc rien de mal à cela ? »*

Les jeunes quittant le foyer parental pour mener une vie de couple sans jamais avoir vécu seuls manquent une période de croissance importante. La vie universitaire n'y suffit pas forcément car elle aussi peut avoir été régie par une figure parentale et des règlements.

Quelle que soit notre expérience passée, une période de célibat — de croissance en tant qu'individu indépendant — est bénéfique à ce stade. Cette phase de maturation nous permet de renoncer au passé ; elle nous apprendra à nous tenir debout seul et à investir en nous-même. Le célibat n'est pas seulement une bonne chose, il est indispensable !

Stéphanie vint me trouver à la fin d'un séminaire, au cours duquel j'avais abordé le problème du célibat, pour me dire qu'elle se trouvait si bien seule qu'elle pensait ne pas être normale. Elle me remercia de lui avoir permis de se sentir heureuse et normale en tant que célibataire.

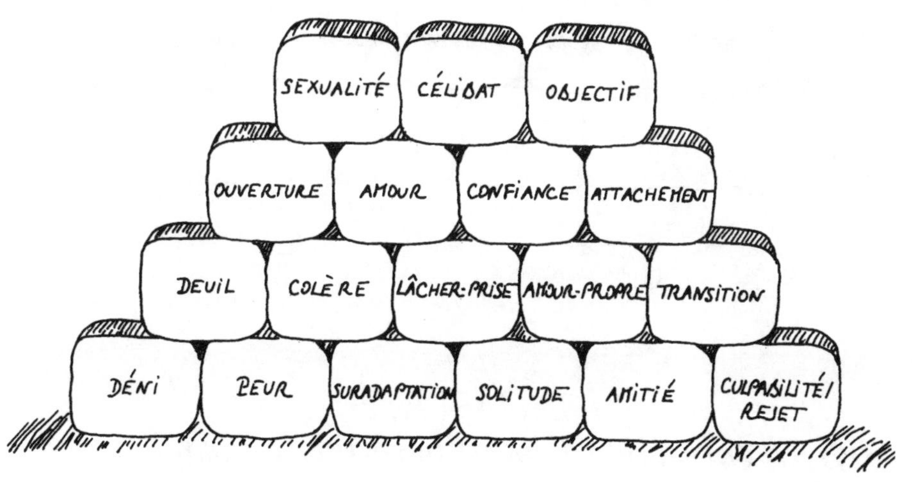

L'OBJECTIF : *« J'ai des projets d'avenir maintenant »*

Savez-vous combien d'années il vous reste à vivre ? J'ai été très surpris, lors de mon divorce, de découvrir qu'à quarante ans il me restait encore autant d'années à vivre. Vous avez la vie devant vous ! Alors, quels sont vos objectifs ? Qu'avez-vous l'intention de faire quand vous aurez retrouvé votre équilibre et serez prêt à construire votre vie après la rupture ?

Essayez de dessiner votre « ligne de vie » pour voir quelle forme elle revêt et jetez un coup d'œil aussi aux potentialités qu'elle renferme. S'organiser aide à rendre le futur présent.

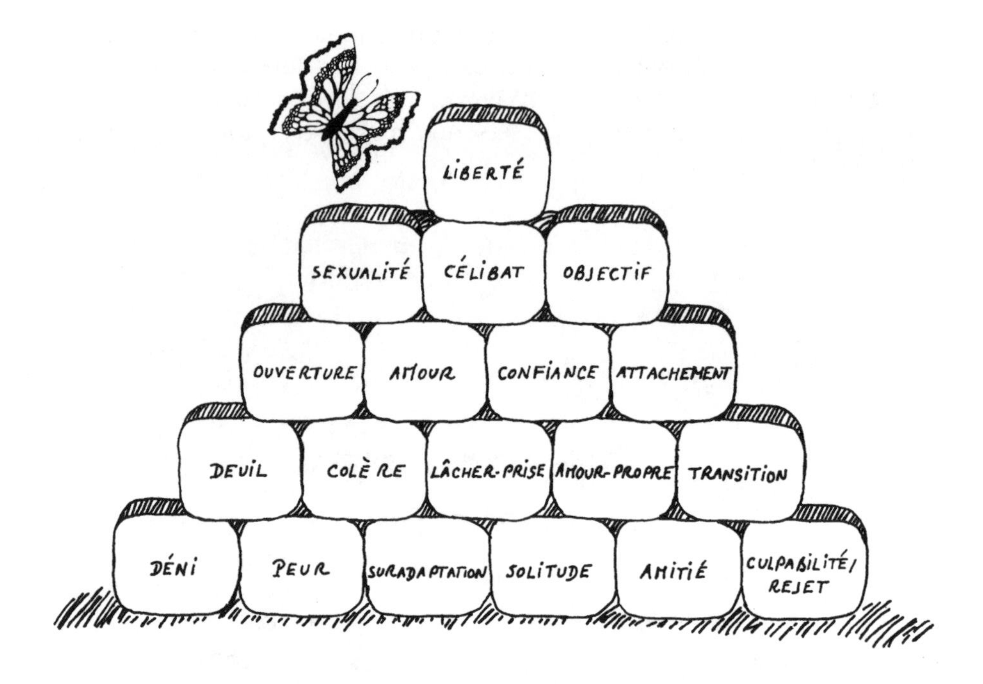

LA LIBERTÉ :
« La chrysalide a donné naissance au papillon »

Le sommet, enfin !

L'étape finale comporte deux aspects importants, deux pierres angulaires de votre future vie. Le premier est la liberté de *choisir*. Lorsque vous aurez enfin traversé ces étapes, après avoir échoué tant de fois par le passé, vous serez libre de connaître une nouvelle relation. Vous serez en mesure d'en faire une expérience enrichissante et significative, et libre de choisir de vivre heureux, en célibataire ou en couple.

Le second est la liberté d'*être vous-même*. Nous éprouvons presque tous des besoins non satisfaits qui parfois nous submergent et ne nous permettent pas d'être les personnes que nous souhaiterions. Nous débarrasser de ce fardeau et satisfaire des besoins auparavant non satisfaits nous permettra d'être enfin nous-même. C'est peut-être cela être vraiment libre.

Regarder en arrière

Voilà les grands traits du processus qui permet de reprendre pied à la suite d'une rupture. Il arrive qu'au cours de ce processus, nous soyons obligés de revenir en arrière et de retraverser une étape déjà franchie auparavant. Les étapes que j'ai numérotées de 1 à 19 ne se présentent pas nécessairement dans cet ordre numérique. En réalité, nous travaillons en général toutes les étapes en même temps. Et un gros problème, comme un procès en justice ou la fin d'une autre relation, peut provoquer un retour en arrière.

Retrouver la foi

On me demande parfois comment concilier la religion et cette période de maturation d'un nouvel équilibre. En période de divorce, de nombreuses personnes éprouvent des difficultés au sein de l'Église qu'elles fréquentaient pendant le mariage. Certains chrétiens considèrent que le divorce est un péché. Et nous nous sentons parfois coupables, que l'Église nous condamne ou non. Les religions ont souvent un fort sens de la famille et les parents uniques et les enfants de parents divorcés risquent de se sentir différents et exclus. Ils renoncent souvent à fréquenter l'église car ils n'ont pas l'impression d'y être entourés et compris pendant cette période difficile. Cet éloignement accentue leurs sentiments de solitude et d'exclusion.

Fort heureusement, de nombreuses paroisses ont pris conscience de ce malaise et se préoccupent maintenant du sort des divorcés. Je vous encourage à parler de vos besoins en créant un groupe de personnes seules et à partager avec le prêtre les sentiments de rejet et de solitude que provoque parfois l'attitude des paroissiens. Demandez-lui d'informer les autres personnes des besoins des divorcés.

Je suis convaincu que mes « pierres de taille » respectent et appliquent les préceptes de la religion. Je pense que notre manière de vivre reflète notre foi et que Dieu veut notre épanouissement personnel. Apprendre à s'adapter à une crise est aussi un processus spirituel. La qualité des liens que nous entretenons avec notre entourage et la quantité d'amour et d'attention que nous donnons aux autres sont de bons indices de nos rapports avec Dieu.

Les enfants aussi doivent « reconstruire »

« Et les enfants ? » On me demande souvent ce qu'il advient d'eux et comment les situer dans ces étapes. Les enfants réagissent comme les adultes et ces étapes leur conviennent tout aussi bien (ainsi qu'à tout parent ou ami proche). Les parents s'évertuent souvent à aider leurs enfants dans ce processus de conquête d'un nouvel équilibre au détriment de leurs propres besoins.

Si vous avez des enfants et que vous vous apprêtez à entamer ce processus de reconstruction, apprenez à prendre soin de vous et consacrez-y un maximum d'efforts. Vous verrez que vos enfants s'adapteront à la situation plus facilement. Le plus beau cadeau que vous puissiez leur faire est d'être vous-même équilibré et épanoui. Les enfants ont tendance à rester bloqués aux mêmes stades que leur père ou leur mère. Plus vite vous trouverez un nouvel équilibre, plus vite vous les aiderez à trouver le leur.

Tous les chapitres suivants mentionnent, étape par étape, les difficultés que rencontrent les enfants de divorcés. L'annexe A, qui leur est consacrée, peut vous servir à organiser un atelier afin de les aider à s'adapter le mieux possible à cet événement.

Travaux pratiques : prendre conscience ne suffit pas

De nombreuses personnes lisent des ouvrages de développement personnel en se limitant à mémoriser le vocabulaire et à prendre conscience de leurs problèmes, ce qui ne leur apprend rien de neuf au plan de l'émotion « vécue ». Or, l'apprentissage émotionnel concerne des croyances aussi inscrites dans le registre émotionnel que : « Les mères sont une source de réconfort », « Certains comportements appellent une punition », « Les ruptures sont douloureuses. » Nous avons tous une « éducation émotionnelle » et elle détermine nos comportements. Lors d'une crise, nous devons réévaluer cette « science », ce « savoir » de l'affect. Les croyances que nous avons toujours entretenues peuvent se révéler fausses ; nous devons alors les modifier. Or, dans ce domaine, la connaissance intellectuelle ne suffit pas : nous devons réapprendre les émotions par l'intérieur en les vivant.

Étant donné l'importance de cet apprentissage, j'ai inclus dans cet ouvrage des exercices qui vous aideront à structurer vos émotions. La plupart des chapitres contiennent des exercices spécifiques à faire avant d'entamer le chapitre suivant.

Voici les premiers :

1. *Tenez un journal et notez-y vos sentiments.* Vous pouvez le faire chaque jour ou chaque semaine ou simplement chaque fois que vous en avez le temps. Commencez vos phrases par «*Je ressens*», «*Je me sens*», «*J'ai l'impression que*», «*J'ai le sentiment que*», cela vous aidera à écrire le plus de sentiments possible. Tenir un journal est un apprentissage émotionnel car cela vous aide à identifier vos émotions et permet d'évaluer vos progrès. C'est en le relisant que vous prendrez la mesure de votre évolution. Tous ceux à qui j'ai conseillé de tenir un journal ont estimé que c'était une expérience bénéfique. Je vous suggère de commencer tout de suite : vous aurez sans doute envie d'écrire après chaque chapitre.

2. *Entourez-vous d'amis.* Les réseaux d'entraide sont très importants, c'est pourquoi l'une de vos principales tâches sera de vous construire un cercle d'amis. Choisissez de préférence des hommes et des femmes avec qui vous pourrez parler des étapes difficiles. Il vous sera peut-être plus facile de partager cette expérience avec une personne ayant vécu un épisode similaire, car ceux qui vivent en couple risquent de mal interpréter vos sentiments et vos comportements. Bien entendu, choisissez une personne en qui vous pouvez avoir pleinement confiance.

Si vous décidez de former un groupe de discussion, cet ouvrage constituera un guide utile.

3. *Apprenez à demander de l'aide à autrui.* Appelez quelqu'un que vous souhaiteriez connaître mieux et avec qui vous aimeriez nouer des liens d'amitié. Utilisez n'importe quel prétexte pour entamer la discussion. Dites que vous avez ce devoir à faire, que vous êtes en train d'apprendre à vous construire un réseau d'amis. Faites-le lorsque vous vous sentez plutôt bien. De cette façon, vous saurez vers qui vous tourner en cas de déprime (les personnes déprimées ont beaucoup de mal à établir des contacts).

4. *Répondez à la liste de questions.* À la fin de chaque chapitre, vous trouverez une liste qui vous servira de repère. Prenez le temps d'y répondre et servez-vous de ces réponses pour décider si vous êtes prêt à passer à l'étape suivante.

Comment allez-vous ?

Voici la première liste d'affirmations auxquelles vous devez réagir avant de commencer le chapitre suivant. Évaluez votre réponse à chacune d'elles (satisfaisant, à améliorer, insuffisant).

1. *J'ai identifié les étapes sur lesquelles je dois me concentrer.*
2. *Je comprends le principe du processus de guérison et de retour à un nouvel équilibre.*
3. *Je veux m'engager dans ce processus.*
4. *Je veux utiliser le chagrin causé par cette crise pour apprendre à mieux me connaître.*
5. *Je veux utiliser ce chagrin comme un tremplin pour mon développement personnel.*
6. *Si je rencontre des difficultés, je tenterai de comprendre les sentiments qui m'empêchent d'aller de l'avant.*
7. *J'accepterai chaque pensée et chaque émotion pour découvrir ce qui me bloquera dans ma progression.*
8. *Je veux et je crois avoir la force de reconstruire ma vie et de faire de cette crise une expérience enrichissante.*
9. *J'ai parlé de ce processus de la guérison et de la reconstruction à des amis pour comprendre l'étape à laquelle je me situe.*
10. *Je me suis juré de comprendre certaines des raisons qui ont fait que ma relation a pris fin.*
11. *(Si vous avez des enfants.) Je suis résolu à aider mes enfants à s'adapter, quel que soit leur âge.*

Comment utiliser ce livre

Individuellement. La plupart des lecteurs de cet ouvrage ont divorcé récemment et le lisent seuls. Si c'est votre cas, je vous suggère de commencer au début et de lire un chapitre à la fois. Faites les exercices chaque fois que vous terminez un chapitre avant de passer au suivant. L'ordre des chapitres correspond approximativement à celui de votre évolution.

Il est vrai que de nombreux lecteurs ont envie de dévorer le livre d'une traite pour ensuite le reprendre au début et faire tous les exercices. Quelle que soit la méthode que vous choisissez, je vous suggère d'utiliser un marqueur fluorescent pour structurer les informations. Certaines personnes utilisent une couleur différente chaque fois qu'elles relisent le livre. À chaque lecture vous découvrirez des idées qui vous avaient échappé auparavant. Vous n'entendrez que ce que vous êtes disposé à entendre en fonction de votre évolution.

Chaque lecteur réagit différemment à la lecture de cet ouvrage. Certains seront bouleversés par ce qu'il contient et d'autres comprendront qu'ils ont abandonné la relation trop tôt et qu'ils doivent résoudre avec leur partenaire certains problèmes restés en suspens.

Georges, qui avait participé à mon séminaire il y a quelques années, m'a raconté qu'après avoir lu le premier chapitre il avait ressenti une colère tellement intense qu'il avait jeté de toutes ses forces le livre contre un mur !

En groupe. Il est préférable, lorsqu'on lit cet ouvrage, de pouvoir discuter de chaque chapitre au sein d'un groupe restreint. Un minimum de direction sera nécessaire et vous serez enchanté de découvrir l'ampleur du soutien dont vous pourrez bénéficier. L'expérience montre que c'est au sein d'un groupe de discussion que les participants évoluent le plus. C'est la meilleure forme de traitement pour remettre de l'ordre dans une vie après une rupture, plus efficace encore qu'une thérapie individuelle.

J'espère que cet ouvrage vous aidera à traverser l'épreuve que vous vivez et à reprendre le contrôle de votre existence. Je reconnais et soutiens votre désir d'apprendre, de grandir, de guérir et de devenir la personne que vous souhaitez être. Bonne chance !

2

LE DÉNI
« Je n'arrive pas à y croire »

Mettre fin à une relation amoureuse provoque une douleur émotionnelle intense. La souffrance est si forte que nous réagissons parfois sans trop y croire ou en la niant. Cette réaction nous empêche en réalité de répondre à une question importante : « Pourquoi nous sommes-nous séparés ? » Rares sont les réponses simples, c'est pourquoi il faudra y consacrer beaucoup de temps et d'efforts. Si vous n'acceptez pas la rupture, vous éprouverez des difficultés à vous adapter et à guérir.

Le cri désespéré du hibou retentit dans le noir
Je l'ai entendu appeler sa compagne tard dans la nuit
J'ai attendu avec lui la réponse familière
Mon cœur comme le sien a cessé de battre
Quand seul le silence, plus éloquent qu'un cri, lui répondit
Ce soir il appelle encore
Seul le silence de loin en loin lui fait écho
Je n'ai jamais vu le hibou
J'ai entendu le cri
Et l'attente...

Anne

Voyez cette foule massée au pied de la montagne, attendant de pouvoir la gravir ! Petits et grands, jeunes et vieux, hommes et femmes, riches et pauvres, tous attendent. D'aucuns pensent que seuls les perdants divorcent mais bon nombre d'entre eux paraissent gagnants. Les plus pressés s'échauffent déjà. Certains semblent en état de choc — comme s'ils avaient rencontré la mort. D'autres encore contemplent le sommet et semblent découragés et incapables de l'atteindre. Mais la plupart ont l'air d'attendre que leur ancien partenaire vienne les chercher pour leur épargner la montée.

Nombre d'entre eux sont confus et désorientés. Thierry hoche la tête et marmonne : « Je pensais que nous formions un bon couple. J'étais capitaine de l'équipe de football de la fac et elle était une spectatrice assidue. Tout le monde pensait que nous étions faits l'un pour l'autre. Elle m'a tout avoué la semaine dernière. Elle était malheureuse, ne m'aimait plus et voulait divorcer. Elle a emmené nos deux enfants chez ses parents. J'ai été terrassé, je pensais qu'une chose pareille ne m'arriverait jamais. »

Juliette est impatiente de commencer l'ascension. Elle raconte à un passant : « J'étais si malheureuse avec mon mari. Je voulais divorcer mais j'avais peur d'entreprendre les procédures. Mon mari a été tué dans un accident ferroviaire et tout le monde a pensé que j'étais folle car j'étais à peine triste. Mais sa mort me permet enfin d'entreprendre cette escalade. Quand commence-t-on ? »

Rita avoue : « Il m'a quittée et vit à présent avec une autre femme mais il sera toujours mon mari. Dieu a voulu ce mariage. Seul Dieu peut le dissoudre. Je refuse de monter car nous resterons unis jusqu'à ce que la mort nous sépare. Peut-être nous réunira-t-elle ? »

David piétine pour s'échauffer les pieds. Il est encore sous le choc et a très froid. « Nous vivions heureux ma femme et moi. Nous ne nous disputions jamais. Hier soir, elle m'a avoué être amoureuse de mon meilleur ami en faisant ses valises. J'ai couru à la salle de bain et j'ai vomi. Ce matin j'ai appelé mon avocat pour qu'il entame les procédures de divorce. »

Henriette, une grand-mère grisonnante, raconte : « J'ai toujours vécu avec lui et lui ai consacré ma vie. Je pensais que nous partagerions nos vieux jours. Mais il m'a quittée sans explication. Il a tout détruit et je suis trop vieille pour refaire ma vie. »

Je pourrais consacrer un ouvrage entier à ces témoignages. Ils se ressemblent et pourtant ils sont uniques car chacun réagit différemment à une rupture.

Il est difficile de réconforter une personne souffrant autant. La meilleure aide que je puisse offrir à ce stade est d'écouter chaque histoire avec toute l'attention qu'elle mérite. Vous pensez avoir échoué, vous vous sentez à bout de souffle et croyez avoir approché la mort mais vous êtes bien en vie. Le choc initial est plus facile à supporter pour les personnes qui ont choisi de partir car elles sont mieux ,préparées à la crise, mais une rupture n'est jamais simple quelles que soient les circonstances.

« Pourquoi avons-nous rompu ? »

Nous nous demandons tous « Pourquoi ? » car nous souhaitons comprendre la rupture et en connaître les raisons, mais il faut pour cela pouvoir analyser la relation en profondeur. Or, nier le chagrin ressenti nous empêche souvent d'accepter les résultats de cette analyse émotionnelle. Comprendre aide à surmonter le déni ; c'est pourquoi ce chapitre aborde certaines causes de la rupture.

J'aime commencer les conférences que je donne aux adolescents en leur demandant : « Combien d'entre vous souhaitent se marier ? » Habituellement, la moitié lève la main. Je leur demande ensuite : « Combien d'entre vous comptent divorcer ? » Je n'ai jamais vu quelqu'un lever la main pour répondre à cette question.

Personne ne prévoit de divorcer. Et nous commençons presque toujours par nier le divorce quand il arrive. Refusant d'affronter nos problèmes de couple, nous pratiquons la politique de l'autruche. Et si notre mariage ne se porte pas bien, nous sommes quelquefois les derniers à nous en rendre compte.

La relation amoureuse compte trois pôles — deux personnes et le lien qui les unit. Cette relation ressemble à un pont : les fondations à chaque extrémité du pont symbolisent l'homme et la femme et le tablier représente le lien qui existe entre eux. Si des changements interviennent à l'une ou l'autre extrémité, le pont subit une traction. Et si les modifications sont trop importantes, il s'effondre. Chez les humains, de tels changements interviennent à la suite d'un développement personnel, d'une nouvelle formation, parfois aussi à la suite d'une expérience mystique ou d'un changement d'attitude ; ils peuvent également être provoqués par de l'anxiété, de la colère, un changement d'emploi et/ou en réaction au stress que causent les chocs émotionnels.

(Une des manières d'éviter ce type de stress dans la relation est de ne jamais évoluer, ni changer — mais cela ne paraît pas très sain. Qu'en pensez-vous ?)

Il reste à admettre que les changements survenus dans la relation ont modifié les interactions dans le couple et provoqué l'effondrement du pont.

Si vous doutez de vous-même et de vos capacités, vous pensez peut-être que vous *auriez dû* pouvoir vous adapter au stress causé par ce changement. Selon moi, chacun de nous doit apprendre, d'une part, à construire et entretenir son couple et, d'autre part, à éduquer ses enfants. Or c'est notre famille d'origine qui nous prépare à remplir ces deux rôles fondamentaux car personne d'autre n'est chargé de nous l'apprendre.

J'ai récemment prononcé une conférence devant une centaine de femmes et leur ai demandé si elles souhaitaient former un couple semblable à celui de leurs parents. Une seule femme a levé la main ! Qu'en est-il des autres et de vous-même ? Votre famille vous a-t-elle appris à vivre en bons termes avec votre partenaire et à vous adapter aux changements survenant dans votre couple ?

Peut-être qu'une thérapie familiale aurait pu vous aider à vous adapter, mais rien n'est moins sûr. Je dis souvent fièrement que j'accomplis un excellent travail lorsque les deux partenaires souhaitent améliorer la relation. Mais je suis impuissant si seul un des deux membres du couple est disposé à changer.

Qu'en était-il de votre couple ? Souhaitiez-vous tous deux améliorer la relation ? Si seul un partenaire est prêt à faire cet effort, il est peu probable que la relation s'améliore. Un attelage de chevaux ne peut avancer si l'un d'entre eux reste couché.

Il est possible que vous vous accusiez de l'échec de votre relation en jouant au « si seulement... » : « Si seulement j'avais été plus attentif ; si seulement je ne m'étais pas fâché autant ; si seulement je lui avais fait l'amour chaque fois qu'elle en avait envie ; si seulement je n'avais pas été si hargneux. »

J'espère que votre besoin d'autocritique est désormais satisfait et vous suggère d'y renoncer car vous avez déjà nettement amélioré vos facultés d'analyse. Vous en avez beaucoup appris sur la vie et vous-même depuis que vos problèmes de couple sont apparus. Pourquoi ne pas utiliser ces aptitudes pour *évoluer* plutôt que vous critiquer? Concentrez-vous sur l'avenir et non pas sur le passé. Pensez : «J'ai fait ce que je pouvais avec les moyens dont je disposais.» Cela suffit. À dater de ce jour, vous allez aborder le présent et l'avenir. Ayez en tête ce que vous allez faire demain et après-demain, et après après-demain...

Votre relation a peut-être échoué à cause d'une tierce personne. Il est plus facile de se fâcher contre cette personne que d'en vouloir à votre ancien partenaire ou à vous-même. S'irriter contre un ancien partenaire est un choix difficile car, s'il est normal d'être en colère contre celui (ou celle) qui vous quitte, en vouloir à l'être aimé est très pénible et l'on est parfois tenté de s'en prendre à la personne qui l'a détourné de vous.

Les causes de la rupture sont multiples. Vous pensez peut-être que son nouveau compagnon ou sa nouvelle amie possède ce que vous n'aviez pas. C'est possible mais chaque relation comporte des faiblesses et ce sont elles qui, pour différentes raisons, provoquent la rupture. Les schémas de développement et d'interactions commencent bien avant que la relation ne prenne fin. Si votre couple n'a pas tenu, il est peut-être difficile de comprendre quelles en étaient les fragilités dès maintenant.

En voici un exemple : de nombreuses personnes ne se sont pas libérées des influences parentales au moment du mariage. Elles ne possèdent pas d'identité propre, restent soumises à leur famille d'origine et quitteront leur partenaire pour ces raisons. Si l'on se penche sur les causes véritables de leurs ruptures, l'on comprend que ce n'est pas du partenaire qu'elles tentent de se libérer mais de leurs parents.

Par conséquent, il est possible que vos problèmes de couple aient débuté *avant* votre mariage. S'il y a une fêlure dans votre couple, il est plus facile pour un tiers de discerner ces manques : c'est toujours beaucoup — ou semble toujours beaucoup — plus simple de l'extérieur. Un bon thérapeute de couple peut vous aider à explorer et à comprendre les failles et les carences de votre ancienne relation.

De nombreux mariages échouent parce que les époux commettent l'erreur, par ailleurs très fréquente, d'investir tout leur temps et leur énergie dans un projet extérieur à la relation amoureuse tel que construire une maison, lancer une affaire ou étudier. Cette entreprise exige tant d'énergie qu'il ne leur reste plus de temps à consacrer à leur vie de couple. En fait, leur projet est une manière de s'éviter et quand la maison est achevée, les conjoints découvrent qu'ils n'ont rien en commun. La nouvelle demeure est là comme un monument commémoratif de leur divorce.

Quand tout cela a-t-il commencé ?

On se demande souvent pourquoi un tel et une telle ont divorcé. Mais il est parfois plus pertinent de se demander pourquoi ces personnes se sont mariées. Beaucoup de personnes le font pour de mauvaises raisons telles que : 1) éviter la solitude, 2) échapper à ses parents, 3) parce que « cela se fait », seuls les perdants restent célibataires, parce qu'ils ne trouvent personne « qui veuille d'eux », 4) par besoin de materner ou d'être materné, 5) parce qu'on est « tombé amoureux l'un de l'autre ».

Un chapitre de cet ouvrage sera consacré à l'amour mais il nous suffit à ce stade de savoir qu'il existe différentes formes d'amour et que, plus ou moins responsables ou matures, elles ne conviennent pas toutes au mariage. Nous cultivons souvent une image idéalisée de l'autre et il arrive que nous soyons amoureux de cette *image* plutôt que d'une personne. Après la lune de miel (il faut parfois du temps pour comprendre) nous sommes déçus parce que cette personne n'est pas telle que nous l'espérions. Tomber amoureux était peut-être une façon d'échapper à notre propre vide intérieur et certainement pas alors la base sur laquelle appuyer un amour durable.

Les personnes qui se marient pour ces mauvaises raisons (coup de foudre compris) peuvent être décrites comme des personnes en quête d'un alter ego pour se sentir entières et trouver le bonheur dans le mariage. Mirage et mariage se conjuguent alors. Les serments de mariage renforcent cette illusion de « deux personnes qui n'en formeront plus qu'une ». Lors d'un débat avec un groupe de prêtres, l'un d'eux m'a demandé si les termes mêmes du sacrement de mariage pouvaient contribuer au malentendu dont l'onde de choc est le divorce. J'ai répondu par l'affirmative. Une discussion très animée s'ensuivit et je pense que certains prêtres ont envisagé de modifier leur texte !

Quand vous vous sentirez prêt à vivre heureux en célibataire, vous serez prêt à vivre en couple. Deux personnes ayant réalisé un développement personnel suffisant et conquis le sommet de l'équilibre et de la plénitude de soi vivront une relation plus enrichissante que celles qui vivent une relation symbiotique où chacun est la béquille de l'autre.

En d'autres termes, les personnes malheureuses espèrent trouver « enfin » le bonheur dans le mariage. Souvenez-vous des films des années 1930-1950 (régulièrement diffusés à la télévision) : ils racontaient tous les *prémisses* d'une liaison — l'homme faisant sa cour à sa dame — et se terminaient toujours au moment du mariage. Après la noce, nous laissaient-ils penser, on vit heureux sans effort. Quel beau conte de fée !

Mon fils Todd a l'habitude de consigner ses idées par écrit ; elles sont parfois surprenantes de sagesse. Un jour il décrivit une bonne raison de se marier : « Un jour viendra où, alors que j'approcherai de l'âge adulte, je serai bouillonnant de vie et il me faudra trouver quelqu'un pour partager cette ardeur et ce trop-plein d'énergie. »

Une rupture est définitive : quand c'est fini... c'est fini !

Admettre la fin d'une relation malheureuse et improductive peut vous aider à considérer le divorce comme une preuve de santé mentale. Pensez à votre ancienne relation, à votre ancien partenaire et à vous-même. Écartez les poncifs romantiques et soyez honnête même si c'est douloureux. Posez-vous les questions suivantes :

Étiez-vous bons amis ?

Vous confiiez-vous vos joies et vos peines ?

Qu'aviez-vous en commun : des intérêts ? Des passe-temps ? Des attitudes face à la vie ? Des opinions politiques ? La même religion ? Vos enfants ?

Vos objectifs personnels, réciproques et communs étaient-ils similaires ou compatibles ?

Aviez-vous convenu de méthodes pour résoudre les conflits dans le couple (je ne parle pas forcément de solutions mais de méthodes) ?

Quand vous étiez en colère, résolviez-vous directement le problème ? Le cachiez-vous ? Essayiez-vous de vous faire du mal ?

Aviez-vous des amis communs ?

Sortiez-vous souvent ?

Étiez-vous tous deux responsables des revenus du ménage et des tâches ménagères ? Étiez-vous parvenus à un accord quant à ceux-ci ?

Preniez-vous au moins les décisions importantes en commun ?

Vous accordiez-vous mutuellement du temps libre ?

Vous faisiez-vous mutuellement confiance ?

La relation était-elle suffisamment importante pour que chacun de vous consente certaines concessions ?

J'espère que ces questions ne vous font pas trop mal. Y répondre honnêtement vous aidera probablement à admettre que votre relation était — dans la plupart des cas — terminée avant même la séparation ou le divorce officiel. Il peut être difficile de reconnaître certains de ces problèmes. Accepter que l'on y a une part de responsabilités est encore plus délicat (il est bien plus simple d'accuser son partenaire, la société, qui ou que sais-je encore...). Toutefois, l'acceptation est la face positive du déni : celle sur laquelle on peut se fonder pour reconstruire.

Prenez le temps de bien stabiliser votre pierre et souvenez-vous qu'admettre la fin de la relation ne veut pas dire que vous devez en assumer l'entière responsabilité. Évitez le piège des « si seulement » et sachez que les enjeux de toute relation forment un faisceau extrêmement complexe. Il est difficile de connaître les influences et les tensions qui interviennent dans la formation d'un couple, cela hypothèque encore son succès.

Vous en apprendrez davantage tout au long de votre progression. Contentez-vous pour l'instant d'inspirer profondément et dites : « Nous sommes séparés. »

Maintenant, laissez-vous aller à pleurer.

Du déni à l'acceptation

Vous êtes triste mais vous savez désormais pourquoi les ruptures arrivent et avez entrevu les failles et les carences de votre ancienne relation. Vous vous sentez peut-être très malheureux mais vous avez grandi en sagesse. Et, rassurez-vous, vous n'êtes pas seul dans ce cas.

C'est un ordinateur qui m'a révélé un élément essentiel de l'état d'acceptation. L'échelle d'évaluation, que j'avais installée sur ordinateur et qui était destinée à mesurer à quel niveau de la « montagne » une personne était arrivée, comportait un test concernant le degré d'acceptation de la rupture. Or, dans l'analyse informatique des résultats, ce test n'apparaissait plus ! Intrigué, j'ai découvert que les réponses à ce test étaient automatiquement traitées avec celles ayant l'amour-propre pour objet. La machine avait vu juste et ce qu'elle dit est confirmé par la réalité : plus votre estime personnelle est solide, plus vous accepterez facilement la rupture.

Si vous hésitez à entreprendre l'escalade parce que vous niez la rupture, peut-être devrez-vous commencer par améliorer votre estime personnelle. Je sais que vous êtes très éprouvé par ce récent divorce et que vous donner ce conseil, c'est comme crier dans l'orage. Pourtant, vous verrez que c'est une bonne chose, en particulier une fois que vous aurez étudié le chapitre 11. Au fur et à mesure que vous découvrirez votre valeur personnelle, vous comprendrez mieux de quoi je parle.

Plus vous prenez conscience de votre solitude et de la réalité de votre rupture, plus votre souffrance est intense. Et cette douleur que vous ressentez est bien réelle. Le divorce et la mort d'un conjoint sont probablement les deux expériences les plus difficiles à vivre. Des millions de personnes ont traversé ces épreuves ; elles sont déchirantes et savoir que vous n'êtes pas seul ne vous est pas d'un grand secours. Notre seule force est d'utiliser ce chagrin pour guérir et d'accepter la douleur plutôt que de la nier. Servons-nous-en pour évoluer et transformer cette crise en une expérience positive qui refermera nos blessures. Notre tristesse peut nous pousser à l'amertume, à la colère et à la détresse ; mais nous pouvons également nous servir du chagrin pour évoluer. Quel sera votre choix ?

Les personnes qui pensent pouvoir se réconcilier avec leur ancien partenaire ne voient probablement pas de raison pour elles d'entamer ce processus de réajustement. Certaines personnes demandent le divorce et ne l'obtiennent pas ; nous ne savons pas ce qu'il advient d'elles. Je suppose que ces couples sont capables de faire renaître l'amour et de revivre ensemble.

Que dire aux couples qui souhaitent revivre ensemble ? Doivent-ils aussi gravir la montagne ? Si votre relation a été soumise à des difficultés telles que vous en êtes arrivé à vous séparer et que le divorce a été envisagé, vous aurez chacun besoin de recul et de solitude pour pouvoir modifier votre système d'interaction. Vous pouvez choisir de fermer le pont au trafic pendant les travaux ! Apprenez à mieux vous connaître avant de commencer la réfection du pont. Reprendre la vie commune est très simple mais il est difficile — sinon impossible — d'améliorer et d'enrichir l'ancienne *relation* sans mettre en place des changements *personnels.* Vous devrez peut-être escalader cette montagne avant de retrouver votre ancien partenaire !

Amis et amants

Je dois vous avertir qu'à ce stade de votre évolution vous êtes vulnérable ; vous risquez de vous engager dans une nouvelle relation pour fuir le chagrin mais je suis convaincu que vous avez davantage besoin d'*amis* que d'*amants.*

Avez-vous lu l'*Odyssée* d'Homère? Ce poème épique relate tous les dangers encourus par Ulysse pour rentrer à Ithaque après la chute de Troie. L'un de ceux-ci est une île peuplée de sirènes chantant pour attirer les marins. (Ulysse et ses compagnons ont été prévenus que s'ils s'arrêtaient ils s'exposaient à la mort.) Pour ne pas se laisser tenter, les compagnons se bouchèrent les oreilles et Ulysse se fit attacher au mât.

Comme les héros d'Homère, vous devez faire preuve d'autodiscipline et éviter de vous impliquer dans une relation amoureuse avant d'avoir guéri une partie de votre douleur. Des rapports débutant alors que vous êtes dans la peine finissent toujours par vous rendre encore plus misérable. En revanche, les amitiés sont, elles, très utiles et stimulantes. Avoir des amis vous sera très profitable.

Imaginez un équilibriste. À l'une des extrémités du fil, la plate-forme représente la sécurité dont vous bénéficiiez dans votre ancien couple. L'autre plate-forme symbolise la sécurité intérieure à laquelle vous devez parvenir. Il faut continuer d'avancer sur le fil pour trouver cette paix intérieure, mais sans amis, vous risquez la chute !

Vous risquez également de chuter si vous vous engagez dans une relation amoureuse à long terme et si vous investissez davantage dans cette relation que dans votre développement personnel. Vous finirez par comprendre que vous essayez de plaire et de faire en sorte que la relation se maintienne plutôt que de vous efforcer de devenir la personne que vous souhaitez.

L'idéal est d'avoir des amis pour vous aider à garder l'équilibre sur le fil. Les amis sont capables de vous donner des réponses honnêtes et franches qui ne sont pas motivées par la nécessité de gagner votre amour. Les amis sont plus objectifs que les amants et vous aurez besoin d'eux. Fixez-vous un objectif : apprenez à être un célibataire heureux et vous pourrez reformer un couple.

La souffrance des enfants

Trois grands thèmes relatifs au déni posent des problèmes aux enfants. En premier lieu parce qu'ils espèrent secrètement que leurs parents reprennent la vie en commun et investissent énormément dans ce rêve. Ils acceptent difficilement que la relation ait pris fin. Vous serez peut-être surpris d'apprendre à quel point leur espoir est tenace. Vous devez répéter que la relation est terminée afin qu'ils puissent renoncer à la réconciliation. Les enfants utilisent toutes sortes de subterfuges pour vous réunir ; ils essaient de faire en sorte que vous passiez du temps ensemble à discuter. Vos enfants s'évertuent à refuser votre séparation et à espérer que le couple se reforme. Répondez-leur gentiment mais fermement que le mariage est terminé et soyez déterminé.

En second lieu, les enfants, traversant l'étape du déni/acceptation, croient être responsables de la séparation de leurs parents. Ils pensent que leur désobéissance — qu'ils aient refusé d'aller se coucher, de débarrasser la table ou d'aider à la maison — a provoqué une dispute ayant abouti au divorce. Aidez-les à admettre qu'ils ne sont pas responsables et que le divorce est un problème d'adultes.

En troisième lieu, les enfants qui ont perdu un parent craignent de perdre l'autre. Ils se montrent envahissants et dépendants. Ils ont besoin d'être rassurés et d'entendre que vous n'allez pas les quitter à votre tour. Le divorce a lieu entre homme et femme ; les liens de parenté sont indestructibles et ils ont besoin de se l'entendre dire.

Comment allez-vous ?

Il se peut que vous vous soyez lancé dans cette entreprise sans le vouloir car vous êtes toujours secrètement attaché à votre ancien partenaire. L'intensité de votre malaise émotionnel justifie que vous entrepreniez ce travail. Vous gagnerez à apprendre le plus possible au cours de ce périple. Soyez positif et ne vous lancez pas à contrecœur.

Le chapitre suivant nous permettra d'explorer plus en détail les causes du divorce. Mais prenez d'abord le temps de répondre aux affirmations ci-dessous avant de décider si vous êtes ou non prêt à entreprendre l'étape suivante. Étudiez vos réponses pour mesurer vos progrès. Personne ne vous juge, soyez honnête envers vous-même.

1. *Je suis capable d'accepter que ma relation ait pris fin.*
2. *Cela ne me gêne pas d'annoncer mon divorce à mes amis et à ma famille.*
3. *J'ai commencé à comprendre les raisons de cet échec et cela m'a aidé à surmonter le déni.*
4. *Je crois que, même si le divorce est douloureux, il peut aussi être une expérience positive et créative.*
5. *Je suis disposé à investir émotionnellement dans ma propre évolution afin de devenir la personne que je veux être.*

6. *Je veux apprendre à être un célibataire heureux avant de m'engager dans une nouvelle relation.*
7. *Je continuerai à investir dans ma propre évolution même si mon ancien partenaire et moi envisageons de revivre ensemble.*

3

LA PEUR
« Tant de choses m'effraient ! »

La peur peut être paralysante jusqu'à ce que nous reconnaissions qu'elle est une alliée interne. Elle nous invite à en savoir plus sur nous-même. En période de divorce, ce sentiment est très présent.

J'ai toujours été arrêté par la peur. Tout changement échappant à mon contrôle m'effrayait mais je craignais également que rien ne change jamais. Ma vie était dominée par de tels sentiments ! Je redoutais la solitude et pourtant je m'isolais volontiers, j'avais peur de ne plus jamais être aimé mais je repoussais tout sentiment amoureux dès qu'il devenait sérieux... J'étais bloqué et complètement paralysé par ma propre peur. Ce n'est qu'après avoir accepté ces appréhensions, en avoir fait le tri et en avoir parlé ouvertement qu'elles ont perdu le pouvoir qu'elles avaient sur moi.

Alain

J'ai consacré trente-trois ans à l'éducation de mes nombreux enfants. Mon train de vie aisé m'apportait sécurité et confort. Lorsque je fus contrainte d'assurer seule l'éducation du petit dernier et de subvenir à mes propres besoins, je fus paralysée de peur (je ne possédais aucune expérience professionnelle).

Laurence

Voyez comme ils sont nombreux à regarder la route et à s'écrier : « N'y allez pas, vous risquez de tomber dans le précipice ! » ou : « Le sentier est trop abrupt. J'ai trop peur de m'y engager. » « Je risque de me faire attaquer par des animaux sauvages ; je crois que je n'ai plus envie d'y aller ; j'appréhende d'apprendre des choses sur moi-même si j'entame cette escalade. » Voilà ce que murmurent et disent les autres.

Vivre une rupture provoque différents types de terreur que nous ne pensions pas ressentir un jour. Certaines peurs sont archaïques et nous n'y avions jamais accédé car elles étaient profondément enfouies en nous.

Il est facile de se laisser paralyser par la crainte et ces appréhensions vous empêchent de gravir la montagne. Une petite frayeur nous motive parfois mais un sentiment trop violent peut rendre le quotidien insupportable.

J'ai pu observer certains phénomènes concernant la peur qui vous aideront à la surmonter. Le premier est que les peurs non identifiées sont les plus puissantes. C'est en identifiant sa peur, en l'analysant et en l'affrontant qu'on parvient à l'apprivoiser. Répertoriez vos craintes et dressez-en une liste, cela vous permettra de prendre conscience de vos sentiments véritables.

Il est également utile de savoir que *les situations que vous craignez le plus sont précisément celles que vous avez le plus de chances de rencontrer.* Qui craint le rejet, cherchera à ne pas se faire rejeter par son entourage. Or, tenter de plaire à tout prix, se montrer surprotecteur ou ne pas exprimer sa colère sont des comportements qui, s'ils semblent nous protéger du rejet, risquent au contraire de l'induire. Nous serons perçus comme n'étant ni sincères, ni honnêtes, ni francs et rejetés pour ces raisons. Si nous n'affrontons pas nos peurs, nous courrons donc le risque qu'elles se matérialisent. Il est en effet préférable de les affronter ouvertement que de les nier ; cette attitude même devrait suffire à en supprimer un grand nombre !

Que craignez-vous ?

Voici les peurs dont on m'a le plus souvent parlé en période de divorce. Je pense que cette liste vous aidera à accéder à vos propres craintes et à les identifier. Craignez-vous également les situations suivantes ?

La *peur de l'inconnu* est de loin la plus fréquente : j'ignore de quoi ce chemin sera fait et ce que j'apprendrai sur les autres et sur mon propre compte. Je ne vois pas comment je pourrais m'en sortir seul.

Ces peurs de l'inconnu prennent racine dans l'enfance. Tout petit, nous pensions apercevoir des fantômes en nous réveillant la nuit. Aujourd'hui, c'est pareil : la peur est tangible mais sa cause ne l'est pas car elle est le produit de notre imagination. Vous devez apprendre à affronter l'avenir et cesser d'anticiper pour faire confiance au processus de guérison et accepter de nouvelles expériences tout en surmontant la rupture.

De nombreuses personnes *redoutent d'être considérées comme des divorcés* car le jugement de leur entourage leur tient à cœur ; les critiques les blessent. Elles pensent n'être bonnes à rien et se sentent incapables de résoudre leurs problèmes sentimentaux. Elles imaginent être la risée des autres, en retirent un sentiment de honte et se sentent méprisées.

D'autres encore *ont peur de dévoiler leur vie privée.* Observant un beau jour que les problèmes du couple ne sont plus un secret pour personne, elles comprennent qu'ils ont franchi les limites de la vie privée. « Si nous avions nos problèmes, au moins personne ne le savait. » Quand survient la séparation, il faut en revanche avertir les professeurs des enfants ; les amis ont tôt fait de remarquer que les numéros de téléphone ont changé ; le bureau de poste apprend qu'une partie du courrier est acheminé à une autre adresse ; les fournisseurs doivent être informés de ce que les factures ne seront pas honorées avant que les décisions financières n'aient été prises. Il semble que, désormais, le monde entier soit au courant de cette triste affaire.

Vous avez peur car vous vous sentez incapable de *prendre les décisions qui s'imposent* : Quel avocat contacter ? Quel thérapeute choisir ? Quelles factures payer en priorité ? Mon conjoint s'occupait de tous les paiements et aujourd'hui je dois apprendre à gérer ces comptes-là à la banque. Comme c'est la première fois que vous allez le voir, vous pensez que le garagiste profitera de votre ignorance. Dans un premier temps, contentez-vous de prendre de bonnes décisions. « De toutes façons, je suis trop accaparé par toutes les décisions à prendre et émotionnellement submergé pour me préoccuper de l'état de ma voiture. »

Vous avez peur de manquer *d'argent*. Comment faire pour financer deux foyers ? Vous craignez de perdre votre emploi car vous pleurez au bureau et êtes incapable de vous concentrer, vous pensez que personne ne voudra d'un employé aussi peu efficace. Vous imaginez ne pas avoir assez d'argent pour payer les traites et nourrir les enfants.

Quant aux enfants, vous avez peur de *les élever seul*. Vous parvenez à peine à vous débrouiller et vous vous sentez incapable de vous occuper d'eux. Personne ne prendra la relève quand vous serez épuisé. Vous devrez être présent vingt-quatre heures sur vingt-quatre et sept jours sur sept, or vous ne souhaitez qu'une chose : vous allonger et vous enfouir sous les couvertures. Vous avez besoin de bras protecteurs et en avez assez de prétendre être suffisamment bien pour vous occuper entièrement de vos enfants.

Vous avez également peur de *perdre vos enfants* car votre ancien partenaire a décidé de demander la garde. Vous avez toujours beaucoup compté pour vos enfants et ils disent vouloir vivre avec vous. Mais votre ancien partenaire a un meilleur salaire que vous et pourra leur acheter ce qu'ils souhaitent. Vous êtes convaincu que vos enfants se laisseront tenter par le confort que vous ne pouvez leur offrir et souhaiteront vivre chez leur autre parent. S'il y a procès, vous vous demandez ce que diront les enfants : que leur mère est bien trop démunie ou trop occupée par ses dossiers pour leur consacrer un peu de temps, ou trop fofolle ?

Vous avez peur de *vous confier*. Vous avez besoin d'être écouté et compris. La plupart de vos amis sont mariés et n'ont pas vécu le divorce. Vont-ils colporter vos confidences? Resterez-vous amis après le divorce? Vous croyez être seul dans votre cas et êtes persuadé que personne ne vous comprend puisque vous n'y parvenez pas.

Vous avez peur d'*aller en justice*. Vous ne l'avez jamais fait et croyez que cela n'arrive qu'aux criminels et aux délinquants. Vous avez entendu parler de cas de divorce épouvantables et vous pensez que ce sera pareil pour vous. Vous êtes convaincu que votre ancien partenaire trouvera un excellent avocat et que vous perdrez tout. Vous ne souhaitez pas faire preuve d'agressivité mais vous croyez que vous y serez contraint pour vous protéger. Vous ne comprenez pas pourquoi le tribunal peut prendre des décisions concernant votre vie, votre famille et vos enfants. Qu'avez-vous fait pour mériter cela?

Vous avez peur de *la colère*, de la vôtre et de celle de votre partenaire. Vous avez appris qu'elle est mauvaise conseillère et, enfant, vous étiez terrifié quand vos parents se disputaient. D'ailleurs vous ne vous emportiez jamais dans votre couple. Aujourd'hui, vous êtes effrayé quand vous explosez et pensez que votre comportement hypothéquera vos chances de reprendre la vie commune. Vous vous sentez souvent furieux mais pensez qu'il n'est pas bien de le montrer. Vous êtes déprimé et vous vous demandez s'il existe un lien entre la colère contenue et la dépression.

Vous avez peur de *perdre la tête*. Vous êtes fou de rage. « Vous savez, mes parents ne se contrôlaient plus quand ils voyaient rouge! » Vous avez par ailleurs entendu que certaines personnes passent aux actes en période de divorce et craignez de devenir violent si vous vous laissez aller.

Vous avez peur de *la solitude et du célibat*. Vous vivez seul maintenant et pensez que personne ne partagera vos vieux jours. Vous enviez les couples âgés qui prennent soin l'un de l'autre, évitant ainsi la maison de retraite. Personne ne prendra soin de vous et vous êtes condamné à une retraite glauque et solitaire. En cas de maladie, vous vous imaginez mourant abandonné de tous dans le plus grand anonymat. Personne ne vous soignera et personne ne sera là pour répondre à vos appels.

Vous avez peur de *découvrir que vous n'êtes pas digne d'être aimé*. Votre ancien partenaire, la personne qui vous connaît mieux que quiconque, ne veut plus vivre avec vous : personne ne peut vous aimer; vous n'êtes pas capable de susciter l'amour chez quelqu'un. Comment vivre dans ces conditions? Vous avez toujours vécu dans la crainte d'être abandonné et pensez que c'est arrivé. Vous avez été écarté comme un jouet devenu inutile.

Vous avez peur de *la folie*. Vous vous sentez malade mentalement. D'ailleurs, vous avez envie de vous faire interner. Être entièrement pris en charge par un service psychiatrique sans avoir à préparer vos repas vous semble presque séduisant. Vous souhaitez vous recroqueviller en vous-même et pouvoir vous reposer entièrement sur autrui comme quand vous étiez enfant, même s'il faut pour cela vous faire enfermer dans un asile.

Vous avez peur de *souffrir encore, à nouveau et davantage*. Vous n'avez jamais tant souffert : la personne que vous aimiez le plus et qui — pensiez-vous — vous aimait vous a blessé plus que toute autre. Vous avez envie de vous cacher pour ne plus jamais être blessé par quelqu'un. Votre angoisse vous paralyse et vous rend insensible. Vous craignez de ne pas supporter la douleur et de ne pas survivre à la prochaine blessure affective.

Vous avez peur de *changer*. Que de bouleversements en perspective ! Devrez-vous quitter votre foyer ? Trouver un nouvel emploi ? Changer d'amis ? Vous adapter pour continuer à vivre ? Changer vous-même ? Tant d'incertitude est intolérable. Quels changements vous faudra-t-il mettre en place après une telle période de crise ?

L'idée de *sortir à nouveau, vous lancer dans une nouvelle relation* vous effraie tant que vous préférez ne pas y songer.

Apprivoiser la peur

Certaines personnes réagissent à la peur en s'exposant au danger. Elles souhaitent affronter leurs peurs et découvrent que prendre des risques les autorise à avoir peur. En période de divorce, elles escaladent des falaises escarpées, conduisent imprudemment ou se mettent en danger de façon à ressentir la peur. De telles conduites se révèlent rarement productives. Il vaut mieux apprivoiser sa peur qu'essayer de la conjurer.

Les thérapeutes demandent souvent aux personnes éprouvant des crises de peur importantes ce qui pourrait leur arriver de pire : Allez-vous en mourir ? Allez-vous tomber malade ? Allez-vous être envoyé en prison ? Or, le pire qui puisse arriver est de vivre — longtemps — avec cette douleur. Dans la plupart des cas, rassurez-vous, la crise s'efface et donne lieu à d'importantes transformations. La vie y gagne en profondeur et en intensité.

La peur existe en chacun de nous et nous pouvons l'apprivoiser. Elle nous empêche de prendre des risques inutiles, de nous mettre en danger et de nous rendre vulnérables. Si nous n'éprouvions aucune peur, nous ne vivrions pas longtemps car nous ne chercherions pas à fuir le danger. La peur nous aide à nous protéger : une brûlure nous fait craindre et respecter le feu. La même règle s'applique aux émotions. Si vous souffrez, vous tenterez d'éviter toute forme d'intimité avant d'être complètement guéri.

La peur peut également servir de stimulant et de motivation. Elle nous pousse à développer de nouvelles compétences pour survivre, à mieux nous défendre et à nous endurcir émotionnellement et physiquement. Nous pouvons utiliser la peur pour nous aider à reconstruire notre vie en décidant de ne plus souffrir et de surmonter nos peurs.

La meilleure manière de surmonter la peur est de nous autoriser à la ressentir. Pour en sortir, il faut l'avoir traversée. Découvrez-la et engagez-vous à la maîtriser et à l'employer pour mieux vous comprendre. Vos craintes vous aideront à mieux vous connaître.

Peut-être avez-vous peur d'élever seul vos enfants ? Sachez que vous allez probablement devenir un meilleur parent car c'est en affrontant et en contrôlant ses peurs que l'on peut consacrer davantage de temps et d'énergie à sa propre croissance, à sa carrière ou à développer de nouveaux types de relations et ainsi devenir un « vrai » parent.

Gérer la peur

Quand vous ressentez de la peur, concentrez-vous sur votre corps pour déterminer où elle se situe. Elle siège généralement dans le plexus solaire, juste au-dessus du nombril, mais on peut la ressentir ailleurs : à l'arrière des jambes par exemple. Cela dépend des personnes. Localiser ce sentiment vous aide à lui faire face.

D'habitude, quand on est effrayé, le corps envoie de l'oxygène et de l'adrénaline aux muscles. D'une manière presque animale, votre corps se prépare à combattre et à vous défendre contre le danger qu'il perçoit. Ne possédant pas de muscle dans le cerveau, il est probable que c'est cela qui nous empêche de réfléchir correctement quand nous avons peur.

Je vous suggère de vous asseoir ou de vous allonger dans un endroit confortable et de faire quelques exercices de respiration. Inspirez profondément et emplissez d'air la partie inférieure de vos poumons en gonflant le ventre. Laissez l'oxygène pénétrer dans votre sang, en particulier dans la tête.

Détendez-vous et relâchez tous les muscles de votre corps en commençant par les doigts de pied et en terminant par le front pour libérer la tension et vous relaxer davantage. Continuez à inspirer profondément et à vous détendre. Fermez les yeux pendant quelques minutes et imaginez-vous dans un lieu calme et reposant (sur la plage, dans un pré à la montagne, etc.).

Demandez-vous ensuite si cette peur vous met en danger et qui vous a appris à l'éprouver. Est-elle ancrée dans le présent ou est-elle un vestige du passé? Quand votre ancien partenaire était fâché contre vous, ressentiez-vous une peur semblable à celle que faisait naître la colère de vos parents? Cette peur vous rappelle-t-elle des souffrances ou des blessures anciennes? Que pourriez-vous faire en présence d'une telle peur? Risque-t-elle de vous engloutir ou pouvez-vous la canaliser afin de mieux vous connaître? Comprendre le mécanisme de ma peur m'aidera à la maîtriser et à reprendre le contrôle de ma vie. Plus je suis libre de choisir, plus je dispose d'alternatives et mieux je conjure ma peur.

La rupture vous permet d'évoluer et de mettre en place des changements importants. Affronter et vaincre vos peurs peut vous aider à faire de cette crise une expérience créative.

Les enfants ont encore plus peur que vous

Après avoir annoncé à ma fille âgée de huit ans que je partais, je suis allé préparer mes affaires. Quand je suis revenu lui dire au revoir, je l'ai trouvée sous son lit. Elle avait si peur qu'elle ne se souvient de rien; elle a toujours nié s'être cachée.

Imaginez la peur que les enfants risquent d'éprouver si leurs parents divorcent! Leur monde est menacé : ils se demandent si leurs parents les aiment encore, où ils vont habiter, s'ils habiteront avec leur mère ou leur père, ce qu'en penseront leurs amis, s'il leur restera des amis, ce qu'il adviendra d'eux, etc.

Les enfants craignent souvent d'être abandonnés car ils n'interviennent pas dans les décisions. Si l'un des parents quitte la maison, ils craignent de voir disparaître l'autre et de rester seuls.

Nous devons dire à nos enfants que *les parents peuvent divorcer l'un de l'autre mais qu'ils ne divorceront jamais de leurs enfants.* Mariage et concubinage peuvent prendre fin; les liens de parenté sont éternels. Il est absolument indispensable de les rassurer *en paroles comme dans les faits.*

Ces peurs sont extrêmement puissantes. Comme les adultes, les enfants peuvent apprendre à identifier leurs peurs, à en parler et à les maîtriser. Nous devons tous admettre qu'il est normal d'avoir peur et que tout le monde la ressent.

Les exercices de relaxation et de respiration conviennent aussi aux enfants. S'ils les apprennent dès leur plus jeune âge, ils seront capables de les utiliser dans les situations angoissantes (examens, prise de parole en public, etc.).

Comment allez-vous ?

Voici une liste qui vous permettra de déterminer si vous êtes parvenu au terme de cette étape. Il ne vous sera pas facile d'escalader la montagne tant que vous n'aurez pas eu le courage de surmonter vos peurs.

1. *J'ai identifié et répertorié mes peurs.*
2. *J'ai trouvé un ami ou une personne à qui je peux parler de mes peurs.*
3. *J'apprends que la peur s'apprivoise et peut devenir une alliée.*
4. *Je transforme ma peur : elle me paralysait mais je m'en sers pour me stimuler.*
5. *J'en apprends beaucoup sur mon propre compte en affrontant directement mes peurs.*

4

LA SURADAPTATION
« Mais cela marchait toujours quand j'étais petit ! »

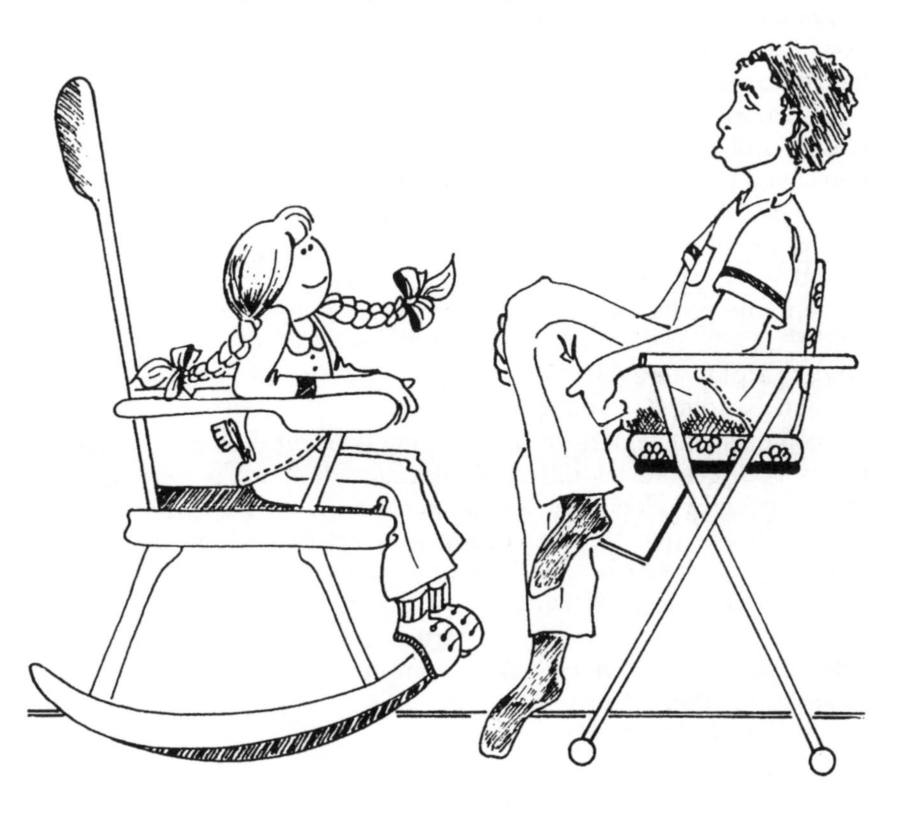

En grandissant, nous avons tous appris à nous suradapter lorsque nos demandes d'amour et d'attention n'étaient pas entendues. Mais ces stratégies, qui nous ont aidés dans l'enfance, nous embarrassent à l'âge adulte. Adopter une attitude trop ou insuffisamment responsable, par exemple, est inadéquat entre adultes. Les étapes de la guérison permettent de transformer les aspects indésirables de notre personnalité en comportements favorisant les contacts humains.

Dans mon premier mariage, j'étais le parent et prenais soin de mon mari. Dans ma prochaine relation, j'aimerais rencontrer un homme qui se comporte en père nourricier et s'occupe de moi. Ensuite, je voudrais bâtir une troisième relation saine car je me sentirai peut-être plus équilibrée.

Annick

Vous vous interrogez encore sur les raisons de votre rupture ?

Prenons le temps d'explorer cette question avant de poursuivre. Tous les divorcés ou presque souhaitent comprendre les raisons de leur rupture. Ce chapitre vous aidera à répondre à cette question.

Les choses sont rarement claires au moment de la rupture. Vous n'étiez probablement pas entièrement en faveur du divorce lorsque vous avez envisagé cette possibilité. Mais en période de crise, il est parfaitement normal de se sentir indécis et dérouté.

Chacun de nous possède une multitude de traits de caractère : quand vous approchez du marchand de glaces vous entendez certainement une petite voix intérieure qui vous suggère de vous y arrêter, tandis qu'une autre vous rappelle votre résolution de perdre du poids. La plus agréable est celle qui vous susurre que vous méritez bien une récompense de temps en temps.

Écoutez attentivement ce dialogue intérieur car il vous permettra de mieux comprendre les différentes facettes de votre personnalité. Ce faisant, essayez d'identifier les différents traits de caractère qui interviennent parce que comme la plupart des personnes divorcées, vous viviez probablement un conflit interne que vous avez projeté dans la relation avec votre partenaire, provoquant de ce fait la rupture.

Rester en contact avec ces parties de votre personnalité vous aidera à guérir et à mieux vous comprendre afin de nouer par la suite des relations saines.

Les relations saines

Pourquoi faisons-nous si souvent le mauvais choix lorsque nous avons à décider entre deux relations : saine et malsaine ? Que signifie au juste une relation saine ? Que nous apporte-t-elle ? Comment créer des relations constructives avec nous-même et avec notre entourage ?

Commençons à répondre à ces questions en examinant d'abord les « parties saines » de notre personnalité.

Nous possédons tous une partie réservée aux *émotions*, parfois appelée « l'enfant intérieur ». Il est important d'être capable d'accéder à nos sentiments et de les identifier. Il a été démontré qu'il existe un lien entre notre capacité de ressentir et celle de guérir. Si nous sommes incapables d'accéder à nos sentiments et d'en parler, nous nous adapterons difficilement en période de crise.

Nous possédons aussi une partie *créative* qui imagine de nouvelles manières d'agir ou de penser. Cette facette de notre personnalité est un don fantastique qui nous permet de faire preuve de créativité et d'originalité. Elle fait de nous des êtres uniques, capables d'accomplissement. Quand nous créons, nous nous sentons bien en nous-même. Nous sentons réellement l'alchimie particulière qui fait de nous des hommes et non des robots. Cette aptitude est très gratifiante.

Nous nous sommes également bâti une personnalité *magique* ; celle-ci lit les livres de jardinage et s'imagine que nos plantations produiront des fleurs et des plantes semblables aux illustrations. Elle aime aussi voir des films comme *Mary Poppins* et rêve de pouvoir voler grâce à un parapluie. Elle équilibre nos traits de caractère sérieux et rationnels et nous permet de rire et d'oublier les contraintes que nous nous imposons.

Nous disposons encore d'une partie *nourricière* à laquelle nous n'accordons pas suffisamment d'importance. En effet, il n'est pas rare que nous nous montrions généreux avec autrui tout en négligeant nos propres besoins. Nous croyons fermement qu'il vaut mieux donner que recevoir et payons souvent de notre personne. En réalité, il faut s'occuper de soi comme d'autrui.

L'aspect *spirituel* de notre personnalité nous autorise à croire en un être divin. C'est souvent plus ou moins une partie enfantine, innocente, car la foi n'est pas toujours rationnelle, intellectuelle et adulte. Notre enfant spirituel intérieur nous pousse à nous soumettre à une puissance supérieure ; c'est aussi lui qui tombe amoureux.

Pouvez-vous nommer d'autres facettes saines de votre personnalité ? Prenez le temps d'y penser et notez-les par écrit.

Avez-vous grandi dans un environnement sain ?

J'ai d'importantes questions à vous poser. Votre famille, ou votre foyer d'origine, favorisait-elle vos traits de caractère positifs ? Si vous êtes un homme, vos pleurs étaient-ils bien accueillis ? Si vous êtes une femme, acceptait-on votre colère quand elle s'imposait ? Vous a-t-on appris à l'exprimer ? Votre curiosité et votre créativité étaient-elles considérées comme des qualités? Pouviez-vous faire preuve d'indépendance et penser par vous-même ou deviez-vous obéir sans discuter?

Qu'en est-il des autres figures d'autorité de votre enfance? L'école, par exemple? Votre créativité était-elle encouragée? Être différent vous posait-il des problèmes? Les professeurs vous apprenaient-ils à montrer votre colère, à pleurer, à révéler vos sentiments? Étiez-vous encouragé à vous montrer généreux, spirituel et à croire aux contes de fée?

Qu'en est-il de votre formation religieuse? Étiez-vous invité à douter de votre foi? Vous sentiez-vous soutenu quand vous étiez irrité ou la colère était-elle considérée comme un péché? Était-il recommandé d'être généreux envers soi-même? Ou vous a-t-on appris qu'il vaut mieux donner sans compter que recevoir?

L'expérience que j'ai acquise au cours de mes séminaires a montré que certaines personnes ont été encouragées à développer les parties saines de leur personnalité et ont grandi au sein de familles qui ont autorisé la créativité, la croyance dans la magie et la bonté envers soi-même comme avec les autres. D'autres ont fréquenté des écoles qui, en plus d'enseigner la lecture et l'écriture, leur autorisaient l'originalité. Certaines familles, écoles ou Églises nous apprennent à aimer de façon tendre et affectueuse; il en reste cependant encore trop qui s'appuient sur un carcan de directives rigides pour parvenir à nous discipliner.

Nous sommes ainsi nombreux à n'avoir pas pu apprendre à prendre conscience et à développer les points positifs de notre personnalité. Adulte, nous oublions de ressentir, de nous montrer créatifs, de consacrer du temps à notre bien-être spirituel, de nous investir… car nous avons intériorisé ce rejet des parties saines de notre personnalité pour nous conformer à la volonté de notre entourage et nous faire accepter : nous tâchons d'avoir de bonnes notes, de gagner de l'argent et de nous plier au désir d'autrui. Résultat : nous nous sentons peu ou pas aimés, nous ne savons pas nous faire plaisir et nous rendre heureux et nous manquons de soutien. Nous nous dévalorisons et cherchons à trouver le bien-être auprès de nos proches plutôt qu'en nous-mêmes. Il n'est guère surprenant que nous nous sentions mal à l'aise dans une relation saine car nous sommes déjà en conflit avec les parties saines de *notre* personnalité.

Développer des stratégies de suradaptation

Les personnes, dont les besoins psychologiques et affectifs ont été ignorés ou négligés dans l'enfance, ont été forcées de découvrir des moyens de supporter la frustration. Elles ont développé des comportements suradaptés pour combler ces manques. Plus l'enfance a été traumatisante, plus le besoin de telles stratégies s'est fait sentir. En voici quelques exemples :

Carine a développé le besoin de *venir en aide à autrui.* Si un membre de sa famille se sentait malheureux ou querelleur, s'il se mettait en colère ou se droguait, Carine lui venait en aide et se sentait mieux. Sa propre douleur et son mal de vivre disparaissaient lorsqu'elle se consacrait aux malheurs d'autrui. Adulte, elle tente d'aider les personnes en difficulté : elle prend les auto-stoppeurs, s'adresse à quiconque se montre triste ou irritable et recueille les vagabonds. Elle choisira probablement d'épouser une personne dans le besoin pour satisfaire cette nécessité de porter secours.

Gérard a adopté un comportement très *responsable et surprotecteur.* Aîné d'une famille, il a changé les couches de ses frères et sœurs, gardé les plus petits et aidé à préparer les repas. De tels actes lui valurent reconnaissance, attention et amour. Adolescent, il continua à s'occuper des membres de sa famille — ce que plus jeune, il détestait. Il a fini par rencontrer une femme irresponsable à qui il a appris à se reposer entièrement sur lui.

Beaucoup ont grandi parmi des adultes très critiques. Tout jeune, Serge a été chargé d'entretenir le jardin. Il apprit que pour que la critique soit moins acerbe, il fallait rivaliser avec les meilleurs jardiniers. Ne recevant jamais aucun compliment, il abandonna tout espoir d'être reconnu chez lui. Il trouva son réconfort chez les voisins. Son père, très fier de lui, se vantait souvent de son fils mais il ne le faisait jamais devant lui.

Adulte, faire les courses avec Serge était un vrai parcours du combattant car il ne parvenait pas à se décider. Il craignait perpétuellement de faire le mauvais choix parce qu'il avait intériorisé le sens critique excessif de son père et le portait maintenant en lui. Nous sommes beaucoup à posséder une partie critique interne nous rappelant sans cesse que nous pouvons « faire mieux », que « ce n'est pas assez ». Toute décision, même celle concernant l'achat d'une boîte de conserve, doit être irréprochable. Comme Serge, nous essayons d'être parfait pour échapper à cette autocritique perpétuelle.

Que recherchent les perfectionnistes dans la relation ? Probablement une personne s'efforçant de plaire pour se conformer à ses propres critiques et qui finira à son tour par se montrer extrêmement exigeante vis-à-vis de son entourage. Rien n'est plus ardu que de vivre avec un autre perfectionniste si ce n'est supporter son propre autoperfectionnisme. Certains perfectionnistes épouseront une personne possédant une personnalité diamétralement opposée pour pouvoir critiquer sa désorganisation.

Robert a grandi dans un environnement chaotique : perpétuellement ivres, émotionnellement instables, irrationnels et coléreux, les membres de sa famille avaient un comportement délirant. Par opposition, Robert choisit de toujours se montrer rationnel, logique, sensé et réfléchi et de refouler ses sentiments. Il apprit à se suradapter à ce désordre en se comportant sur un *mode intellectuel* et en *se coupant de ses émotions* parce que, s'il exprimait ses sentiments, il se sentait blessé, critiqué et mal aimé. Il parvint à faire taire ses sentiments et, en particulier, la colère. Selon lui, seuls les plus grands avaient le droit de se fâcher.

Privé de cette part essentielle de lui-même, Robert cherchera une compagne qui lui permettra de rétablir un certain équilibre : une personne très émotive et s'exprimant facilement. (Il semble que les hommes aient moins de mal que les femmes à réprimer leurs émotions mais ce n'est pas toujours le cas. Ceci s'explique par le fait que, dans nos sociétés, être femme signifie souvent apprendre à reconnaître ses émotions et s'y fier.)

Les personnes émotives choisissant un partenaire insensible cherchent souvent à aider leur conjoint à exprimer ses sentiments. Mais plus elles s'y emploient, plus l'autre « intellectualise » (cela ne signifie pas qu'il soit à proprement parler un intellectuel mais qu'il privilégie ce qu'il pense au détriment de ce qu'il ressent). Plus ce dernier se concentre sur son intellect, plus son partenaire se montre émotif et chacun se cantonne dans un rôle : l'un s'approprie la réflexion, l'autre les sentiments.

Nombre d'entre nous pensent s'être mariés parce qu'ils étaient amoureux. Pour ma part, je suis convaincu que l'état amoureux est instable et peut même être considéré comme une maladie émotionnelle ! Quelquefois, cet état est provoqué par le *déséquilibre psychologique personnel des partenaires* plutôt que par un sentiment véritable : ils épousent en réalité les parties de leur personnalité qu'ils désavouent ou n'utilisent pas, et appellent cela « être amoureux ».

Les causes de la rupture

Existe-t-il un lien entre les stratégies de suradaptation et la rupture ?

Imaginez que la personnalité soit une voiture et que la place du chauffeur soit occupée par un comportement de suradaptation. Les occupants du véhicule sont tributaires de la conduite de la « personne » qui est au volant, en particulier si « elle » se comporte avec rigidité et de manière suradaptée. Moins ses besoins qui mènent vers l'épanouissement total auront été satisfaits, plus ses comportements seront figés et déterminants pour les passagers. Si le conducteur se montre responsable à l'excès, chacun devra se soumettre passivement et se condamner à l'irresponsabilité (s'il souhaite maintenir le lien). Si le conducteur cherche, au contraire, à plaire, tous auront à lui indiquer comment conduire et où aller car ce type de personne déteste décider.

Nous sommes tous capables de supporter, pour un temps, une personne dominée par sa personnalité suradaptée. Mais tôt ou tard, nous nous lassons de ce déséquilibre.

Valérie avait toujours surprotégé son entourage mais était fatiguée de tout gérer toute seule. Elle en voulait à son partenaire, car il personnifiait la partie de sa personnalité qu'elle refusait de reconnaître. Matthieu s'était toujours mieux amusé qu'elle ; il prenait la vie avec beaucoup plus d'insouciance et fuyait les responsabilités. Valérie devint très amère parce que Matthieu refusait même de s'occuper de leur compte en banque. Ses chèques n'étaient pas acceptés car il était insolvable et il ne payait aucune facture avant d'avoir reçu une multitude de rappels. Elle finit par mettre fin à leur relation.

Tout comme Valérie, les personnes surprotectrices se lassent fréquemment de leur rôle et demandent le divorce. De même les personnes irresponsables comme Matthieu peuvent se servir de cette crise pour saisir le problème et commencer à se prendre en charge. Si elles échouent, elles trouveront un nouveau parent et reproduiront le même type de relation dans leur nouveau couple.

Si Matthieu avait décidé de devenir un adulte responsable, il se serait peut-être mis en colère contre Valérie sous prétexte qu'« elle l'en empêchait » ; *c'est lui* qui aurait même peut-être décidé de rompre. Les personnes irresponsables finissent toujours par se montrer indociles, frustrées et irritables. Elles se fâchent et souhaitent se débarrasser d'un partenaire qu'elles jugent désormais étouffant.

Si Valérie refuse d'admettre qu'elle se comporte de manière suradaptée, elle trouvera probablement un autre conjoint-enfant qu'elle prendra sous sa coupe afin de ne rien changer à ses habitudes.

J'ai demandé à de nombreuses personnes d'identifier l'événement qui a déséquilibré leur couple pour la première fois. Elles répondent généralement la naissance d'un enfant, le fait que la femme ait commencé à travailler à l'extérieur ou que le mari ait changé d'emploi, la maladie ou le décès d'un grand-parent ou encore une catastrophe naturelle ayant manqué entraîner la mort. Je leur demande alors ce qu'elles ont fait pour s'adapter à ces changements mais elles déclarent généralement que la relation était trop rigide pour permettre une quelconque évolution : le changement a été le premier grain de sable qui a enrayé ce mécanisme fragile.

Un événement a-t-il bouleversé votre couple et provoqué la rupture?

Une responsabilité partagée

Voici une métaphore qui vous aidera à vous représenter le type de relation liant les personnes surprotectrices aux irresponsables. Imaginez les deux membres d'un couple (Valérie et Matthieu ou vous et votre partenaire, etc.) comme les deux piles d'un pont. Ils soutiennent chacun le tablier du pont qui symbolise la relation. Valérie qui surprotège son mari balaie soigneusement ce pont d'un bout à l'autre tandis que cet irresponsable de Matthieu est confortablement installé une canne à pêche à la main. Valérie est furieuse contre Matthieu parce qu'il pêche au lieu d'entretenir sa moitié de pont. De son côté, Matthieu se fâche contre Valérie parce qu'elle ne prend jamais le temps de s'amuser et que ses coups de balai intempestifs effraient les poissons.

Je m'attarde sur ce schéma particulier de suradaptation parce que ce type de relation caractérise l'énorme majorité des personnes ayant participé aux séminaires que j'anime. Ce déséquilibre au plan de la prise de responsabilités semble être une cause fréquente de divorce. C'est une relation d'enfant/adulte. Elle caractérise également celle qui existe entre un alcoolique et son partenaire qui l'encourage inconsciemment à boire. Il s'agit d'une forme particulière de codépendance, dans laquelle chacun attend de l'autre qu'il maintienne l'équilibre du système. Ou devrais-je dire le déséquilibre? Quels types de comportements de suradaptation avez-vous développés? Dominent-ils vos autres attitudes? Souhaitez-vous pouvoir choisir entre les différentes facettes de votre personnalité? Que pourriez-vous faire pour changer et maîtriser maintenant votre vie?

Les sentiments qui sous-tendent les comportements de suradaptation

J'ai découvert que les personnes surprotectrices offrent généralement aux autres ce qu'elles souhaiteraient elles-mêmes obtenir. Elles éprouvent des besoins non satisfaits — qui trouvent leur origine dans une enfance malheureuse — qui les poussent à développer des comportements de suradaptation afin de se sentir mieux. Il en va de même pour les autres stratégies de suradaptation. Mais nous pouvons reprendre le contrôle de notre vie en comblant les besoins insatisfaits de l'enfance. Pour cela, il faut commencer par déceler ces sentiments.

Agathe a développé un comportement de suradaptation parce qu'elle ne voulait pas se sentir *rejetée* et *abandonnée*. Elle pensait que, si elle prenait soin de son compagnon, il n'oserait pas la quitter et se sentirait contraint de ne pas la repousser. Elle prend donc soin des autres pour se sentir mieux acceptée.

Pascal prend soin de Suzanne parce qu'il se sentirait *coupable* de ne pas le faire. Quand il fait des choses pour lui-même, une voix intérieure le critique, l'accuse d'égoïsme et lui ordonne de se montrer plus attentionné. Il s'occupe de Suzanne pour apaiser son propre malaise.

La *peur des reproches* est un des principaux sentiments que masquent les comportements de suradaptation. Julien raconte qu'il est devenu très anxieux parce qu'enfant, il était entouré d'adultes très sarcastiques. Il croit devoir être parfait parce qu'il a peur quand il ne l'est pas. Il a développé cette stratégie pour ne pas ressentir la peur.

Édouard avoue se sentir bien uniquement quand il rend service. Il manque d'*amour-propre et de confiance en lui*, et se sent mieux quand il se comporte de la sorte. Il a été un enfant mal aimé et a appris à passer au second plan. Il essaie toujours de plaire parce qu'il a l'impression qu'en se rendant utile il reçoit l'attention qui lui manque.

Alexandre admet *ressentir de la colère* mais ne sait comment l'exprimer, ni même comment la ressentir. C'est pourquoi il se suradapte en critiquant constamment son entourage. Il se souvient de son père comme d'un homme irascible jamais content, sous un dehors impassible. Aujourd'hui Alexandre utilise aussi ce même masque pour dissimuler une colère qu'il désavoue.

Claire a vécu une expérience malheureusement très banale. Enfant, elle a toujours vu sa mère tout assumer dans son ménage et s'est suradaptée en apprenant à l'*imiter* — et à se consacrer à autrui.

Christophe a également suivi le modèle de ses parents. Il a toujours vu son père travailler pour faire vivre sa famille et a donc appris à s'acharner au bureau autant que lui. Il est plus important pour lui de faire des heures supplémentaires que de se consacrer à sa famille.

Apprivoiser les critiques internes

Nous possédons, pour la plupart, une mini-personnalité critique très virulente à laquelle nous nous soumettons la majeure partie du temps. Ses reproches exercent sur nous un contrôle semblable à celui de ces adultes qui cherchaient à nous dominer quand nous étions enfants.

J'ai demandé aux participants de mes séminaires de nommer cette partie d'eux-mêmes et la plupart d'entre eux ont choisi le prénom d'un de leurs parents. Nous avons développé ces autocritiques en nous basant sur les injonctions parentales.

Barbara relate qu'elle avait toujours pensé que cette partie critique était sa véritable personnalité. Je lui fis observer que ce trait de caractère n'était que l'élément d'un tout et qu'il était important de le distinguer du reste. Il faut comprendre que notre personnalité se compose de plusieurs traits de caractère et que *nous sommes en mesure de saper leur pouvoir.*

Nous répondons souvent à nos critiques internes de la même façon que nous avons réagi à celles de nos parents. Qui accepte leurs critiques sans murmurer se sent dévalorisé. De même, qui ne met pas de frein à ses critiques internes baisse dans sa propre estime. Ceux qui, parmi nous, ont su se rebeller sainement contre leurs parents savent aussi juguler leurs critiques internes.

Nous devons nous souvenir que nous perdons notre libre arbitre *si nous obéissons toujours* à la même facette de notre personnalité et il en va de même *si nous nous révoltons continuellement* contre celle-ci. Si nous avons su ne pas entendre ni écouter aveuglément nos parents, nous sommes capable de faire de même avec notre mauvaise conscience.

Comment réagissez-vous à ces voix ? Réagissez-vous comme vous le faisiez avec vos parents ? Désirez-vous réagir différemment ? Comment ferez-vous ?

Plutôt que de tenter de vous désapproprier ou d'ignorer ces critiques internes en vous bornant à ne pas y prêter attention, commencez par les écouter attentivement. En effet, si une personne s'assied à côté de vous et que vous l'ignorez totalement, elle tentera désespérément de capter votre attention et redoublera d'efforts si vous persistez à feindre l'indifférence. Il se peut qu'elle se mette à crier ou à vous agresser physiquement.

Nos critiques internes sont bien plus puissantes qu'un interlocuteur frustré et plus difficiles à ignorer car elles sont imaginaires. Prenez sciemment la décision de les écouter ; vous pouvez même prendre note de ce qu'elles disent. Elles vous traitent probablement d'idiot et vous déclarent incapable de faire les choses correctement. Acceptez cela et vous les verrez changer de ton. Lorsqu'il s'agira de vous sentir entendu, important et compris, vous vous apercevrez que les messages formulés jusque-là à la deuxième personne (tu) seront désormais exprimés à la première personne : « *Je* n'ai pas aimé ma réaction dans cette situation. » Une telle forme d'expression est plus constructive et plus précieuse si vous acceptez qu'elle vienne de vous.

Quand votre autocritique est terminée, remerciez-la de sa « participation ».

En réalité, vous êtes en train de vous réconcilier avec votre parent interne. L'autocritique ressemble souvent de près aux injonctions de vos parents à l'enfant que vous étiez. Plus vous les écouterez, plus vous vous réapproprierez ces critiques internes et plus elles seront structurantes.

Comment reprendre le contrôle de votre vie

L'un des principaux objectifs de cet ouvrage est de vous aider à comprendre les difficultés rencontrées dans votre ancien couple en analysant la manière dont vos comportements de suradaptation continuent de vous déséquilibrer. Voici un exercice qui vous aidera à retrouver l'équilibre.

Si, dans l'ancien couple, vous vous suradaptiez en vous montrant *surprotecteur*, vous étiez certainement plus doué pour donner que pour recevoir. Vous étiez responsable d'autrui sans l'être de vous-même. Vous devez retrouver un équilibre et apprendre à recevoir aussi bien qu'à donner.

Demandez à quelqu'un de vous rendre service. (J'entends déjà des cris de protestation. Vous vous en croyez incapable ? Peut-être n'êtes-vous pas encore prêt à renoncer à vos comportements suradaptés ?) Et ce n'est pas tout ! Lorsque quelqu'un vous demandera un service, refusez de le lui rendre. Comprenez-vous comment cet exercice vous aidera à trouver l'équilibre entre donner et recevoir ? L'important est de prendre conscience de la sensation que vous éprouvez en faisant cet exercice : celle d'être rejeté, d'être coupable, d'avoir peur, d'être fâché, méprisable ou encore incapable de changer de comportement.

Si, au contraire, vous aviez tendance à *renoncer à vos responsabilités* quand vous vous comportiez de manière suradaptée, il faudra vous efforcer d'agir en personne responsable.

Étienne a raconté la manière dont il a réalisé cet exercice. Son ex-femme était surprotectrice. Après le divorce, il avait pris l'habitude de lui demander ce que leurs filles souhaitaient pour leur anniversaire. Toujours sûre de ce qu'il fallait faire comme à son habitude, elle était capable de décrire avec exactitude ce qui leur plairait. Étienne, refusant d'assumer la responsabilité du choix du cadeau, achetait exactement ce que son ex-femme lui conseillait — rôle qu'elle affectionnait particulièrement. Les filles étaient contentes de recevoir ce qu'elles désiraient mais Étienne n'avait pas renoncé à son comportement irresponsable. Au cours d'un séminaire, il choisit, en guise d'exercice, de décider seul du cadeau qu'il ferait à ses filles. Elles ne reçurent pas ce qu'elles avaient souhaité mais en furent tout aussi ravies !

Si votre comportement de suradaptation était de vous montrer *perfectionniste*, exercez-vous par exemple à ne pas faire votre lit le matin. Si vous pensez en être incapable et imaginez des scènes épouvantables de rupture de canalisation et de plombier surgissant pour être le témoin de ce désordre, peut-être n'êtes-vous pas encore prêt à changer ?

Souvenez-vous d'observer vos émotions de manière à pouvoir identifier le sentiment que masque votre adaptation.

Si vous vous suradaptiez en essayant de *plaire à tout prix*, faites en sorte de déplaire à quelqu'un. Vous pourriez refuser une faveur ou ne pas accomplir une tâche déplaisante que vous vous forciez à faire pour plaire. Je ne vous imposerai aucun exercice, car le risque serait que vous le fassiez pour me faire plaisir ! Imaginez-en un et prenez conscience des sentiments sous-jacents.

Si, dans votre ancien couple, vous aviez tendance à *intellectualiser sans rien ressentir*, exercez-vous à écrire chaque jour pendant une semaine, dix phrases commençant par « Je ressens » ou « Je me sens ». (Une phrase commençant par ces mots vous oblige à exprimer vos émotions plutôt que vos réflexions.) Dites : « Je ressens de la colère », « Je me sens confus » mais ÉVITEZ À TOUT PRIX : « J'ai l'impression que tu es injuste. » Cette phrase reflète une réflexion, une pensée. Prenez conscience de vos émotions quand vous faites part de vos sentiments !

Si, dans votre couple, vous vous suradaptiez en faisant preuve de *désorganisation* pour vous cacher dans le désordre ambiant, exercez-vous à dresser une liste des tâches à accomplir dans la journée. Prenez conscience de vos sentiments.

Si vous vous suradaptiez *en vous rebellant*, faites une liste de dix phrases commençant par « Je suis ». (Les phrases en « Je suis » doivent décrire votre personnalité. Dites : « Je suis quelqu'un qui déteste les contraintes » et évitez : « Je suis un citoyen européen. ») Cet exercice vous aidera à vous construire une personnalité propre sans permettre à autrui de vous prendre en charge — ce qui est le cas quand vous vous rebellez.

Si vous vous suradaptiez *en laissant l'autre décider* pour vous alors votre tâche est de décider de l'exercice !

Prenez soin de vous

Cet exercice s'adresse à tous — même si vous n'êtes pas arrivé à déterminer quel était votre comportement suradapté. Faites-vous plaisir : achetez-vous un cornet de glace avant d'aller chercher les enfants à l'école. Prenez un bon bain chaud et moussant. Lisez un livre que vous vouliez lire depuis longtemps. Trouvez un nouveau passe-temps. Faites-vous masser. Demandez à quelqu'un de s'occuper de vous pendant une soirée. Écrivez vingt choses que vous appréciez chez vous sur des cartes postales et placez-les à un endroit où vous pourrez les lire et y croire.

Les enfants et la suradaptation

Cette partie du travail est particulièrement importante pour les enfants. Comme nous l'avons vu, c'est dans l'enfance — habituellement en réponse à nos parents — que nous développons des comportements de suradaptation si nos besoins ne sont pas satisfaits, si nous nous sentons effrayés ou si nous avons besoin de davantage d'attention et d'amour.

Il n'est guère surprenant d'observer que le besoin de se suradapter s'intensifie quand les parents divorcent. Avez-vous remarqué que votre fille aînée se comporte en mère de famille lorsqu'elle est en visite chez son père ? Ou que votre fils endosse le rôle du père de famille quand il est chez sa mère ? Nous voyons très souvent les enfants devenir surprotecteurs quand les parents divorcent et se montrent irresponsables !

Adultes, nous encourageons souvent nos enfants à se suradapter parce que nous ressentons le besoin de régresser. Nous acceptons difficilement le divorce et souhaitons qu'une grande personne nous aide à traverser la crise parce que nous pensons ne pas pouvoir y parvenir seuls. C'est compréhensible mais déconseillé ; nous devons être très attentifs et ne pas utiliser nos enfants pour satisfaire nos propres besoins.

Encourageons nos enfants à se montrer indépendants — à mesure qu'ils grandissent et mûrissent — et à développer leur propre personnalité plutôt qu'à prendre leurs parents en charge. Favorisons leur créativité et leur curiosité. Aidons-les à apprivoiser leurs critiques internes et à apprendre à s'en faire des amis bienveillants pour mener une existence responsable et indépendante.

Comment allez-vous ?

Sur la piste, les grimpeurs se montrent de plus en plus impatients, ils ont envie de parvenir au terme du voyage. Avant de poursuivre, prenez le temps de répondre aux affirmations suivantes :

1. *J'ai identifié mes comportements de suradaptation.*
2. *Je m'engage à me montrer souple et plus équilibré en prenant soin de moi.*
3. *J'ai identifié et effectué l'exercice qui m'aidera à accepter la responsabilité de mes comportements de suradaptation.*
4. *Je suis conscient de mes comportements de suradaptation et des sentiments qu'ils masquent.*
5. *J'ai dressé une liste des parties saines de ma personnalité que je souhaite encourager.*
6. *Je comprends mieux les causes de la rupture de mon couple.*

5

LA SOLITUDE
« Je ne me suis jamais senti si seul ! »

C'est parfaitement normal de se sentir très seul en période de divorce. Et souffrir peut vous mettre sur la voie de la guérison si vous l'acceptez. Vous pouvez apprendre à progresser et à vous sentir heureux en étant seul.

La solitude est un mal
Qui nous ronge lentement,
Inaperçu. Ses symptômes
Sont terrifiants.
Noire est la solitude,
Voile aveuglant nous couvrant
De tristesse, et
Course désespérée à la conquête d'un
Vide spirituel et
Émotionnel total...
Ce mal vit en moi
Et je rêve de guérison
Mais même un rai de lumière
Est une bénédiction.
Car la solitude est exigeante :
Nous privant de tout
Elle n'offre rien,
Si ce n'est la solitude.
Et vous êtes seul
Dans un monde sans merci.

Hélène

Observez les grimpeurs : il existe différentes formes de solitude. Certains se sont retirés dans leur tour d'ivoire. Paraissant tristes et rejetés, ils jettent des coups d'œil furtifs et maussades autour d'eux. D'autres se sentent si seuls qu'ils tentent désespérément de se faire accompagner ou de suivre quelqu'un à la trace. D'autres encore sont trop occupés et s'activent pour éviter de se trouver face à la solitude.

La solitude est douloureuse, mais elle nous montre que nous avons des choses importantes à apprendre.

On peut se la représenter comme un vide intérieur ou une sensation de froid intense : les solitaires se cramponnent à leur entourage pour combler leur vide intérieur ou tirer profit de la chaleur d'autrui.

Les divorcés n'échappent pas à ce sentiment. Pour nombre d'entre eux, il est apparu dans l'enfance, s'est maintenu pendant le mariage et a perduré après le divorce. (Ce sentiment est par ailleurs une autre cause de divorce.) La solitude constitue une étape essentielle de votre guérison, en particulier si elle vous a déjà fait échouer dans le passé.

La perte causée par le départ de l'être cher est souvent d'une intensité insoupçonnée. Plus personne ne partage vos repas, votre lit ou l'éducation des enfants. Habitué à la présence, à l'odeur et au contact constant de cette personne, vous êtes désormais confronté au silence. La maison vous paraît étrangement vide et silencieuse. Vous êtes convaincu que personne ne peut voir, entendre ou ressentir les mêmes choses que vous. Les amis qui tentent de rester en contact vous paraissent lointains alors que vous avez surtout besoin d'intimité.

Vous éprouvez le besoin de vous retirer pour éviter de souffrir. Vous souhaitez la réclusion mais avez besoin de chaleur et de contact ; vous réagissez comme un animal blessé se cachant pour guérir. Vous ressentez le besoin de vous faire dorloter et d'avoir une mère pour prendre soin de vous.

Certaines personnes se sentant esseulées dans le mariage sont soulagées par la fin d'une relation qui aggravait ce sentiment. N'ayant jamais connu l'intimité avec leur partenaire, elles mènent une vie de couple insatisfaisante. Cette distance est difficile à comprendre et changer l'est bien plus. Le chagrin, la colère et la frustration qu'éprouvent ces personnes sans en parler les éloignent encore plus de l'autre. Rompre leur permet d'éviter de parler de ces difficultés. (Encore une cause de divorce.)

La plupart des étapes de la guérison présentent un schéma en trois points. En ce qui concerne la solitude, le premier est le *retrait* : nous nous isolons ou rêvons d'une thébaïde. Certaines personnes s'enferment chez elles et broient du noir pour que personne ne suspecte leur peur. D'autres jouent la carte de la « pauvre-petite-chose », espérant ainsi gagner un soutien. Leur but est de dissimuler leurs blessures à leur entourage tout en s'arrangeant pour que leur ancien partenaire les devine.

Le silence rappelant constamment le départ définitif de l'être aimé peut être très éprouvant. L'impossibilité de se concentrer empêche la lecture. La télévision, comme tout le reste, manque d'intérêt. Seul existe le désir d'agir, mais que faire ?

Le retrait peut être très bénéfique pendant une courte période parce que — admettons-le — nous sommes devenus plutôt ennuyeux ! Notre besoin de contact est inépuisable et paralyse nos amis car il les prive de tout espace vital et les empêche, par conséquent, de se comporter en amis. Je me souviens, à ce propos, d'une histoire de chats que l'on me racontait enfant : affamés et pullulant sur une île par milliers, ils s'entre-dévorent jusqu'à ce qu'il n'en reste plus un seul. De même, les amis proches risquent de s'épuiser mutuellement jusqu'à ne plus exister.

La vie ressemble parfois à un pendule, se balançant d'un extrême à l'autre. C'est en cherchant à échapper à la solitude que nous entrons dans une phase d'*hyperactivité* frénétique. Pris chaque soir et chaque fin de semaine, nous restons tard au bureau et trouvons le moyen de nous surcharger de dossiers pour fuir le vide de notre foyer. (Déjà en couple, pour certains, nous travaillions d'arrache-pied car nous tentions de fuir une vie à deux trop solitaire.) Nous sortons avec des personnes que nous n'apprécions pas particulièrement pour ne pas rester seul. Une soirée entre célibataires peut durer toute la nuit car personne ne souhaite rentrer chez soi !

En réalité, nous désirons à tout prix fuir notre propre solitude. Elle est pour nous comme un diable intérieur qui nous fait peur et nous déchire. Nous refusons de ralentir le rythme pour faire un bilan sous prétexte de manquer de temps. En d'autres termes, plutôt que d'escalader la montagne, nous nous épuisons à courir en rond !

La durée et l'intensité de cette phase d'hyperactivité solitaire varient d'une personne à l'autre. Certains ressentent simplement le besoin de s'activer tandis que d'autres n'acceptent pas de rester assis plus de cinq minutes quelque part. Mais tous finissent par se lasser et par découvrir que la vie ne se limite pas à fuir leur trouble intérieur et ralentissent le rythme pour apprendre à apprivoiser leur peur de la solitude.

Vivre seul

Solitude rime avec plénitude : cette phase prend fin quand vous commencez à vous sentir bien lorsque vous êtes seul et quand vous avez la possibilité de *choisir* entre rester seul à bouquiner au coin du feu et sortir avec des personnes que vous n'appréciez pas. Créer vos propres ressources et épanouir votre personnalité vous permettra de développer de nouveaux centres d'intérêt, de nouvelles activités, réflexions et attitudes qui rendent la solitude agréable.

« Tout cela est bien beau mais comment y parvenir ? » me direz-vous. Commencez par affronter votre sentiment de solitude et acceptez-le comme tel ! Vous l'avez fui, craint et évité. Tordez le cou à votre diable intérieur ; faites-lui face et vous le verrez perdre de sa puissance. En réalité, la solitude doit être comprise comme faisant partie de la condition humaine et il faut pouvoir la supporter comme telle.

L'accepter nous aide à guérir car être seul avec soi-même favorise l'introspection, la réflexion, la croissance et l'épanouissement de soi. Le vide cède la place à la plénitude et à la force. Vous avez accompli un pas de géant vers l'indépendance en vous réconciliant avec vous-même et en cessant de dépendre de la présence d'autrui.

Choisir de vivre avec quelqu'un pour échapper à la solitude est très malsain. Apprendre à être seul, voire se sentir esseulé pendant quelque temps avant de se lancer dans une nouvelle histoire d'amour a un formidable effet thérapeutique. Le temps est un grand guérisseur ! Vous devez accepter une période de solitude pour pouvoir choisir de commencer une nouvelle relation plutôt qu'espérer une nouvelle relation afin de vaincre la solitude. Les personnes vivant en bonne harmonie avec elles-mêmes parviennent à trouver un juste équilibre entre solitude et compagnie. Vous devez faire de même et trouver la mesure qui vous convient.

Les enfants et la solitude

Les enfants souffrent également d'isolement après le divorce de leurs parents et ressentent un vide intérieur semblable. Ils ont également besoin de combler ce manque au contact des autres, mais d'autre part il craignent trop d'intimité.

Peut-être vos enfants croient-ils être les seuls à vivre une telle expérience. Dans certains milieux, le divorce est rare et très mal vu, et il se peut qu'ils ne puissent partager cette expérience.

Leurs habitudes quotidiennes sont bouleversées tout autant que celles de leurs parents. Un seul d'entre eux est à la maison le soir pour s'occuper d'eux, jouer avec eux et les mettre au lit. Ils se sentent seuls dans ce nouveau foyer après le départ de leur père ou de leur mère. Il arrive que leurs objets personnels, tout comme le quartier et les camarades de jeux, leur manquent quand ils sont en visite chez l'autre parent ou quand la rupture a provoqué des déménagements successifs.

Tout comme leurs parents, les enfants doivent aussi surmonter la solitude avant de pouvoir l'apprécier en découvrant leurs propres ressources.

De nombreux enfants ont souffert d'isolement avant le divorce parce que le climat familial ne leur a pas bien fait sentir « qu'ils appartenaient au clan ». Le divorce accentue généralement ce sentiment de flottement et de malaise. Toutefois, il est possible de tirer profit de la crise pour les aider à gérer ces angoisses. Les parents doivent leur consacrer du temps pour qu'ils se sentent intégrés, aimés tels qu'ils sont et importants, que ce soit au sein d'une famille monoparentale ou entre des parents divorcés.

Néanmoins, comme pour les autres étapes, les parents aux prises avec leur propre solitude pourront difficilement consacrer de l'énergie à leurs enfants. Ils devront peut-être, comme je l'ai déjà dit, commencer par résoudre leurs propres problèmes avant de pouvoir les aider.

Comment allez-vous ?

Testez *tout de suite* votre capacité d'être seul. Si vous pouvez honnêtement répondre oui à la plupart des affirmations ci-dessous, alors vous avez développé un équilibre vous permettant d'apprécier la solitude et êtes prêt à entreprendre l'étape suivante. Si vous avez encore des progrès à faire, consacrez davantage de temps à ce chapitre de manière à vous sentir plus à l'aise.

1. *Je prends du temps pour moi-même plutôt que de m'activer constamment.*
2. *J'évite de me surmener et dispose de temps pour moi.*
3. *Je ne cherche pas à éviter la solitude en recherchant la compagnie de personnes que je n'apprécie pas.*
4. *J'ai commencé à occuper mon temps libre en faisant des choses que je juge importantes.*
5. *J'ai cessé de me cacher et de m'isoler chez moi.*
6. *J'ai renoncé à rencontrer un partenaire juste pour éviter d'être seul.*
7. *Je suis heureux de faire certaines choses seul.*
8. *J'ai cessé de fuir la solitude.*
9. *Je ne laisserais pas des sentiments de solitude dicter mon comportement.*
10. *Je me sens bien quand je suis seul et me réserve des moments de solitude.*

6

L'AMITIÉ
« Où sont-ils donc tous passés ? »

Le soutien de vieux et bons amis est très important car il permet de s'adapter plus rapidement à la crise. À ce stade, les liens amicaux sont plus précieux que les relations amoureuses. Vous pouvez vous faire des amis, hommes et femmes, sans vous engager d'une façon romanesque et passionnée. Le divorce, cependant, représente une menace pour bon nombre de gens et il est possible que vos amis mariés tentent de vous éviter.

Maria et moi étions très entourés par nos amis et notre famille. Pratiquement tous les week-ends, nous étions invités ou nous nous rendions à un barbecue chez sa sœur ou encore nous partions pique-niquer avec des couples d'amis. Depuis notre divorce, personne ne m'appelle plus et je ne reçois plus jamais de visite à l'improviste. Pourquoi les couples mariés refusent-ils de nous voir depuis que nous sommes séparés ?

José

Au fur et à mesure que nous escaladons notre montagne, nous croisons des personnes aux prises avec des problèmes d'amitié. Encore accablées par le chagrin de la séparation, certaines souhaitent cheminer seules. Elles se tiennent à l'écart et se sentent mal à l'aise dès que quelqu'un fait route avec elles. D'autres ne se quittent plus : avançant bras dessus, bras dessous, elles s'arrangent pour ne jamais être seules, ne fût-ce qu'un instant. Rares sont celles qui continuent de fréquenter les amis qu'elles voyaient du temps de leur mariage.

Il est clair que, tout au long de notre progression, nous devrons nous faire de nouveaux amis. Or, à ce stade, nouer de nouveaux liens nous paraît très difficile.

Vive le célibat !

Lorsque vous étiez marié, n'avez-vous jamais envié vos amis divorcés et souhaité participer à leurs activités, vous joindre à eux pour toutes les activités qui n'intéressaient pas votre partenaire? Aujourd'hui vous êtes libre : que pensez-vous de cette « séduisante et enivrante » vie de célibataire? Soudain, pour la plupart d'entre nous, et en particulier pour ceux qui se séparent pour la première fois, le célibat n'a plus rien d'attirant — au contraire : il nous désole et nous effraye. Nous sommes seuls et nous sentons abandonnés.

Les divorcés souffrent souvent de solitude parce qu'ils perdent de vue les amis qu'ils fréquentaient en couple et ce, pour les raisons suivantes :

- Au moment du divorce, vous devenez tout à coup un partenaire potentiel, même pour les personnes vivant en couple. Par conséquent, tant que vous étiez deux, vous étiez de toutes les soirées parce que vous ne représentiez pas de menace. Aujourd'hui, vous êtes célibataire donc dangereux. Vous voilà devenu un parti possible, et les invitations de vos amis mariés diminuent subitement. Quand j'ai divorcé, mon travail m'amenait à rencontrer fréquemment une femme mariée. Trois mois après la séparation, elle déclara me trouver beaucoup plus « sexy » qu'avant mon divorce. Je répondis que je ne pensais pas être différent mais que le regard qu'elle posait sur moi l'était certainement et qu'il me donnait l'impression d'être un objet plutôt qu'un individu. Bien que flatté par cette marque d'intérêt, je me sentais mal à l'aise à l'idée de représenter un danger potentiel pour son mariage.

- Un divorce provoque souvent des réactions tranchées. Certaines personnes prennent le parti de l'homme ou de la femme et rarement des deux. Nous perdons généralement ainsi les amis qui se sont rangés aux côtés de notre ancien partenaire.
- La troisième raison est probablement la plus importante : vos amis redoutent que le même malheur les frappe à leur tour. Votre divorce les inquiète : « Pourquoi pas nous ? » se disent-ils. Cela explique pourquoi ils vous évitent. Bien que ce soit vous qui vous sentiez rejeté, vous n'êtes pas en cause. Plus leur mariage est fragile, plus vos amis cherchent à vous fuir. Alors, essayez de comprendre que ce n'est pas vous qui êtes mis de côté mais que votre divorce remet bien des unions en question. Vos anciens amis ne cherchent pas à vous voir parce qu'ils appréhendent que la rupture soit un mal contagieux !
- En quatrième lieu, et ce point est important pour vous, les couples sont considérés comme la norme ; ils s'intègrent facilement car notre société favorise ce mode de vie. Les divorcés, au contraire, vont rejoindre les sous-groupes culturels des personnes seules qui n'ont pas toujours bonne réputation. Vous aurez peut-être du mal à vous joindre à ces sous-groupes sociaux car ils s'affichent moins et, souvent, vous en ignoriez l'existence jusqu'ici. Il est aussi quelquefois dur d'admettre que l'on est sorti du troupeau des gens « normaux » et que l'on appartient maintenant aux franges de la société qui ont toujours été considérées comme « louches ».

La façon de vivre des célibataires est très différente, leurs valeurs le sont aussi. Ils sont plus bohèmes, plus disponibles, plus communicatifs ; ils se sentent plus libres et entretiennent des sortes de réseaux de fraternité. Parmi eux, spécifier que vous êtes divorcé ne sera pas le signe d'une maladie honteuse, au contraire, vous verrez la glace se rompre comme par enchantement. Souvent votre interlocuteur sera dans le même cas que vous ; vous parlerez de vos expériences respectives. Ces différences de vie et d'idées ont de quoi surprendre les nouveaux célibataires qui ne savent comment se comporter dans un premier temps. Ils éprouvent souvent un choc émotionnel car il faut du temps pour s'accoutumer à un nouveau style de vie.

Se faire de nouveaux amis

L'étape des nouvelles amitiés comporte trois phases. Vous vous sentirez d'abord tellement blessé, solitaire et déprimé que vous éviterez vos amis à moins qu'il ne s'agisse de personnes en qui vous avez toute confiance. La deuxième phase commence lorsque vous vous sentez prêt à aller vers les autres même si votre peur du rejet reste vive. Finalement, vous vous sentirez à l'aise en compagnie d'autres personnes et commencerez à les apprécier sans craindre le rejet.

Les divorcés de fraîche date me demandent souvent comment se faire de nouveaux amis après la rupture et où trouver un nouveau partenaire. Ils sont trop pressés de recommencer une nouvelle relation amoureuse pour penser à nouer des liens d'amitié et à profiter des personnes qui les entourent, ce qui devrait pourtant être leur principal objectif. C'est en étant tout simplement amical et attentif que vous verrez les gens apprécier votre compagnie et que vous trouverez éventuellement un nouveau partenaire.

Commencez par voir davantage de monde : toutes les occasions sont bonnes, chez l'épicier, à un stage de tennis, à un cours de céramique, de cuisine ou de langues, lors d'un séminaire de développement personnel, dans les communautés, les organisations de travailleurs bénévoles, à la bibliothèque, au travail ou en promenant le chien. Si votre intérêt pour les autres est sincère, ils souhaiteront entrer en contact avec vous. Si vous vous présentez comme une personne solitaire, désespérée ou dans le besoin, ils chercheront à vous éviter.

Votre sincérité se traduit dans vos mouvements, votre façon de marcher, votre ton de voix, votre regard, vos vêtements et toute une série d'indices révélant votre façon d'être. Les célibataires endurcis sont capables de repérer si vous êtes l'un d'eux. Sachez que vous laissez toujours percevoir certains signes, même à votre insu. Soyez ouvert et donnez envie à autrui de mieux vous connaître.

Ces quelques conseils vous seront utiles quand vous vous sentirez prêt à construire de nouvelles amitiés. Les personnes qui se sont inscrites aux séminaires et aux groupes de développement personnel que j'anime ont trouvé une façon de le faire. Vous pouvez découvrir vous aussi des lieux de rencontre où vous pourrez créer des liens d'amitié très précieux. Renseignez-vous auprès de votre mairie, de votre paroisse, dans les écoles, les clubs, les centres familiaux et auprès de conseillers conjugaux ou de thérapeutes.

Si vous ne débusquez rien de semblable, vous pouvez former un groupe de cinq à dix personnes des deux sexes souhaitant lire cet ouvrage et en discuter. Rencontrez-vous chez les uns et les autres. Travaillez sans oublier de vous amuser : réservez du temps à la discussion et au bavardage pour apprendre à vous connaître. Partagez vos intérêts et vos opinions. Il est bon de rassembler des personnes ne se connaissant pas encore afin de sortir des sentiers battus. J'ai découvert que les groupes de discussion font parfois des souvenirs mémorables. Aux États-Unis, et dans d'autres pays encore, il existe de nombreux groupes d'après-divorce qui se réunissent chaque semaine et utilisent cet ouvrage comme base de discussion.

Il est encore trop tôt pour l'amour !

Il est essentiel de ne jamais s'engager dans une relation amoureuse durable avant d'en avoir fini avec son ancien couple. QUI S'ENGAGE TROP RAPIDEMENT RISQUE DE VOIR LES ÉMOTIONS DE L'ANCIENNE RELATION EMPIÉTER SUR LA NOUVELLE. De plus, le risque est grand d'épouser une personne semblable ou opposée à celle que vous venez de quitter. Quoi qu'il en soit, il faut éviter de recréer une situation identique ou diamétralement opposée à la précédente.

Un divorce réussi doit vous apprendre à être un célibataire heureux. De nombreuses personnes n'ont jamais appris à vivre seules avant de se marier et ont quitté le foyer parental pour vivre en couple. Qui n'a pas appris à vivre en célibataire risque de *fuir* ses propres problèmes dans la relation. En période de divorce, nos besoins émotionnels sont intenses et il est très tentant de les combler par une nouvelle relation amoureuse. Il est vrai, quoique paradoxal, que SEULES LES PERSONNES HEUREUSES DE VIVRE SEULES SONT PRÊTES POUR LE MARIAGE.

Mais vous avez besoin d'amis et les liens d'amitié fondent le sentiment amoureux. Si vous pouvez construire des amitiés sincères, honnêtes et de confiance et apprendre à communiquer tout en permettant à chacun d'évoluer par la relation, vous traverserez plus rapidement la crise de l'après-divorce.

Il est parfois difficile de déterminer si une relation favorise ou non le développement personnel. Il existe une manière d'en décider qui est de vous demander si elle vous apprend ou non à tenir debout tout seul. Si vous pensez que la relation nuit à votre identité, rompez sans attendre. (C'est évidemment plus facile à dire qu'à faire mais je ne saurais trop insister sur l'importance qu'il y a À METTRE EN PLACE SA PROPRE IDENTITÉ D'ABORD !)

Le chapitre 16 décrit les relations constructives plus en détail.

« Peut-on rester amis ? »

Vous l'ignorez peut-être mais il est parfaitement possible de développer une relation intime qui ne soit ni passionnelle, ni amoureuse *avec une personne de l'autre sexe* ! Voici la manière dont cela se passera peut-être pour vous : vous voulez vous faire de nouveaux amis mais restez très prudent parce que vous craignez la proximité et l'intimité. Cette amitié prend de l'importance et vous comprenez soudain que vous souhaitez la préserver car elle est très agréable. Vous pensez qu'elle perdra de son importance si elle se transforme en relation amoureuse. Vous comprenez alors que vous voulez la préserver et vous vous efforcez de la faire progresser. Vous découvrez qu'elle vous permet de vivre un sentiment de liberté exaltant et qu'elle dément les vieilles croyances sur l'impossibilité d'une amitié entre hommes et femmes.

On entend souvent dire que de tels liens nuisent au mariage mais vous savez maintenant que c'est absurde. Chaque amitié est différente et vous venez d'apprendre qu'elles peuvent enrichir votre prochain couple. Avoir des amis des deux sexes est un signe d'équilibre dans un couple.

Vous entendrez probablement des célibataires critiquer vertement le mariage. Certains divorcés deviennent des noceurs invétérés et jurent leurs grands dieux qu'ils ne se remarieront jamais. Ils donnent mille et une raisons de ne pas se marier et envoient leurs condoléances à de futurs époux ! Vous devez vous rendre compte que de telles personnes se sentent menacées par le mariage comme d'autres le sont par le divorce. Il est probable qu'une ou plusieurs expériences malheureuses les ont convaincues qu'elles ne vivraient jamais heureuses en couple et elles projettent leurs préjugés sur d'autres.

Je reconnais que les couples malheureux ne sont pas rares, mais je pense que maris et femmes en sont personnellement responsables. En outre, certaines personnes sont malheureuses sans que leur mariage y soit pour quelque chose. Après tout, un couple ne peut vivre heureux si les conjoints ne le sont pas.

Créer un cercle d'amis vous aidera à vous adapter plus rapidement à la crise. Nous avons tous besoin d'être entourés en cas de difficultés et de nous confier quand tout va mal. Vous n'avez personne à qui parler? Alors ne traînez pas, ces personnes vous sauveront peut-être la vie.

Les enfants ont aussi besoin d'amis

Les enfants ont aussi des problèmes d'amitié. Rappelez-vous qu'eux aussi souffrent souvent d'un intense sentiment de solitude. Nous l'avons vu au chapitre précédent. Ils se sentent souvent isolés et différents comme s'ils étaient les seuls à subir une telle situation. Il est possible qu'ils ne connaissent personne dont les parents ont divorcé, en partie parce que les enfants parlent rarement de la séparation qui n'est pas toujours bien acceptée dans certains milieux alors que, pour d'autres, elle est fréquente.

Par ailleurs, dans d'autres milieux, le divorce est tellement courant que les enfants s'interpellent en déclarant : « Devinez quoi, mes parents divorcent ! » (remarque que leurs camarades accueillent d'un fataliste : « Bienvenue au club ! »).

Tout comme les adultes qui tentent de rencontrer d'autres célibataires, vos enfants chercheront peut-être à se faire des amis dans des familles monoparentales. Malheureusement, à l'image de leurs parents, ces enfants-là s'isolent parfois. Tout comme votre enfant, en période de divorce, ils ont besoin d'amis à qui parler mais éprouvent les mêmes difficultés que vous à aller vers les autres ou à formuler leurs problèmes personnels. Certaines écoles sont conscientes de ce problème et proposent un service d'aide aux enfants qui se recroquevillent sur eux-mêmes à la suite d'un divorce. Ce type de service peut se révéler très utile.

Les parents peuvent aider leurs enfants à trouver un interlocuteur. Un membre de la famille acceptera peut-être ce rôle (à condition qu'il ne soit pas trop émotif ni aux prises avec des problèmes identiques). En outre, bien que parler à un adulte puisse apporter un certain réconfort, il faut qu'ils discutent avec d'autres enfants du même âge et rencontrant des difficultés analogues.

Nous devons être conscients de ces problèmes et tout mettre en œuvre pour que nos enfants sortent de cette crise. Encourageons-les, par exemple, à s'inscrire à des activités parascolaires et à faire partie d'associations. Discuter ouvertement de leurs problèmes entre amis est tout aussi bénéfique pour eux que pour nous.

Comment allez-vous ?

Faites une pause, détendez-vous et prenez le temps de regarder autour de vous. Quand avez-vous pour la dernière fois manifesté un intérêt véritable pour les personnes de votre entourage sans chercher à les classifier comme vivant en couple, partenaires potentiels ou dangereux individus ? Certaines vous paraissent-elles dignes d'amitié ? Je suis convaincu que vous franchirez plus facilement les étapes suivantes et arriverez plus facilement au sommet avec l'aide et les encouragements d'un ami. Pourquoi ne pas prendre le temps d'investir émotionnellement dans une relation ? Si vous craignez d'être rejeté, souvenez-vous que tout le monde a besoin d'amis !

Réagissez aux affirmations ci-dessous pour évaluer vos progrès dans ce domaine avant de passer au chapitre suivant. Souvenez-vous que les amitiés ne se forment pas *par miracle*. Comme tout ce qui en vaut la peine, il faut leur consacrer du temps et des efforts.

1. *Je suis lié à mes amis par des liens nouveaux depuis le début de la crise.*
2. *J'ai au moins un ami de confiance du même sexe que moi.*
3. *J'ai au moins un ami de confiance de l'autre sexe.*
4. *Mes contacts sociaux sont satisfaisants.*
5. *J'ai des amis proches qui me connaissent et me comprennent.*
6. *Les gens apprécient ma compagnie.*
7. *J'ai des amis célibataires et d'autres vivant en couple.*
8. *J'ai discuté de cet ouvrage avec un ami proche.*
9. *Je parle souvent de mes préoccupations à un ami proche.*

7

LA CULPABILITÉ/LE REJET
Avez-vous voulu ce divorce ou le subissez-vous ?

La décision de rompre revient à l'un des conjoints. Le processus d'adaptation opère différemment suivant que l'on décide ou que l'on subit le divorce. Il y a celui qui abandonne et celui qui est abandonné : l'un ressent de la culpabilité et l'autre se sent rejeté. Celui qui a provoqué le divorce s'est préparé à la crise tout en vivant encore en couple tandis que son partenaire ne peut tenter de trouver un nouvel équilibre qu'après la rupture. En cas de divorce par consentement mutuel, le processus d'adaptation est facilité.

J'ai ri...
Jamais je n'avais tant ri.
«Il ne t'aime plus.»
J'ai ri...
J'ai ri de meilleur cœur encore
Quand est venu ton propre aveu :
«Je ne t'aime plus.»
J'ai ri si fort
Que la maison a tremblé
Et sur moi s'est effondrée.

Joëlle

De quoi cette étape sera-t-elle faite? Les quatre idées maîtresses de ce chapitre sont inextricablement liées et il est possible que vous vous y perdiez. Ce chapitre contient une description des deux principaux acteurs du divorce : *l'initiateur,* à qui revient la décision de demander le divorce et le *sujet passif,* qui subit la rupture, ainsi que celle des sentiments exacerbés au moment de la séparation : la *culpabilité* et le *rejet.*

Différents groupes se sont désormais formés sur le sentier. Certaines personnes en état de choc sont allongées par terre et tentent de retrouver le souffle. D'autres ont l'air franchement coupables et errent sans oser regarder les personnes couchées sur le sol. D'autres encore se promènent main dans la main avec leur ancien partenaire (et on se demande ce qu'elles viennent faire là !) et toutes ont l'air très triste.

Ce sont les conjoints abandonnés qui sont couchés : ils vivaient tranquillement en couple jusqu'à ce que leur partenaire annonce son départ. Certains l'ont pressenti et d'autres non. Ils ont tous beaucoup de mal à accepter la rupture.

Les personnes à l'air coupable sont les initiateurs du divorce : ils y pensaient depuis un certain temps, parfois un an ou deux, et rassemblaient leur courage car ils savaient que leur partenaire souffrirait de la rupture. Ils évitent de croiser son regard pour ne pas se sentir davantage coupables. Ce sont les meilleurs grimpeurs car ils se sont préparés à l'escalade.

Les personnes qui se tiennent par la main ont décidé de divorcer par consentement mutuel. Voyez comme elles sont peu nombreuses ! On leur demande souvent pourquoi elles divorcent si elles s'entendent si bien. En réalité, elles sont très malheureuses *ensemble* et souhaitent toutes deux se séparer. Elles progressent rapidement car, contrairement aux autres grimpeurs, elles s'entraident et n'essaient pas de se ralentir.

En résumé, nous dirons donc que : *l'initiateur du divorce quitte la relation et se sent coupable* et que *celui qui subit la rupture veut à tout prix sauver le couple et se sent fortement rejeté.*

Bien entendu, les choses ne sont pas toujours aussi simples et nous étudierons ces rôles plus en détail dans les pages qui suivent, mais cette introduction résume sommairement le présent chapitre.

Le sentiment de rejet est très douloureux

Nous avons presque tous été *victimes* d'une séparation et en avons souffert. Personne n'aime se sentir repoussé. Nous souhaitons découvrir ce qui a provoqué le rejet et subir une rupture nous invite à l'introspection et à l'auto-analyse. Ce processus nous aide à y voir plus clair; il nous donne parfois envie de changer nos relations avec notre entourage. En tout état de cause, accepter que le sentiment de rejet est inhérent à la rupture de toute relation, plus encore lors d'une histoire d'amour, est très utile en soi.

Vaincre notre sentiment de rejet est possible dès lors que nous prenons conscience du fait que nous ne sommes peut-être pas responsable de la rupture. Nous avons vu que chaque partenaire apporte un vécu différent dans la relation et que son passé détermine souvent l'avenir de la relation. La rupture n'implique pas que nous soyons plein de défauts ou inférieur. Il arrive qu'une relation prenne fin sans que l'on puisse en attribuer la responsabilité à quiconque !

Nous devons nous convaincre que le problème du couple ne vient pas nécessairement de nous. D'autre part, si aucune solution n'est envisageable, notre partenaire subit une perte au moins égale à la nôtre. Éprouver une telle confiance en soi n'est pas chose facile. Ne vous découragez pas si vous prenez plus de temps que prévu à admettre que la responsabilité n'appartient pas à l'un ou à l'autre mais qu'elle est partagée.

Vous êtes quelqu'un de bien, capable d'aimer et d'être aimé. Vous avez des choses à offrir à autrui. Vous êtes unique et vous acquerrez peut-être une telle confiance en vous-même que vous serez convaincu que les personnes qui vous quittent doivent avoir de gros problèmes !

Culpabilité bien ordonnée commence par soi-même !

Cela peut sembler étrange mais je pense qu'il faut être capable de ressentir de la culpabilité. Si vous n'en éprouvez aucune, si ce n'est la peur d'être pris, rien ne vous empêchera de mal agir. La culpabilité sert à prendre de bonnes décisions. Malheureusement, de nombreuses personnes éprouvent un sentiment de culpabilité obsédant qui les empêche d'agir de manière productive et donc de vivre heureuses. Un certain degré de culpabilité permet de respecter une ligne de conduite sans restreindre ses options.

Rompre nous oblige à gérer la culpabilité de façon plus réaliste. Les initiateurs de la rupture se sentent coupables de faire souffrir une personne qu'ils aiment ou ont aimée et souhaitent parvenir à leurs fins sans être tourmentés par ce sentiment. La culpabilité, ou la tendance à se sentir coupable, est un sentiment profondément ancré et difficile à surmonter. La meilleure solution consiste souvent à réfléchir posément à la rupture : soyez à l'écoute de vos pensées et non de vos sentiments (où siège la culpabilité). Peut-être avez-vous rompu parce que *la relation ne profitait plus à personne, pas plus à votre partenaire qu'à vous.* Dans ces conditions, plutôt que de vous sentir coupable, dites-vous que cette décision était la bonne.

Une autre manière d'échapper à la culpabilité est de subir une punition. À l'époque où j'enseignais, j'ai tancé si sévèrement un élève qu'il s'est alors mis à pleurer. Je me suis senti coupable mais après la classe, ce futur bachelier est venu me trouver et s'est comporté comme si j'étais son meilleur ami. J'ai fini par comprendre qu'en le sermonnant, je l'avais aidé à surmonter sa culpabilité et qu'il avait apprécié cela. Lorsque nous nous sentons coupables, nous essayons de trouver le moyen de nous punir pour soulager notre conscience. Si vous vous rendez compte que vous vous engager systématiquement dans des relations qui vous feront souffrir, vous devriez chercher à savoir si c'est la culpabilité qui vous fait agir.

Il arrive que nous nous sentions coupable de ne pas être à la hauteur de certains principes. Si ces derniers ont été choisis librement, et s'ils sont justes et réalistes, il est normal que vous éprouviez une certaine culpabilité. Mais s'ils vous ont été imposés par la société, par une tierce personne ou par l'Église, ce sentiment est oiseux. Accordez-vous une chance ! Respecter nos propres critères n'est pas facile, que dire alors de ceux qui nous sont imposés par le monde extérieur !

Vous pourriez rétorquer que réussir votre vie de couple était justement l'un de vos objectifs et que vous vous sentez coupable de ne pas l'avoir atteint. C'est compréhensible. Mais qu'adviendra-t-il de vous si vous n'acceptez pas qu'en tant qu'être humain vous êtes imparfait et capable d'erreurs? Personne n'est parfait! Peut-être serait-il bon de reconsidérer de quoi ce sentiment de culpabilité est fait et de trouver une réponse plus adéquate à la situation.

Essayez ceci par exemple : « Peut-être que mon ancien partenaire et moi étions incapables de subvenir à nos besoins psychologiques et de créer de l'harmonie et du bonheur. Pour former un couple harmonieux, il est possible que nous ignorions trop de choses de l'amour et du partage. Dans ce domaine, il nous restait des choses à apprendre. »

Souvenez-vous des contrôles que vous n'aviez pas préparés à l'école. Vous les avez probablement ratés et avez alors ressenti une culpabilité considérable. Mais vous n'avez pas forcément redoublé l'année pour autant! Aujourd'hui, vous êtes en difficulté parce que votre couple a échoué. Cette expérience vous servira de leçon et vous ferez mieux la prochaine fois. Vous pourriez peut-être même en faire profiter votre ancien partenaire. C'est peut-être en admettant que votre sentiment de culpabilité est justifié que vous vous donnerez les moyens d'évoluer et de bâtir une nouvelle relation constructive.

Ce sentiment peut en effet revêtir deux formes : il existe d'une part un *sentiment de culpabilité justifié* et, d'autre part, un *sentiment de culpabilité parasite* interférant avec nos autres sentiments et notre personnalité. Lorsque nous avons mal agi, nous nous sentons coupables, et c'est bien ainsi. Quand une relation amoureuse prend fin, il est logique que nous soyons tristes à l'idée de souffrir ou de faire souffrir autrui. Lorsqu'il est justifié, le sentiment de culpabilité apparaît donc comme un phénomène normal et nous pouvons en venir à bout.

Toutefois, certains d'entre nous vivent, souvent depuis l'enfance, avec un sentiment de culpabilité menaçant à tout moment de se manifester. Si un imprévu le réveille, ils ressentent subitement une culpabilité sans limite provoquant anxiété et peur. Ce sentiment est très intense parce qu'il semble n'être rattaché à rien.

Si vous ressentez une telle forme de sentiment, il vous faudra peut-être l'aide d'un thérapeute pour surmonter ces émotions incontrôlables. Vous pouvez profiter de la crise pour affronter de vieux problèmes irrésolus.

Accepter ce qui arrive et ce que l'on ressent est une première étape très importante pour en finir avec les sentiments de culpabilité et de rejet. Mes séminaires d'après-divorce favorisent l'acceptation des sentiments difficiles et le soutien mutuel entre les participants. Étant entourés de personnes capables de les accepter et de les soutenir, ces derniers parviennent à résoudre rapidement les problèmes que provoquent de telles émotions. Construisez-vous un cercle d'amis de toute confiance pour vous aider à vaincre cette sensation d'exclusion.

Le rejet et la culpabilité sont étroitement liés à l'amour-propre et à l'estime de soi dont nous reparlerons plus loin. Vous découvrirez qu'avoir une meilleure image de soi vous aidera à moins souffrir des inévitables rejets dont nous sommes tous victimes.

« Je l'ai larguée ; elle m'a largué »

La moitié des participants à mes séminaires estiment qu'ils ont été « largués », un tiers d'entre eux considèrent qu'ils ont « largué » l'autre et le reste déclare que le divorce a été le fruit d'une décision mutuelle. Je ne suis pas en mesure de déterminer si ces pourcentages peuvent être extrapolés. En théorie, il devrait y avoir un nombre égal de personnes dans ces trois catégories ; pourtant il arrive qu'un conjoint pense avoir été abandonné et que l'autre affirme qu'il s'agissait d'un consentement mutuel.

Le processus du divorce est très différent selon la catégorie à laquelle vous vous rattachez. Mes recherches indiquent que les personnes subissant la rupture éprouvent une douleur émotionnelle plus intense au moment de la séparation, en particulier en ce qui concerne le « lâcher-prise » et la colère. Toutefois, bien que cela n'ait jamais pu être mesuré, je suis convaincu que la personne qui prend la décision de rompre a souffert davantage dans le couple pendant qu'il existait encore. Elle a cependant commencé à lâcher prise bien avant la rupture et a donc pu transformer la relation amoureuse en relation amicale. Tandis que son partenaire peut être souvent encore très amoureux quand la relation prend fin. Les personnes qui se séparent par consentement mutuel vivent une expérience proche de celle du partenaire qui provoque la rupture mais souffrent moins.

Certaines personnes réagissent très mal aux termes « je l'ai larguée » ; « elle m'a largué ». Elles rejettent l'image que ces mots évoquent car elles n'ont jamais assumé leur propre divorce, ni le rôle qui leur a été attribué. Je considère que ce vocabulaire est très adéquat en dépit de telles réactions parce que force nous est de constater que ces deux rôles sont presque toujours représentés en cas de rupture. Vous parviendrez plus rapidement au sommet si vous acceptez votre rôle.

Peut-être ignorez-vous quel a été votre rôle? En premier lieu, parce que vous n'y avez jamais pensé en ces termes. Ensuite, il faut savoir que ces rôles sont interchangeables : Patrick et Marianne se connaissaient depuis l'enfance et se sont mariés après le lycée. Patrick eut régulièrement des maîtresses, avant et pendant le mariage, pour qui il désertait le foyer. Il se comportait comme s'il souhaitait quitter sa femme. Marianne finit par ne plus le supporter et demanda le divorce. Patrick en fut tout transformé, il était devenu celui qu'on largue. Ils avaient échangé leurs rôles.

Contrairement à ce que l'on pourrait croire, les personnes officialisant auprès d'un tribunal la demande de divorce ne sont pas toujours les instigateurs de la séparation. Cette demande n'est en aucune façon le facteur décisif de la rupture. En outre, si je me réfère à mes séminaires, il semble qu'hommes et femmes soient équitablement représentés dans le groupe de « ceux qui larguent ».

Les mots sont révélateurs

Le vocabulaire est un indice précieux qui vous permettra d'identifier le rôle que vous avez tenu dans la rupture. Lors de mes conférences, je suis capable de déterminer si la personne qui se lève pour intervenir est ou non victime de la séparation en fonction de la question qu'elle me pose. Le public est souvent surpris et prêt à croire que j'ai des dons divinatoires, jusqu'à ce que j'explique que « largueurs » et « largués » s'expriment différemment.

Les responsables de la rupture s'expriment de la façon suivante : « J'ai besoin de temps et d'espace pour mettre de l'ordre dans mes idées et il faut que l'on se sépare pour cela. Tu es important pour moi mais je ne t'aime pas assez pour vivre avec toi. Ne me demande pas pourquoi je ne t'aime pas, tout ce que je sais c'est qu'il faut que je parte. Je m'en veux de te faire souffrir, mais il n'y a rien que je puisse faire, parce que si nous restons ensemble tu souffriras aussi. Acceptes-tu que nous restions amis ? »

Les victimes s'expriment de la façon suivante : « Ne me laisse pas ! Pourquoi ne m'aimes-tu pas ? Dis-moi en quoi je suis fautif et je changerai. Il doit certainement y avoir quelque chose que je peux faire. Dis-moi quoi. Je pensais que nous formions un bon couple et je ne comprends pas pourquoi tu souhaites me quitter. Accorde-moi un peu de temps avant de partir. Je veux que nous restions amis mais je t'aime. Ne me quitte pas. »

L'autre répondra alors : « J'ai souvent essayé de te dire que j'étais malheureux et que nous devions changer quelque chose. Mais tu ne m'écoutais pas. J'ai tout essayé et je n'ai plus le temps. Tu t'accroches à moi et je veux simplement que nous restions amis. »

À ce stade, la victime de la séparation, profondément blessée, fond souvent en larmes. Elle s'interroge pour comprendre ce qui a pu se passer : « Pourquoi ne peut-on pas m'aimer ? Pourquoi notre couple doit-il prendre fin ? » Mais il arrive qu'elle nie ses sentiments pour avoir le temps de se remettre du choc initial car la douleur émotionnelle est alors très intense.

Ces phrases sont universelles ; les « largueurs » et les « largués » emploient toujours des formulations analogues. Le problème du temps apparaît très clairement. Celui qui veut s'en aller affirme avoir essayé de résoudre le problème et qu'il pensait partir depuis des mois, voire des années. Son partenaire a été sourd à ses remarques. Peut-être niait-il l'existence du problème avant la rupture. Lorsque c'est chose faite, il s'obstine en refusant d'accepter la réalité : « Nous étions si heureux ensemble. »

Il est important de repérer les différences de priorités. Il y a une personne qui veut évoluer : « J'ai besoin de temps et d'espace pour mettre de l'ordre dans mes idées » alors que l'autre souhaite sauver la relation : « Il doit certainement y avoir quelque chose que je peux faire. Accorde-moi un peu de temps avant de partir. » Soyez attentif aux paroles que cette dernière emploie pour dévoiler sa douleur. Décelez-vous de la colère dans ses mots ? Celle-ci n'est peut-être pas encore exprimée parce que le divorce en est à la « lune de miel ».

C'est une période où celui qui vient de partir se sent très coupable et se montre très attentionné et prêt à tous les sacrifices. L'autre se sent rejeté, souhaite que son conjoint revienne et craint d'avouer sa rage intérieure par peur de le faire fuir. Lui aussi se montre très aimable. Finalement, tous deux se fâchent ; la colère vient remplacer la culpabilité chez l'un et le sentiment de rejet chez l'autre. La lune de miel du divorce est terminée. Cette phase débute habituellement trois mois après la séparation mais ce délai peut varier fortement. Les arrangements légaux sont souvent négociés alors que l'un se sent coupable et disposé à abandonner tous ses biens et que l'autre est capable de tout pour récupérer son conjoint. Souhaitant à tout prix se libérer, celui qui désire le divorce n'accorde aucune importance à ce qu'il possède et celui qui veut « sauver son couple » ne demande rien parce qu'il désire uniquement reprendre la vie commune.

Il est possible d'abréger cette période faussement idyllique si celui qui est « largué » se met en colère. Cela soulage les conjoints qui peuvent s'adapter plus rapidement à leur nouvelle vie. L'initiateur du divorce éprouve aussi moins de culpabilité si son partenaire exprime son ressentiment. Celui-ci évitera ainsi la dépression : une colère refoulée se manifeste sous cette forme. Il n'est cependant pas toujours possible d'écourter le processus parce qu'il se peut que celui qui s'en va ait besoin de se sentir coupable un certain temps et que celui qui reste ait le besoin symétrique de se sentir rejeté et déprimé. Il faut du temps pour apprendre à gérer ses émotions.

Exercez-vous à comprendre ces différences. Trouvez un partenaire pour un jeu de rôles : l'un jouera le « largueur » et l'autre, le « largué ». Placez-vous au centre de la pièce. Le largueur doit sortir de la pièce en annonçant son intention de rompre (utilisez les formules employées en de telles circonstances). L'autre doit le suivre et tenter de l'empêcher de sortir en parlant et en se comportant en largué. Échangez ensuite les rôles.

Les gestes sont symboliques et riches d'enseignements. Le largueur fixe la porte et tente de sortir. L'autre ne voit que son dos et essaie de trouver le moyen de l'en empêcher. (J'ai connu des « largués » qui ont suivi leur partenaire hors de la pièce jusqu'à la voiture et s'y sont agrippés quand elle a démarré.)

Qu'avez-vous ressenti en tant que « largueur » ? Vous êtes-vous senti coupable ? Avez-vous remarqué que l'autre s'accrochait à vous pour vous empêcher de partir ? Évitiez-vous son regard ? Essayiez-vous de fixer continuellement la porte ? Ressentiez-vous le besoin d'accélérer le pas ou de courir ?

Qu'avez-vous ressenti en tant que « largué » ? Souhaitiez-vous attirer le regard de l'autre ? Ressentiez-vous le besoin de vous accrocher à lui ? Aviez-vous envie de pleurer et de le supplier de rester ? Vous êtes-vous senti rejeté et seul quand l'autre a quitté la pièce ? Vous êtes-vous mis en colère ?

Il y a manière et manière

Au risque de vous compliquer encore la tâche, je souhaite affiner ces deux types de personnalité. Les termes utilisés vous paraîtront peut-être accusateurs mais ils vous aideront à mieux comprendre le dilemme « largueur »/« largué » : il existe des bons et des mauvais initiateurs du divorce tout comme il existe des bons et des mauvais conjoints qui se retrouvent « largués ».

Les *bons initiateurs* ont généralement tout tenté pour sauver la relation. Ils étaient prêts à changer, à s'engager émotionnellement dans ce changement et à consulter un conseiller conjugal si nécessaire. Ils jugent finalement que la relation nuit aux deux partenaires et qu'il est préférable de rompre plutôt que de vivre en couple au détriment de tous. Dans pareil cas, l'initiateur a eu le courage et la fermeté de caractère nécessaires — et il en faut — pour mettre un terme à la relation.

Les *mauvais « largueurs »* sont semblables aux fugueurs. Ils lâchent tout. Convaincus que la fuite représente une solution et que l'herbe est toujours meilleure dans le pré d'en face, ils souhaitent rompre à tout prix. Ils ont généralement aussitôt une nouvelle liaison et évitent de se poser trop de questions concernant leurs sentiments, leurs émotions, leur comportement et ceux des autres. Ils partent très vite sans mot d'explication et pratiquement sans faire part de leur intention de rompre.

Les *bons conjoints* qui se retrouvent « largués » sont honnêtes et francs ; ils étaient disposés à sauver la relation ou à consulter un conseiller conjugal si nécessaire. Ils ont généralement été fidèles et ont également tenté de parler des problèmes du couple. Ils ne peuvent pas être d'« innocentes victimes » car chacun a sa part de responsabilité dans les problèmes d'un couple mais ils ont surtout été là au mauvais moment : celui où leur partenaire, sous une impulsion qui lui est propre et interne, a éprouvé le besoin de prendre du recul et de faire le vide.

Les *mauvais « largués »* souhaitent également rompre mais n'ont pas le courage ni la volonté d'en prendre la responsabilité. Ils rendent l'autre malheureux pour le forcer à prendre seul la responsabilité de cette décision.

Ces exemples représentent des cas extrêmes. Nous nous situons tous entre ces quatre pôles.

« Et si nous vivions à nouveau ensemble ? »

Le cycle de la douleur est un phénomène qu'il est utile de connaître. L'initiateur du divorce souffre assez peu au moment de la rupture, ce qui n'est pas le cas de son conjoint dont la souffrance est intense : elle le stimule et le motive à trouver rapidement un nouvel équilibre. Lorsque le sujet parvient enfin à s'adapter à sa nouvelle vie, il arrive fréquemment que la personne qui a provoqué la rupture se mette à parler soudain de réconciliation. Le cas de Nicolas illustre parfaitement le choc que cela peut représenter : « J'avais consacré tout mon temps et mon énergie à apprendre à accepter la rupture et j'avais complètement renoncé au retour de Diane. C'est alors qu'elle m'a appelé ! »

Ce phénomène peut être interprété de diverses façons. Il est possible que, après avoir ressenti une certaine euphorie au moment de la séparation, l'initiateur de la rupture souhaite ensuite retrouver, par peur de la solitude, le confort et la sécurité que le couple représentait. Il se peut aussi qu'il désire partager la responsabilité de la rupture et tente de faire endosser ce rôle ingrat à l'autre. Toutefois, la meilleure explication vient peut-être du fait que l'on remarque que le « largueur » revient presque toujours lorsque son ancien partenaire commence à aller mieux. Peut-être que, ne se sentant plus responsable du malaise de l'autre et n'ayant plus à supporter une telle dépendance, l'initiateur de la rupture croit pouvoir reprendre la relation sur un pied d'égalité.

D'habitude, les personnes qui se sont retrouvées « larguées » refusent de reformer le couple car elles ont découvert qu'elles s'en sortaient très bien toutes seules et que cette évolution leur était bénéfique. Après une première période de déni, pendant laquelle elles juraient que tout allait bien dans le couple, elles ont fini par admettre les problèmes de la relation et par voir clair en elles-mêmes. « Aujourd'hui je comprends ce qui n'allait pas ! De plus, Diane n'a pas beaucoup évolué depuis la rupture, je ne vois pas pourquoi nous reprendrions la vie commune ! » C'est alors que le « largueur » devient largué à son tour !

L'étau se resserre

Il n'est pas étonnant que « largueurs » et « largués » aient des problèmes de communication puisqu'ils évoluent à un rythme différent, l'initiateur du divorce ayant pu commencer à s'adapter avant la rupture. Tous deux éprouvent aussi des sentiments différents : le responsable ressent surtout de la culpabilité et son conjoint se sent rejeté (bien que vous puissiez ressentir deux sentiments ; ils ne sont pas exclusivement réservés à l'un ou à l'autre). Le comportement des deux conjoints diffère parce que le « largueur » désire rompre rapidement (pour pouvoir s'épanouir) et que le « largué » craint la séparation. Le « largueur » s'étant déjà désengagé, l'écart entre les conjoints se creuse encore et explique leurs problèmes de communication. Leurs différences de comportements entravent de la même façon le processus d'adaptation.

Pourtant, au-delà de ces difficultés de synchronisation et de communication, tous deux sont très semblables puisque tous deux ont contribué à l'échec de la relation. Même leurs attitudes ne présentent pas de différences majeures. Lorsque le « largué » parle de la relation, il décrit les mêmes problèmes que le « largueur » mais en s'exprimant différemment. (Il emploie le vocabulaire des « largués ».) En réalité, seul le *temps* les différencie véritablement. Ils ne vivent pas sur le même tempo. Leurs rythmes les séparent.

J'espère que ce chapitre sur les acteurs du divorce vous permettra d'accepter que culpabilité et rejet interviennent systématiquement. Comprendre ces phénomènes pose le premier jalon de l'apprentissage ; le second est de les vivre émotionnellement. Ces sentiments sont normaux et toujours présents dans la rupture et il se peut que vous les ayez déjà éprouvés. La séparation accentue et intensifie les émotions ; c'est pourquoi vous en prenez davantage conscience et, par conséquent, apprenez à les gérer de manière plus adéquate.

N'abandonnez pas vos enfants

Le concept de décision en matière de divorce est très important pour les enfants. Ceux-ci sont souvent très en colère contre le parent qui a choisi de rompre et éprouvent beaucoup de difficultés à rester en contact avec lui. Ils l'accusent d'être la cause de leur souffrance et sont incapables de comprendre que chacun des parents est responsable de la situation et qu'ils ont tous deux contribué à la séparation mais de façon différente.

Souvenez-vous que vos enfants ont été abandonnés. La décision est prise malgré eux et ils ressentent colère et frustration au même titre que le conjoint qui subit le divorce. Toutefois, ils sont capables d'admettre, souvent avant leurs parents, que ceux-ci ne forment plus un couple.

Les enfants connaissent également les problèmes de la culpabilité et du rejet. J'ai déjà mentionné que les enfants se sentent parfois coupables et responsables du divorce de leurs parents. Ils ont besoin d'aide pour comprendre qu'ils ne sont pas en cause et qu'un divorce se décide entre adultes.

Ils se sentent parfois complètement rejetés parce qu'il leur semble que le parent qui part les renie. Ce sentiment persiste parfois jusqu'à l'âge adulte. Qui n'a jamais réellement accepté le divorce de ses parents rencontrera des difficultés de couple.

Les enfants ont besoin d'être rassurés, de savoir qu'ils ne sont ni coupables, ni responsables du divorce et qu'ils n'ont pas été rejetés. Les parents capables de maintenir une relation de qualité avec leurs enfants après la séparation leur permettront de surmonter ces difficultés.

Comment allez-vous ?

Je vous propose de prendre un peu de repos. Prenez le temps de réfléchir à chacun des deux rôles et essayez de comprendre les sentiments et les attitudes qui s'y rattachent. Peut-être interprétez-vous différemment votre personnage après cette lecture? Quoi qu'il en soit, pensez à la manière dont chaque partenaire *interprète la séparation.* J'espère que ce chapitre vous a permis de mieux prendre conscience de ce qui s'est passé pour vous. Étudiez la liste ci-dessous sans vous presser et préparez-vous à continuer l'escalade !

1. *Je ne suis plus paralysé par la culpabilité et/ou le rejet.*
2. *Je puis admettre que c'est moi qui ai voulu ou subi le divorce ou que la décision a été prise d'un commun accord.*
3. *J'ai pu déterminer si j'avais été un bon ou un mauvais « largueur »/« largué ».*
4. *Je reconnais qu'être l'initiateur de la séparation n'oblige pas nécessairement à se sentir coupable.*
5. *J'accepte le fait qu'avoir subi le divorce n'oblige pas nécessairement à se sentir rejeté et incapable d'être aimé.*
6. *Je suis conscient des différences de comportement qui existent entre celui qui initie et celui qui subit le divorce.*
7. *Je comprends que tous deux souffrent, bien qu'ils n'éprouvent pas ces sentiments au même moment ni avec la même intensité.*
8. *J'admets que je suis en partie « largueur » et en partie « largué » car c'est une des règles du divorce.*
9. *Je reconnais que le concept de « largueur »/« largué » est très porteur au moment de la séparation mais qu'il l'est moins au fur et à mesure que j'évolue.*
10. *Je me suis penché sur mon passé pour déterminer si les sentiments de rejet et de culpabilité influencent habituellement mes comportements.*
11. *Je m'efforce de contrôler l'influence qu'ont les sentiments de rejet et de culpabilité sur ma vie.*

8

LE DEUIL
« J'éprouve un tel sentiment de perte »

Le deuil est une étape importante du divorce. Il faut accepter la perte d'un amour qui n'est plus. Une bonne compréhension de cette étape vous permettra de prendre conscience de vos émotions et d'accepter un chagrin qui vous fait peur.

Les dimanches sont...
Les heures creuses du souvenir,
L'espoir solitaire de l'oubli,
Mais toujours la volonté d'oubli renforce le souvenir.
Le passé ne meurt pas et l'avenir ne peut naître,
Seul existe le terrible présent.

Dans ce silence assourdissant, qu'en sera-t-il de la quiétude ?
Mes dimanches sont mornes, immobiles comme l'enfer.
Pourquoi affronter la réalité ?
Les dimanches la rendent encore plus âpre,
Les lundis enfin je la sens s'adoucir.

Dimanche, jour heureux,
Quand on est deux.
Dimanche, jour de néant,
Quand on est un.
Je ne sers à rien, ma vie n'a aucun sens.
Dimanche, repos du corps,
Et torture de l'âme.

« Ton amour »

Nous entamons à présent l'une des étapes les plus pénibles de l'escalade. Mélancoliques, des grimpeurs sont assis le long de la piste et pleurent. Certains s'interrompent un moment pour redoubler de sanglots l'instant d'après. D'autres tentent de les réconforter mais semblent mal à l'aise et ne savent que faire. Que se passe-t-il ?

Ils font l'expérience du deuil, un processus que nous traversons chaque fois que nous subissons une perte importante. Peut-être, comme la plupart des participants au séminaire, ignorez-vous que ce processus intervient également dans le divorce. Lors d'un décès, le deuil s'accompagne d'un rituel (funérailles, cercueil) et tout le monde compatit à votre douleur. Pour le divorce, il n'existe aucun rituel si ce n'est le tribunal, et le chagrin n'y a pas sa place. Mais la mort d'une relation amoureuse est bien assimilable à un deuil !

Les visages du deuil

Les pertes que nous subissons après une séparation peuvent se manifester sous diverses formes. La plus évidente est, bien entendu, la perte du partenaire que l'on pleure. Mais il y en a d'autres : les projets du couple, la relation amoureuse, les rôles de mari, de femme ou d'amant et le statut de couple. De nombreuses modifications s'opèrent lorsque nous passons du mariage au célibat et pour certaines personnes, la perte de la relation est aussi importante que celle de l'être aimé.

La perte d'un futur est bien réelle. Mariés « jusqu'à ce que la mort les sépare », les conjoints partageaient projets, objectifs, carrières et foyer. Au moment de la rupture, toutes ces projections sur l'avenir disparaissent et créent une perte douloureuse. Pour nombre de personnes, celle-ci est très lourde à porter et elles ne l'accepteront que très tardivement.

Le chagrin provoqué par la rupture nous oblige aussi souvent à affronter les douleurs du passé. Les pertes que nous avons refusées de reconnaître autrefois, la mort d'un être cher par exemple, resurgissent et alourdissent le processus de deuil du couple. La douleur subie dans le passé vient s'ajouter au chagrin que provoque la séparation.

De même, les besoins émotionnels restés sans réponse dans l'enfance risquent de réapparaître pendant le processus de deuil. Daniel avoue rêver souvent, depuis son divorce, de sa vie à la ferme quand il était enfant. Comme nous abordions le problème du deuil au cours du séminaire, il comprit qu'il était en train d'accepter le fait que son enfance avait été malheureuse et solitaire.

De nombreux divorcés sont contraints de déménager suite à la séparation et doivent ainsi renoncer à leur ancien foyer. Certains parents doivent apprendre à vivre sans enfants quand leur ancien partenaire en a la garde. De leur côté, les enfants doivent renoncer à un parent, une maison et une famille. Tout ceci fait partie du divorce et du processus de deuil.

Les murmures du dragon

La fable du dragon vous aidera à mieux comprendre le processus du deuil.

Il était une fois un drôle de petit homme dénommé Jot. Il vivait heureux et n'avait jamais remarqué qu'un gros nuage noir planait au-dessus de sa tête. Un jour, celui-ci se déchaîna et l'amie de Jot le quitta. Angoissé par cette perte, Jot trébucha et fut emporté vers un gouffre qui paraissait sans fond. Aucune prise ne lui permit de ralentir sa brutale descente aux enfers. Mais à sa grande surprise, Jot finit par atterrir sur le faîte d'un arc-en-ciel. Regardant à l'entour, il repéra un escalier menant vers le soleil.

Ces marches étaient escarpées mais à mesure qu'il les gravissait sa montée devenait plus facile. Plus il s'approchait du soleil, plus il se sentait gagner en force.

Peut-être désirez-vous connaître les détails de ce voyage car vous aussi devrez l'entreprendre.

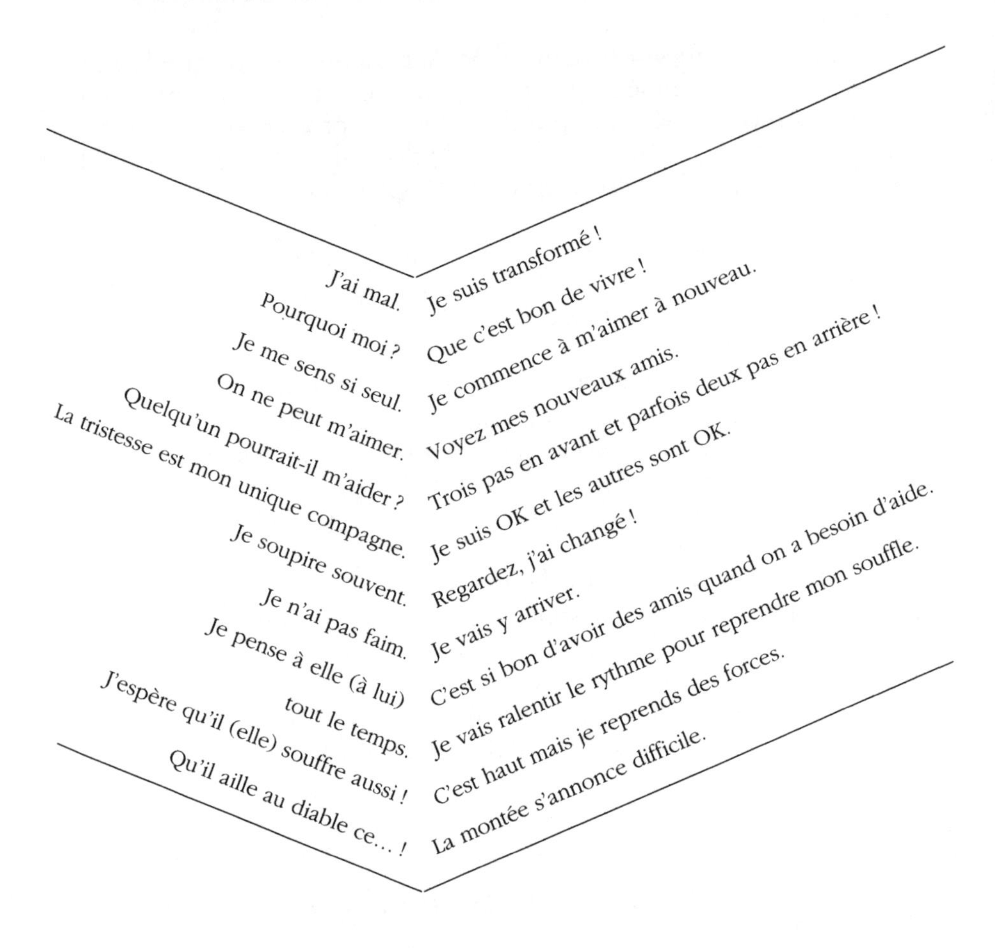

Des amis de Jot aperçoivent un dragon la gueule béante et pleine de crocs crachant du feu au sommet de la pente. Le dragon est juste à côté du gouffre. Ils se cachent et imaginent que le dragon leur murmure : « Ne descends pas, contrôle tes émotions ; ne pleure pas ; n'avoue pas tes faiblesses ; tu n'es pas assez fort pour endurer davantage de chagrin ; ça te rendra fou. » Ils vivent un enfer qu'ils ont eux-mêmes choisi mais parviennent finalement à rassembler assez de courage pour affronter le dragon. C'est alors qu'ils découvrent que les paroles du dragon ne sont que des mythes. Ils se risquent dans le gouffre et découvrent eux aussi les marches menant vers la lumière du soleil.

Êtes-vous comme Jot? Voyez-vous le dragon? Que vous dit-il? Voulez-vous prendre le risque de vous jeter dans le gouffre que constitue votre chagrin pour gagner la liberté?

Le gouffre illustre parfaitement le travail du deuil en cas de divorce et nos peurs à ce sujet. Connaître ce processus peut nous aider à identifier et à ressentir nos émotions. Toutefois, parler et lire ne suffisent pas; chacun de nous devra se laisser aller, accepter son chagrin et pleurer.

Les manifestations du deuil

Commençons par observer les symptômes du deuil. Vous verrez ainsi que vos sentiments sont partagés par d'autres.

De nombreuses personnes parlent constamment de ce qui leur arrive, au point même d'en dégoûter leur entourage (c'est le stade de la *logorrhée*). Pour faire le deuil, ces personnes doivent arrêter de parler de tout et de rien et laisser s'exprimer leur chagrin. (Si vous pensez — ou si des amis vous disent — que vous vous répétez, cela signifie probablement que vous devez laisser s'*exprimer* vos sentiments plutôt qu'en *parler*.) Je vous en dirai plus à ce sujet dans ce chapitre.

Le deuil est un processus *contradictoire*. Vous avez été blessé, vous ressentez un grand vide intérieur et espérez que vos amis pourront le combler. Vous leur parlez de votre tristesse et tentez de vous rapprocher d'eux mais ce vide vous rend vulnérable. Lorsque vos amis se montrent trop proches, vous les repoussez pour éviter toute forme d'intimité pouvant entraîner une nouvelle blessure. Vos besoins sont contradictoires et peuvent être très difficile à interpréter!

Le deuil vous *épuise émotionnellement* et provoque des *insomnies*. Dans ces moments-là, de nombreuses personnes éprouvent des difficultés à s'endormir le soir sans calmant ou alcool. Réveillées dès l'aube, elles sont incapables de se rendormir mais se sentent trop fatiguées pour se lever. Or, c'est au moment où nous avons le plus besoin de sommeil que nous devenons insomniaque : le travail émotionnel est épuisant. L'étape du deuil est pénible et vous serez épuisé tant que vous n'en viendrez pas à bout.

Manger pose aussi un problème. Vous avez la gorge serrée, la bouche sèche et éprouvez des difficultés à avaler. Vous avez perdu l'appétit; pourtant il faut vous alimenter. Votre estomac est vide mais vous ne sentez pas la faim. Ces symptômes expliquent pourquoi de nombreuses personnes perdent du poids en période de deuil. Ou alors vous n'arrêtez pas de dévorer et n'êtes jamais rassasié, vous grossissez. Lors d'un séminaire, à la pause, plusieurs participants comparaient le nombre de kilos qu'ils avaient perdus. Ils étaient six et avaient tous perdu au moins 20 kilos ! Bien qu'il soit rare que la perte de poids soit aussi conséquente, une telle unanimité n'est guère surprenante.

Soyez attentif aux *soupirs*. Nous ne remarquons pas toujours que nous soupirons mais c'est l'indice d'un deuil important. Les soupirs soulagent la tension musculaire. Ces respirations profondes semblent être les canaux par lesquels nous expulsons ce qui nous perturbe intérieurement.

Les *sautes d'humeur* sont fréquentes en période de deuil. Alors que vous venez de traverser une période difficile et que vous vous sentez beaucoup mieux, sans raison apparente, incapable de vous contrôler, vous éclatez en sanglots. Ce brusque changement peut avoir été provoqué par un mot ou un geste. Vous vous sentiez pourtant bien et maître de vous. Un tel comportement peut surprendre votre interlocuteur qui ne comprend pas ce qu'il a pu faire pour le provoquer. Mal à l'aise d'avoir craqué, vous êtes angoissé à l'idée de ne pouvoir vous contrôler. De tels incidents indiquent que votre deuil n'est pas terminé.

Vous avez peut-être une impression d'*irréalité* ou la sensation de nager en plein brouillard. Vous vous sentez détaché des expériences que vous vivez et êtes incapable de vous ancrer dans la réalité.

Vous êtes peut-être en *rupture avec vos émotions*. Vous les craignez car vous vous sentez incapable de les contrôler. La douleur émotionnelle est telle que vous devez vous protéger de cette intensité en la mettant en sourdine.

De nombreuses personnes *imaginent* des tas de choses pendant cette période. Vous rêvez peut-être que vous rencontrez votre ancien partenaire ou croyez entendre sa voix. Vous vous imaginez être privé d'une partie de votre corps. La perte du cœur, par exemple, symbolise la perte de l'être cher. Ces fantasmes peuvent être déstabilisants quand on ignore qu'ils sont fréquents en période de deuil.

La solitude, le manque de concentration, la faiblesse, la dépression, la culpabilité, le manque d'intérêt pour les relations sexuelles, voire un sentiment d'*impuissance* ou de *frigidité* accompagnent parfois le deuil. Vous *critiquant constamment*, vous éprouvez également le besoin de vous corriger et de remettre en question le passé.

La *colère* fait aussi partie du deuil ; elle est provoquée par un sentiment d'injustice. Si elle est dirigée contre votre ancien partenaire, elle peut confiner à la rage. Nous l'examinerons plus en détail au chapitre suivant.

Les *pensées suicidaires* sont fréquentes pendant la période de deuil du divorce. Quelque trois quarts des participants à mes séminaires ont admis l'avoir envisagé. Les recherches rapportent que le nombre de suicides est nettement plus élevé chez les personnes en période de divorce.

Ces sentiments vous bouleverseront par leur intensité. Les *sautes d'humeur incontrôlables, l'irréalité des événements, les impressions de cauchemars, la morbidité de l'imagination, la dépression, les envies suicidaires* sont autant d'éléments qui vous font douter de votre santé mentale. La plupart des personnes n'aiment pas évoquer cette angoisse, mais ne pas en parler l'intensifie. La sensation de folie peut être réelle mais elle est liée au contexte et non à votre état psychique personnel. Il se peut que vous ayez l'impression de perdre la tête alors que vous êtes simplement sous l'emprise d'un des effets les plus normaux du deuil.

Il est possible de contrôler ces symptômes en les acceptant et en admettant qu'ils sont l'expression nécessaire du deuil et de nos émotions. Pleurer, hurler, se contorsionner permet de « crier » sa douleur sans se faire de mal. Offrez-vous des lieux et des moments où vous pourrez donner libre cours à vos émotions. À l'évidence, votre lieu de travail ne convient pas pour ce genre de choses ! Il faut pouvoir faire abstraction de la douleur pour se concentrer sur ses tâches. En vous réservant des moments pour exprimer votre douleur, vous parviendrez à maîtriser vos émotions et cesserez d'être pris au dépourvu. Mais jurez de le faire au moment voulu ! Si vous traitez votre chagrin à la légère, il risque de prendre le dessus.

Si vous tentez d'éviter la période de deuil, votre corps s'en chargera et vous somatiserez les émotions refoulées en développant toutes sortes de petits maux ou de maladies, lesquelles iront du simple malaise (maux de tête) aux atteintes graves (colites, arthrites, asthme ou ulcères). Tout deuil non résolu impose une tension considérable au corps. Elle risque de vous coûter cher en honoraires médicaux.

Il arrive que des personnes hésitent à s'inscrire à un séminaire parce qu'elles refusent de souffrir et de pleurer à nouveau. J'ai appris à traduire ces hésitations en un besoin de clore le deuil. Un jour, vous saurez au fond de vous-même que votre deuil est terminé : vous sentirez que vous vous êtes désengagé. Rassurez-vous, ce jour-là, une fois arrivé au bout, vous serez définitivement guéri !

Les différents stades du deuil : le travail d'Elizabeth Kübler-Ross

L'étape du deuil comporte cinq phases. Il est utile de les connaître pour accomplir le travail émotionnel nécessaire. Elizabeth Kübler-Ross nous a considérablement aidés à clarifier ces cinq phases.

Phase 1. La première réaction à la perte est le *déni* : « Ce n'est pas vrai. Tout ira bien, il me suffit d'attendre un peu et mon amant reviendra. » Nous ressentons souvent un choc émotionnel, de l'insensibilité et nions toute émotion. Nous agissons sans réfléchir comme s'il ne s'était rien passé et, réprimant notre colère, nous sombrons dans la dépression. Nous nous comportons envers notre ancien partenaire avec une grande correction dans l'espoir de sortir de ce mauvais rêve et de le voir revenir ! Personne ne souhaite informer amis et voisins de la rupture. Nous refusons même d'admettre qu'elle a eu lieu.

Phase 2. Au fur et à mesure que nous acceptons la fin de notre relation amoureuse, nos sentiments font place à la *colère*. La colère refoulée qui a provoqué la dépression fait finalement surface. Exprimer notre colère nous soulage. Craignant qu'elle ne repousse notre ancien partenaire nous nous sentons coupables et éprouvons une profonde ambivalence. Les frustrations que vous avez vécues dans la relation commencent à se manifester. Vos amis se demandent comment vous avez pu supporter une union si peu satisfaisante. Vous tentez par ailleurs de convaincre votre entourage de l'inhumanité de votre ancien partenaire et un choix difficile s'instaure : soit vous parlez de lui en bien et pouvez difficilement exprimer votre colère, soit vous en dites du mal et êtes contraint d'admettre que vous avez aimé un tel monstre. Vous avez entamé le processus de deuil dès que vous avez admis et laissé éclater votre rage au grand jour.

Phase 3. Ayant accepté la rupture, vous refusez de lâcher prise entièrement et entamez un marchandage : « Je ferai tout ce que tu voudras si tu reviens. Je changerai. Tout sera différent. Viens revivre avec moi ! » Cette phase est périlleuse parce que de nombreux couples se reforment pour de mauvaises raisons, telles qu'échapper à la solitude et au chagrin. Ils ne choisissent pas délibérément de construire un couple uni mais optent pour un moindre mal.

Phase 4. Cette phase doit vous permettre de vous désengager de la relation et représente le dernier obstacle. Vous vous sentirez probablement déprimé quoique cet état soit différent de celui que vous avez vécu à la phase 1. Vous êtes découragé et doutez du sens de la vie. Pourquoi suis-je sur terre ? Quels sont mes objectifs ? Cette étape doit vous permettre d'évoluer, d'affirmer votre personnalité, de redonner un sens à la vie et de l'enrichir.

Certaines personnes ont des pensées suicidaires à ce stade, elles pensent avoir tout tenté pour en sortir et ce nouveau désespoir les décourage. Elles refusent de lâcher prise. Cette dépression intervient parfois longtemps après la séparation et il est décourageant d'avoir le sentiment d'avoir si peu progressé après tant d'efforts. Averti de cette rechute, vous en viendrez plus facilement à bout. Savoir que la dépression n'est pas inutile, qu'elle a une fin et qu'elle diffère des étapes précédentes est, en effet, très réconfortant.

Phase 5. C'est la phase d'acceptation de la perte d'un amour. Nous nous libérons de la douleur émotionnelle que représente le deuil et ne ressentons plus le besoin d'investir dans l'ancienne relation. Nous pouvons enfin entreprendre l'escalade vers la liberté et l'indépendance.

Il est capital de traverser ces cinq phases avant d'entamer une nouvelle relation amoureuse.

Laissez les enfants faire leur deuil

Les enfants doivent aussi pouvoir faire leur deuil d'une perte importante bien que leurs parents aient parfois bien du mal à les voir souffrir. Ils pleurent parce que l'autre parent leur manque et nous voudrions les préserver du chagrin et pouvoir les rassurer : « Ne pleure pas, tout va bien, ton père (ta mère) va revenir. Tu le (la) verras bientôt. » Les enfants ont plus besoin d'accepter ce qui leur arrive que d'être consolés. Il faut leur dire : « Tu es triste car ton père te manque. Tu es très triste de vivre loin de lui parce que tu l'aimes beaucoup. » Nous sommes tentés de nous laisser envahir par nos propres émotions (et de nous sentir coupables) plutôt que de les encourager à exprimer les leurs. Les enfants pleurent et font l'expérience du chagrin et du deuil plus facilement que nous, sauf si nous les en empêchons et si nous tentons d'intervenir.

Il en va de même pour la colère. Un enfant peut être fâché en raison de la séparation et des changements qui bouleversent sa vie. Les adultes ont tendance à empêcher leurs enfants d'exprimer leur mécontentement en leur disant qu'avec le temps ils comprendront. Mais il faut au contraire les encourager dans cette voie et leur expliquer les raisons de leur colère : « Tu es fâché parce que ton père/ta mère est parti(e). »

Les enfants traverseront les cinq phases du deuil décrites dans ce chapitre. Ils commenceront par nier la séparation et croire à la réconciliation. Il faut absolument les autoriser à traverser chaque phase.

Les réponses suggérées ci-dessus et la liste en fin de chapitre seront très utiles aux enfants comme aux parents.

À l'évidence, parents et enfants ne sont pas logés à la même enseigne car l'on ne divorce pas de ses enfants. Les liens de parenté sont en principe indestructibles, bien qu'il arrive que des enfants ne revoient jamais le parent à qui ils ne sont pas confiés.

Il est plus efficace de montrer l'exemple du deuil aux enfants que de l'*expliquer*; ils essaieront alors de vous imiter et apprendront ainsi à se libérer. Acceptez que vos enfants traversent les cinq étapes du deuil.

Faire son deuil

Le deuil est un processus que de nombreuses personnes craignent sous prétexte qu'il révèle leurs faiblesses ou qu'il « rend fou ». Il est finalement réconfortant de savoir que d'autres en font également l'expérience. Il est parfaitement possible de traverser les phases du deuil, de vaincre notre peur à son égard et de nous sentir confortés en nous-mêmes à l'issue de ce processus. Cette étape doit nous permettre de vivre le deuil sans peur et sans angoisse.

Prenez le temps de préparer vos mouchoirs et de voir si vous êtes capable de vous laissez aller au chagrin, là, tout de suite. Maintenant que vous comprenez l'intérêt du processus de deuil et que vous vous autorisez à vivre cette étape nécessaire à votre équilibre, peut-être pourriez-vous vivre votre chagrin présent (n'écartez pas les peines mal cicatrisées du passé si elles se présentent à vous). Je vous suggère de faire appel à un ami, à un membre de votre famille, à un prêtre ou à un thérapeute : vous aurez ainsi la chaleur d'une présence. (Ils ne doivent pas interférer.)

Pourquoi ne pas écrire une lettre d'adieu à la période, la relation ou l'objet dont vous avez dû faire le deuil, ou à toute autre perte dont vous avez souffert dans le passé ?

Cette lettre doit vous aider à libérer votre chagrin et à renoncer. Ce n'est pas chose facile ; c'est pourquoi je vous suggère de commencer par une perte qui ne soit pas extrêmement douloureuse. Vous serez un jour capable de faire de même pour les pertes les plus vives. Que cette lettre ait un destinataire ou non, elle doit vous être bénéfique. Il est d'ailleurs possible que vous ne souhaitiez la montrer à personne.

Les pages suivantes reproduisent une lettre d'adieu écrite par une femme ayant participé au séminaire d'après-divorce. Elle vous permettra de comprendre ses pensées et ses sentiments et vous motivera peut-être. Je vous suggère de la lire attentivement et de commencer la/les vôtre(s).

Adieu

Adieu ma maison, lieu de tant d'après-midi et de week-ends sans fin. Je t'ai consacré tant de temps afin de m'assurer que tu répondes à de rigides exigences. Je ne retrouverai probablement jamais pareille demeure. Tu étais bien plus qu'une simple maison : tu étais une fin en soi, un objectif, une renaissance, une invitation à fonder une famille. Aujourd'hui, je suis revenue à la case départ. Si loin des buts que je m'étais fixés. J'étais épuisée par mes recherches et tellement reconnaissante de t'avoir enfin trouvée. Maintenant je n'ai plus rien.

Adieu foyer que nous avions fondé pour abriter notre avenir. Jamais je ne verrai fleurir les tulipes que j'avais plantées à l'automne. Jamais je n'aménagerai la chambre d'enfant dont nous rêvions. Jamais notre bébé ne verra le jour, son berceau restera vide à jamais.

Adieu nos attentes.

Adieu la confiance et le plaisir que je ressentais d'être ta compagne : un rôle clair et précis ! Enfin, je savais ce que l'on attendait de moi.

Adieu

J'ai tant voulu dire adieu. Renoncer à toi. Te rayer de ma vie. Comme tu l'as fait pour moi.

À quoi suis-je en train de me raccrocher ?
À des espoirs.
À des promesses.
Nos promesses mutuelles de réussites, de voyages, d'emplois, de lunes de miel et d'argent, moi seule les tiendrai.

Je t'aimais parce que tu étais la seconde moitié d'un mariage que je souhaitais ardemment pour me sentir entière. Parce que j'avais besoin de prendre soin de toi. Tu donnais un sens à ma vie.

Je ne me savais pas capable de renoncer à toutes ces choses. Tu es parti depuis bientôt deux ans. Pourtant, je suis toujours là et bien là ! Et je ne suis ni incomplète ni partiellement inutile, comme serait une moitié de personne. Je n'essaie pas de renoncer à mon amour-propre ni à ma dignité. Je n'y ai jamais renoncé, mais je tente désormais de me passer de ton approbation.

Mes derniers adieux seront positifs car plus jamais je n'aurai à supporter l'esclavage,
tes aversions pour les oignons, les champignons, les olives,
ma chemise de nuit en flanelle,
te lever tôt,
Joni Mitchell, mon amie Alice,
les visites au zoo.
Adieu à ton manque d'organisation,
ton manque de créativité,
ton manque de bon sens,
ton manque de sensibilité.
Adieu à tes indécisions, à l'aridité de tes émotions et à ton sens de l'humour discutable.
Adieu culpabilité ! Jamais plus je ne serai gênée de ma colère ; j'oserai la montrer. Jamais plus je ne me sentirai stupide ou coupable de savoir la réponse quand tu l'ignorais.

Adieu

Patricia

Et maintenant, séchez vos larmes et étudiez la liste ci-dessous. Comme d'habitude, assurez-vous que cette étape est bien conclue avant de poursuivre. Stabilisez bien votre pierre avant de repartir. Le deuil est difficile et douloureux. Ne l'enterrez pas ! Et ne vous limitez pas au temps qu'il vous a fallu pour lire ces quelques pages. Il vous en faudra bien plus. Faites appel à des amis de confiance (voir chapitre 6) pour vous aider. La montagne sera toujours là quand vous serez prêt à l'escalader !

Comment allez-vous ?

Voici une nouvelle série d'affirmations qui vous permettra de faire un bilan. Consacrez quelques minutes à chacune et évaluez le deuil qu'il vous reste à faire avant de poursuivre l'escalade.

1. *Je me suis donné la permission de vivre mon chagrin.*
2. *Je n'essaie pas de refouler le chagrin qu'occasionne le deuil mais m'efforce de l'exprimer.*
3. *Je me sens en bonne forme physique et émotionnelle jusqu'au soir.*
4. *Je ne me sens plus si souvent déprimé.*
5. *Je n'ai pas de difficultés de concentration.*
6. *Je ne ressens plus l'envie de pleurer depuis quelque temps.*
7. *Je n'ai plus l'impression de nager en plein brouillard.*
8. *Je contrôle mes émotions et mes humeurs.*
9. *Je ne retarde plus l'heure d'aller me coucher et je dors bien toute la nuit.*
10. *Je soupire rarement.*
11. *J'ai remarqué que mon poids s'est stabilisé.*
12. *J'ai bon appétit.*
13. *Je n'agis plus de façon mécanique.*
14. *Je n'ai plus l'impression de perdre la tête.*
15. *J'ai cessé de parler continuellement de la crise que je traverse.*
16. *Je ne pense plus au suicide.*
17. *Je n'ai pas la gorge serrée.*
18. *Je n'ai pas l'estomac noué.*
19. *Je commence à pouvoir être à nouveau émotionnellement proche de quelqu'un.*
20. *Je me sens vivre émotionnellement.*
21. *Je comprends le processus de deuil.*
22. *J'ai identifié la phase du deuil dans laquelle je me trouve.*

23. *J'ai identifié les pertes que j'ai connues dans le passé dont je n'avais pas fait mon deuil.*
24. *J'ai identifié les pertes dont je dois faire mon deuil (personne, relation, avenir).*
25. *Je parle facilement des émotions liées au deuil.*
26. *J'ai rédigé une lettre d'adieu relative au sentiment de perte que j'éprouve en ce moment.*

9

LA COLÈRE
« Qu'il aille au diable ce... ! »

Vous avez ressenti une rage intense au moment de la rupture. Cette manifestation est humaine, naturelle et très saine mais il faut distinguer la colère de la violence qui en est une forme d'expression négative. Il n'est pas bon de contenir la colère ni de l'exprimer de façon agressive. Il faut apprendre à libérer la colère de façon constructive, qu'elle soit liée au divorce ou à des contrariétés de la vie quotidienne.

Je ne sais pas ce qui m'a pris. Quand j'ai vu sa voiture en stationnement, mon sang n'a fait qu'un tour. J'ai tout de suite su qu'il avait donné rendez-vous à son amie et qu'ils étaient partis dans sa voiture à elle. Je me suis approchée et j'ai dégonflé tous les pneus. En attendant leur retour, je me suis ensuite cachée derrière un immeuble pour assister à leur déconvenue. Je les ai regardés tenter de résoudre ce problème. Je ne me suis jamais sentie si bien. Je n'avais jamais agi de la sorte. J'imagine que j'ignorais à quel point je pouvais être en colère.

Anita

Nous approchons peu à peu du moment où nous risquons de nous laisser submerger par la colère. Cette probabilité est grande en période de divorce et, si nous ne réagissons pas, la rancœur peut prendre une ampleur propre à empêcher tout progrès.

La colère liée à la séparation provoque une rage intense, un désir de vengeance et une amertume dévorante. C'est une colère particulière que nous n'avons jamais ressentie auparavant. Vos amis vivant en couple sont incapables de la comprendre à moins de l'avoir éprouvée.

Certaines personnes essaient de refouler leur courroux sans l'exprimer. Ce faisant, elles risquent la dépression : de nombreux thérapeutes, dont je fais partie, estiment que réprimer sa colère est une cause de dépression. Le divorce est une expérience très traumatisante et les personnes qui refusent de se libérer de la rage que provoque la rupture risquent d'en subir les conséquences.

Dans un premier temps, se sentant coupable, le conjoint responsable de la rupture ne se fâche pas ; sa « victime » se défend également de tels sentiments car elle craint de compromettre un éventuel retour de flamme. Tous deux se montrent très affables et se sentent très déprimés.

La colère peut conduire à la violence. Certaines personnes poussées à bout se surprennent à passer aux actes si l'occasion se présente. Avec un peu de chance, nous pouvons fort heureusement arriver à nous modérer et trouver des méthodes plus adéquates pour nous libérer de notre rage et de notre rancœur.

Il est possible d'utiliser ces émotions en évitant les comportements autodestructeurs tels que la dépression et les somatisations (maux de tête, tensions musculaires, ulcères, etc.). Cette fureur risque en outre de contaminer les autres tâches qui nous attendent. Nous en décharger facilitera notre ascension.

Les trois phases de la colère

L'étape de la colère se décompose en trois phases. La première est d'apprendre qu'*il est bon de se fâcher*; c'est une réaction humaine au même titre que les autres. De nombreuses croyances subsistent dans notre culture selon lesquelles se mettre en colère est faire preuve d'une faiblesse enfantine, destructrice et sacrilège. («Tendez l'autre joue!» va-t-on jusqu'à nous dire. Mais le Christ lui-même s'est fâché contre les marchands qu'il chassa du temple. Pourquoi cela nous serait-il interdit?)

Enfant, nous avons appris qu'il n'était pas joli de se fâcher. À l'âge adulte, admettre le contraire ne nous est pas simple. Nos colères provoquent de telles réactions dans notre entourage que nous nous censurons nous-mêmes. L'important est de savoir que ressentir et exprimer sa colère sont deux actions très différentes.

La seconde phase intervient lorsque vous avez accepté l'idée de vous fâcher. Elle consiste à *apprendre à exprimer votre colère de façon positive.* La colère ne doit nuire à personne, *ni à vous ni aux autres.* Elle peut être libérée de multiples façons, avec humour, lors d'un exercice physique, etc. C'est ce que nous allons voir dans ce chapitre.

Sachez toutefois qu'une des pires choses qui puissent arriver en période de divorce est de se servir des enfants pour décharger ses sentiments. Corinne transforme ses enfants en véritables espions lorsqu'ils reviennent de chez leur père. Annette ne permettra pas à Louis de voir les enfants tant qu'il n'aura pas payé la pension alimentaire ; Louis ne paiera cette pension que si Annette l'autorise à voir les enfants... Nous perdons de vue le bien-être des enfants dans le seul but de blesser notre ancien partenaire. Se venger par l'intermédiaire des enfants est une preuve de lâcheté.

Apprenez donc à exprimer votre colère de façon constructive ; si ce n'est pour vous, faites-le pour vos enfants.

La troisième phase consiste à *apprendre à pardonner.* Les personnes qui n'ont pas encore dépassé les deux premières phases réagissent probablement violemment à une telle déclaration et pensent qu'elles ne pardonneront jamais! En réalité il ne s'agit pas simplement de pardonner à l'autre, mais également de nous pardonner. En effet, en dernière analyse, il apparaît souvent que nous sommes en colère contre nous-mêmes.

Nous sommes responsables de notre colère parce qu'elle nous appartient. Projeter ce sentiment sur autrui est courant et nous permet de ne pas tomber dans la dépression. Mais au fur et à mesure de notre évolution, nous devons savoir endosser la responsabilité de nos sentiments et réserver leurs effets nocifs à nous-mêmes.

Voici une affirmation importante au regard de la colère : «Je considère que mon ancien partenaire est responsable de la rupture et je lui en veux.» Si vous répondez : «Oui» à cette affirmation, vous avez encore du chemin à faire. Vous avez répondu : «Non»? Vous avez déjà résolu une partie de vos problèmes concernant ce sentiment et êtes conscient que tort, échec et responsabilité se partagent. Un couple est constitué d'un faisceau sophistiqué et complexe d'interactions; sa rupture ne peut être attribuée à une seule personne.

Admettre que nous sommes responsables de notre propre colère peut être très difficile pour certains d'entre nous. Cela demande une certaine maturité et de la force de caractère, alors qu'accuser son conjoint est tellement plus simple! Cette phase implique donc le pardon de nos propres fautes et le renoncement à la colère.

Les colères constructives et les autres

Avez-vous déjà pensé qu'il est tout à fait justifié de se fâcher au moment de la séparation? En quoi, me demanderez-vous, cela peut-il m'aider? Une colère constructive concerne toujours le présent. Henri est contrarié parce que quelqu'un a embouti sa voiture toute neuve (un des participants au séminaire a percuté la voiture de son ex-épouse alors qu'il venait chercher leur fils); Charlotte est furieuse parce qu'une personne lui a dit quelque chose de blessant; Sarah se fâche chaque fois qu'elle n'arrive pas à faire quelque chose de simple (enfiler un fil dans le chas d'une aiguille par exemple). La colère est positive si elle est en rapport avec la situation et que l'intensité des émotions est proportionnelle à la gravité de l'événement.

La colère exprimée de façon agressive n'est pas constructive. En voiture, Béatrice pique une rage lorsque le feu vire au rouge devant elle. Dès que l'on fait une remarque à Bruno, il répond par la bagarre. Dans de tels cas, la réaction n'est pas proportionnée à la gravité de la situation. Ces personnes expriment en réalité une colère refoulée souvent depuis l'enfance.

Il existe un lien direct entre la colère et l'enfance. Durant la vie intra-utérine, nous sommes le centre de notre univers. Tous nos besoins sont comblés sans que nous ayons à intervenir. La naissance représente le premier choc important : nous sommes projetés dans un monde froid et hostile. Nous voici contraints sans préavis à hurler pour obtenir nourriture et attention. En grandissant, nous devenons davantage capables de répondre à nos propres besoins, une expérience qui s'avère souvent frustrante et contrariante. Par conséquent, nous arrivons, en partie, à maturité par un long processus empilant colère sur frustration.

Nous n'accumulerions pas de telles émotions si nous avions appris à nous exprimer librement dès l'enfance. Si, au contraire, il vous était interdit de vous fâcher de façon constructive (à la manière décrite ci-après), ou si vous avez grandi parmi des adultes perpétuellement en colère ou encore si votre entourage vous a gravement frustré, vous avez probablement sédimenté une rage infantile.

Ces émotions refoulées constituent une réserve que tout événement, même futile, risque de raviver en provoquant des réactions excessives. Vous connaissez probablement des personnes dont la colère est toujours disproportionnée. Méfiez-vous de leur comportement en période de divorce, elles sont capables de recourir à la violence !

Une colère bénéfique

J'ai dit qu'il était normal d'éprouver du ressentiment au moment de la rupture. En fait, c'est non seulement normal mais aussi bénéfique et constructif. J'imagine en étonner plus d'un, mais il est exact que la colère nous aide à lâcher prise et à prendre nos distances par rapport à notre ancien partenaire. Les personnes incapables d'exprimer leurs émotions repoussent l'étape du renoncement. Elles dépriment, font du surplace et ne peuvent se débarrasser des sentiments qui les lient à leur ancien partenaire.

Il faut savoir que les personnes qui quittent leur conjoint ont souvent eu des difficultés à exprimer leur colère du temps de leur mariage et ont enfoui en elles des sentiments inexprimés que le divorce met au jour. La colère générée par le divorce met le feu à ce tonneau de poudre, héritage d'un passé pourtant révolu. Exprimer la colère provoquée par le divorce permet donc de se débarrasser aussi de celles comprimées par le passé.

Un jour, quelqu'un me demanda s'il était normal, en période de divorce, de ressasser des querelles vieilles de plusieurs années. Je lui répondis que la colère liée au divorce avait ramené à la surface des problèmes irrésolus en leur temps.

Dispute et loyauté

L'expression de la colère représente un obstacle majeur pour la plupart des couples, mariés, remariés ou en cours de divorce. C'est pourquoi l'un des objectifs principaux de mes séminaires d'après-divorce est d'aider les participants à apprendre à faire de leur colère un combat loyal. Il est possible de se fâcher de façon positive. Pour ce faire, le thérapeute Georges Bach a élaboré un ensemble de techniques que de nombreux conseillers conjugaux ont contribué à enrichir.

L'une d'elles consiste à parler à la première personne du singulier : Moi, je. Les déclarations énoncées de cette façon permettent d'exprimer sa colère et son ressentiment en maintenant la relation de proximité, d'intimité et d'amour. (Cette technique a été mise au point par le psychologue Thomas Gordon dans le cadre de ses séminaires d'aide aux parents.)

De telles formulations montrent également que nous prenons la responsabilité de nos sentiments sans prétendre accuser notre partenaire. Elles présentent aussi l'avantage de nous obliger à bien identifier nos sentiments pour en parler plutôt que de nous les dissimuler ou de les ignorer en critiquant la conduite de l'autre sans en détailler l'impact sur nous.

Apprendre à utiliser ce type de messages vous aidera à communiquer avec votre entourage — conjoint, enfants, parents, amis, relations, etc. Commencez à vous entraîner dès maintenant pour dialoguer plus efficacement et donner libre cours à votre colère de façon constructive. Dites par exemple : « Je suis énervé quand tu... » ; « Cela m'énerve lorsque tu... » plutôt que : « Tu m'énerves. »

J'avais toujours pensé que la seule chose à apprendre dans un couple était de donner et recevoir de l'amour. L'expérience et ma propre évolution m'ont appris que libérer ses ressentiments de façon positive est probablement tout aussi capital et permet de préserver la relation en lui évitant les méfaits de la rancœur. (Encore une autre cause de divorce. Nous en sommes à combien maintenant ?) La colère enfouie crée des tensions et risque, à terme, de provoquer une catastrophe. Elle se réveille comme les volcans entrant en éruption. S'en décharger permet au contraire de faire tomber la pression et améliore souvent l'intimité et les relations sexuelles. Pensez-y !

Colère et affirmation de soi

Vous devrez peut-être apprendre à faire preuve de confiance en vous et à vous affirmer afin de traverser la colère provoquée par le divorce.

De nombreuses personnes refusent obstinément de percevoir l'utilité de la colère. Les nombreux patients venus me consulter à ce propos m'ont permis d'en comprendre la raison. Thérèse, par exemple, avait vécu une enfance très malheureuse et en avait accumulé une rage intérieure considérable. Pour l'aider à s'en libérer, je lui demandai ce qui arriverait si elle me disait à quel point elle était fâchée. Après un long silence, elle répondit qu'elle pensait que je lui ferais mal. La peur des représailles nous empêche souvent d'exprimer notre fureur.

Antoine s'est présenté en consultation en arborant un sourire béat. Son fils était renvoyé de son école à cause de ses mauvais résultats scolaires (il ne faisait aucun effort) et sa fille avait fugué. Un sourire angélique cache souvent de la colère. Pasteur de profession, Antoine était incapable de se fâcher parce qu'il obéissait au diktat selon lequel les hommes d'Église ne se mettent pas en colère. Son ressentiment finit par se manifester quand il commença à maltraiter ses enfants qui, à leur tour, y répondirent par des comportements violents et destructeurs. Antoine a ainsi transmis à son fils et à sa fille son propre désarroi face au sentiment de colère et la conviction que la seule façon de s'en soulager est la brutalité, ce qu'à leur tour ils apprendront, par exemple, à leurs enfants.

Il est clair que nous imitons souvent nos parents et nous fâchons comme eux. Certaines personnes apprennent à se fâcher passivement (elles n'ont pas plus confiance en leur colère qu'en elles-mêmes), agressivement ou violemment et d'autres le font directement mais sans hostilité. C'est parfois aussi en réaction à nos parents que nous apprenons cela. Stéphane avait souvent vu son père piquer des crises de colère et se comporter comme un petit enfant et décida de ne jamais se comporter de la sorte devant ses propres enfants. À l'âge adulte, chaque fois qu'il se fâchait il feignait le calme, tout comme Antoine qui, lui, souriait. Il avait les mâchoires serrées mais n'admettait jamais qu'il était fâché.

Boucs émissaires, martyrs et autres habitués de la colère

Catherine était le bouc émissaire de sa famille. Les liens unissant certaines familles sont parfois très malsains et se maintiennent uniquement parce qu'un des membres est considéré comme la cause de tous les problèmes. Lorsque j'étais agent de probation, ces familles venaient souvent me voir pour obtenir de l'aide. J'étais toujours tenté de retirer tout de suite le bouc émissaire de sa famille pour le placer dans un foyer d'accueil. Mais l'expérience m'a appris que dans un cas semblable soit le travailleur social devient bouc émissaire, soit la famille s'en choisit un autre à l'intérieur d'elle-même. Il y aura toujours quelqu'un pour endosser ce rôle jusqu'à ce que les membres de ces familles-là acceptent leurs propres sentiments plutôt que de les projeter d'un commun accord sur autrui.

Quiconque a rempli cette fonction au sein de sa famille éprouvera d'énormes difficultés à dire sa colère. (Était-ce votre cas ?) Elle est d'autant plus justifiée pourtant que ce type de situation génère une rage considérable. Chacun de mes séminaires compte au moins un bouc émissaire parce que ceux-ci finissent souvent par divorcer. Le travail émotionnel qu'ils ont à accomplir pour retrouver leur amour-propre et le droit à la colère est considérable. Vivre avec un passé aussi chargé n'est pas facile et ces personnes doivent souvent recourir à un thérapeute pour accomplir ce réapprentissage.

Chacun de mes séminaires compte également un *martyr* ou sa victime. Les martyrs vivent par procuration : ils se sacrifient entièrement à autrui, au détriment de leur propre bien-être. Les sentiments qu'ils éprouvent sont souvent authentiques, mais ils se dévouent sans tenir compte de leur plaisir à le faire. C'est là que le bât blesse. Quels que soient leurs propres sentiments, au moment où ils le font, ils se sentent obligés de donner par peur de perdre l'autre ou encore parce qu'ils ont appris très jeunes à le faire. Les personnes à qui ils offrent tant, mais pour des raisons finalement moins altruistes qu'elles n'apparaissent au premier abord, sont souvent excédées par leur attitude. Malheureusement, elles sont souvent incapables d'exprimer leurs sentiments négatifs parce que le dévouement du martyr rend toute forme de reproche difficile.

Ce type de relations se maintient parce que les martyrs ne possèdent pas d'identité propre et qu'ils tentent de la définir à travers d'autres personnes. Tout en s'effaçant pour satisfaire autrui et en ne vivant qu'à travers lui, les martyrs tissent des liens destructeurs et néfastes pour les deux partenaires. Le chapitre 12 contient un exercice qui vous permettra de mieux comprendre ce rôle.

Comment échapper à ce martyre ? Comment empêcher quiconque de se comporter de la sorte ? Le martyr doit se construire une identité propre : renoncer au don de soi ; apprendre à se faire aider ; avoir une bonne estime personnelle ; développer sa personnalité par le biais de relations, d'activités, de centres d'intérêt et d'autres occupations.

Certaines personnes ont été victimes d'un martyr et en conçoivent un sentiment de culpabilité tel qu'elles sont incapables de donner libre cours à leur colère. Si vous avez subi l'emprise d'un martyr, il est possible que vous soyez déjà en boule contre lui. Il est toutefois tout aussi probable que vous ayez contenu ces sentiments négatifs pour vous comporter en martyr à votre tour. Un grand nombre de personnes apprennent ce rôle en vivant avec un parent martyr.

Cette lecture vous bouleverse-t-elle ? Le jour où nous avons parlé des martyrs, Brigitte est rentrée chez elle et n'a pas fermé l'œil de la nuit. Le lendemain elle a appelé une amie pour lui raconter à quel point elle était émue d'avoir découvert qu'elle avait agi en martyr dans son couple et « victimisé » son mari en provoquant en lui un énorme sentiment de culpabilité. Vous aussi, faites appel à un ami ou à un thérapeute — selon la gravité de votre cas — si vous vous sentez, tel le mari de Brigitte, paralysé par un sentiment de culpabilité.

Sachez aussi que la colère peut être un sentiment secondaire venant parasiter un sentiment véritable tel que la frustration, le rejet, le chagrin, le manque d'amour ou l'impression de n'être pas digne d'être aimé. Ces sentiments pouvant être très difficiles à assumer, la colère est une sorte de pis-aller émotionnel qui sert à dissimuler la gravité de vos blessures. Il est donc crucial de s'efforcer de déterminer si votre colère masque un sentiment enfoui.

Qu'est-ce qui déclenche votre colère ?

J'ai pu aider de nombreux participants à mes séminaires en leur proposant de répertorier ce qui, chez eux, déclenchait la colère. Véronique s'est vraiment emportée lorsque Jean-Luc a demandé la garde de leurs enfants. La raison en est probablement qu'elle doute d'être une bonne mère. Benoît s'est mis en colère quand Christine l'a quitté parce que cette expérience a ravivé le sentiment de rejet qu'il a connu à la mort de sa mère. Qu'en est-il pour vous ? Quels sentiments véritables votre colère masque-t-elle ? Prenez le temps de découvrir ce qu'il en est.

J'ai dit que les personnes subissant la rupture éprouvent en général davantage de colère que celles prenant la décision de divorcer. C'est compréhensible dès lors que l'on sait que ce sentiment en cache d'autres. La frustration causée par une perte de contrôle en est un bon exemple. Les victimes du divorce ne sont pas en mesure de décider de leur sort car leur partenaire mène le jeu. Une telle expérience, très frustrante, peut nous mettre en colère.

Qu'en est-il du rejet ? La victime du divorce aime encore son partenaire, lequel déclare subitement ne plus rien éprouver pour elle. Un tel rejet génère également la colère.

Il en va de même pour l'avenir : la victime imagine son avenir tout tracé et doit brusquement affronter une éventuelle solitude et bâtir de nouveaux projets. Surgit alors souvent la peur de ne pouvoir subvenir à ses besoins. La colère apparaît comme un excellent moyen de lutter contre cette angoisse ; peut-être est-elle une façon de faire monter son taux d'adrénaline et de surmonter ainsi la crainte.

Se débarrasser de la colère liée au divorce

Il est possible d'exprimer la colère de façon positive sans blesser personne.

Souvenez-vous qu'il convient de distinguer la *colère occasionnée par le divorce* de celle *provoquée par les soucis quotidiens.* Je présenterai en premier lieu diverses manières d'exprimer la colère liée au divorce et ensuite les façons d'y faire face quel que soit le contexte.

La colère liée au divorce doit être libérée de manière positive. Toute colère, dans vos relations futures, devra être exprimée *directement, fermement, honnêtement et de façon constructive* afin d'enrichir et de favoriser une relation profonde et authentique entre soi et l'autre.

J'insisterai sur un point : ne passez pas votre colère sur votre ancien partenaire. Il arrive que nous souhaitions l'appeler et lui faire du mal pour nous venger ou nous quereller. Je suis convaincu que cela ne sert à rien. Au contraire, une telle attitude risque d'attiser le conflit et de nous faire souffrir davantage l'un comme l'autre. Je vous propose par conséquent d'exprimer votre colère différemment, sans même lui en parler. Ce conseil ne s'applique toutefois qu'*en cas de divorce*; dans tous les autres cas, je suis en faveur d'une approche directe.

Certaines personnes ont appris à exprimer leur mécontentement dans le couple et en sont capables en période de divorce également. Si en revanche, comme la majorité des gens, vous n'avez pas pu le faire avec votre partenaire, vous ne savez probablement pas comment agir de façon positive. Ce chapitre vous apprend à gérer ces émotions et nous commencerons par la colère liée au passé et concernant votre ancien partenaire.

L'*humour* permet souvent de se libérer de sentiments négatifs. Le cas de Sylvie illustre parfaitement ce type de situation : «Je ne sais jamais que répondre lorsque l'on me demande ce que devient mon ancien partenaire et je n'ai aucune envie d'annoncer qu'il m'a quittée pour quelqu'un d'autre.» Quelques semaines plus tard, elle nous a dit avoir enfin trouvé la solution : «La prochaine fois que l'on me posera la question, je répondrai qu'il est mort!» Tous les participants se sont esclaffés et chacun a pu libérer sa colère par le rire. L'humour est un don précieux, en particulier en ce qui concerne les sentiments dits négatifs.

L'une des meilleures façons de procéder est d'*appeler un ami* pour lui parler de ce que l'on éprouve à l'égard de son ancien partenaire. Avertissez-le que ce que vous direz paraîtra peut-être insensé et que vous serez très ému, que même si vous ne pensez pas tout ce que vous dites, vous êtes à cran et avez besoin d'en parler. C'est probablement la meilleure manière de gérer cette exaspération.

Certaines personnes parviennent à *utiliser l'imagination* à cette fin. Muriel était experte en la matière : elle se délectait en pensant à différentes formes de vengeance. «J'irais acheter des sacs d'engrais chez le marchand puis, au milieu de la nuit, j'irais chez mon ex-mari et j'écrirais des obscénités sur la pelouse avec cet engrais. De cette façon, il les aurait sous les yeux pendant tout l'été!» Ne passez pas à l'acte, profitez simplement de ce que votre fertile imagination invente! Si vous êtes incapable de vous contrôler, cette solution ne vous convient pas.

L'*exercice physique* est aussi très salutaire : sport, course à pied, grand nettoyage, récurage et repassage, tout vient à point. La colère procure de l'énergie et il est important de la dépenser.

Certaines techniques peuvent accompagner les exercices physiques. Par exemple, si vous jouez au golf ou au tennis, imaginez que la balle représente la tête de votre ancien partenaire. Si vous courez, imaginez que vous piétinez sa tête à chaque pas. Criez autant que vous voulez.

Jurez si cela vous fait du bien. Donner de la voix vous aidera à expulser la colère contenue dans votre corps.

Hurlez si vous le pouvez. Certaines personnes se sentent mal à l'aise à l'idée de donner de la voix en présence d'autrui mais peut-être pourriez-vous trouver un endroit isolé. Cécile avait l'habitude de se rendre en voiture en un lieu connu d'elle seule. Elle s'arrêtait et criait tout son soûl, pleurait et hurlait pour expulser sa colère. Ses enfants étaient au courant et chaque fois qu'elle s'énervait, ils savaient qu'elle allait s'y rendre à nouveau.

Les *larmes* sont également très bénéfiques. Pleurer est une manière positive et honnête d'exprimer ses sentiments. De nombreuses personnes, les hommes en particulier, ont du mal à montrer leur chagrin. Laissez-vous aller à pleurer — cela vous aidera à vous sentir mieux. Pleurer est une fonction naturelle permettant d'exprimer chagrin et colère.

Écrire est également un excellent moyen de se libérer. Rédigez une lettre à l'attention de votre ancien partenaire et dites tout ce que vous avez sur le cœur. Écrivez en rouge, en majuscules énormes, en appuyant bien : traduisez votre colère dans votre façon d'écrire. N'envoyez pas la lettre mais jetez-la au feu. Cette technique vous permet de brûler votre colère au propre comme au figuré.

Vous pouvez également faire appel à la *technique des deux chaises*, une méthode efficace utilisée en Gestalt thérapie. Imaginez que votre ancien partenaire occupe la chaise vide et dites-lui ce que vous avez sur le cœur. Puis, avec un brin d'imagination, prenez sa place et imaginez ce qu'il vous répondrait. Retournez alors sur votre propre chaise et répondez-lui.

Vous pouvez également vous emparer d'un vieux morceau de tuyau d'arrosage d'un mètre de long environ pour *frapper* quelque chose. Soyez alors très prudent et choisissez une cible réellement indestructible ! Le bruit sourd de l'impact est très libérateur. (Souvenez-vous que cette technique doit être utilisée *en toute sécurité.* Ne prenez aucun risque, ne blessez personne, à commencer par vous !)

Vous voyez, il existe une multitude de moyens de libérer la colère liée au divorce. Certains vous conviendront mieux que d'autres. C'est une affaire de goût. Seul le manque de créativité et d'innocence et vos propres inhibitions vous empêchent d'en profiter ou d'en découvrir d'autres.

En effet, certaines personnes sont incapables de donner libre cours à leur colère. Elles sont trop habituées à sa présence. La colère leur tient compagnie. Il est possible qu'elle vous procure aussi des bénéfices et qu'elle constitue pour vous un outil de pression fort commode. Si vous êtes dans ce cas, pensez à la personne que vous souhaiteriez être. Aimez-vous être constamment en colère ou souhaitez-vous vous en défaire ?

Vous seul pouvez neutraliser votre colère

La colère est une des pierres les plus glissantes de notre pyramide parce qu'elle affecte les émotions ressenties au cours des autres étapes. Si vous la laissez vous submerger, elle entravera votre progression.

Dominer la colère vous apportera un grand réconfort et vous permettra de retrouver toute votre énergie. Vous pourrez enfin vous pardonner ainsi que votre partenaire de l'échec de votre relation et cesserez de vous culpabiliser et de vous sentir méprisable. Vous trouverez enfin la paix intérieure ; vous aurez lâché prise. Vous serez capable de discuter calmement avec votre ancien partenaire sans être bouleversé. Vous serez enfin en mesure d'affronter votre entourage, qu'il s'agisse de vos amis ou de ceux de votre partenaire. Au réveil, vous découvrirez que le soleil brille à nouveau ; colère et brume se seront dissipées, vous admettrez que les choses sont telles qu'elles sont et qu'il est inutile d'accuser quiconque de cette situation.

Olivier s'était choisi une devise qui peut être très efficace en période de divorce : « Ce n'est pas grave. » Des tas de choses qui nous paraissaient importantes ne le sont plus dès que nous parvenons à pardonner car nous n'éprouvons plus ni le besoin de punir, ni celui d'entretenir la querelle avec notre ancien partenaire.

Après le divorce : la colère au jour le jour

J'espère que mes conseils vous ont aidé à vous libérer de la colère provoquée par le divorce. Venons-en maintenant à la colère quotidienne que nous éprouvons tous au gré des événements.

En premier lieu, sachez qu'agir et sentir sont deux choses parfaitement distinctes.

La colère est une émotion et la violence et l'agressivité sont des comportements.

Souvenez-vous d'Anita au début de ce chapitre : elle avait dégonflé les pneus de la voiture de son ex-mari. Sa colère était telle qu'elle était passée à l'acte. Sachez qu'elle aurait pu donner libre cours à ses émotions différemment. Elle aurait pu, par exemple, se montrer plus agressive encore et l'attaquer. Elle aurait également pu se fâcher et lui déclarer que sa colère était telle qu'elle avait envie de dégonfler les pneus de sa voiture. Il est vrai que j'ai fermement déconseillé ce genre d'attitudes mais ces exemples vous permettront de comprendre que l'on peut pactiser avec sa colère de bien des façons.

Imaginez les situations suivantes :

Vous faites la queue depuis deux heures pour obtenir un ticket de concert. Des amis de la personne devant vous lui demandent de les laisser passer devant elle.

La pension alimentaire des enfants est en retard et vous avez un besoin urgent d'argent pour les achats de la rentrée scolaire. Vous appelez votre ancien partenaire qui vous rétorque que son dernier voyage au Mexique lui a coûté les yeux de la tête et qu'il ne pourra vous la verser avant le mois prochain.

Vous apprenez que les membres du gouvernement se sont accordé une augmentation salariale de vingt pour cent et ont voté une diminution de dix pour cent des subventions en matière d'éducation.

Vous êtes fâché ? Il y a de quoi ! Ces exemples, et il en existe des milliers, illustrent des situations d'inégalité, d'abus, de légèreté et de mauvais traitement qui provoquent à juste titre notre irritation. Qu'importe ce que l'on vous a appris : l'exaspération est naturelle, normale, saine et humaine ! Nous la ressentons tous par moments. Si vous prétendez n'être jamais fâché, peut-être avez-vous oublié la différence entre émotion et comportement. Alors reprenez ce chapitre depuis le début !

L'important est de savoir *que faire* de cette indignation. Je vous ai proposé différentes manières de libérer les fortes colères liées au divorce : humour, imagination, exercice, cris, pleurs, etc. Elles servent à exprimer la rage que vous éprouvez à l'égard de votre ancien partenaire mais elles ne sont pas d'une grande utilité dans la vie quotidienne car il faut uniquement y recourir pour libérer une colère enracinée dans le passé. D'autres méthodes peuvent être utilisées dans la vie quotidienne.

Les psychologues Bob Alberti et Michael Emmons ont élaboré un système permettant d'apprendre à exprimer la colère de manière positive, constructive et déterminée. Je soutiens ces techniques et vous encourage à les mettre en pratique. Tout comme pour les changements que nous avons mentionnés dans cet ouvrage, un effort considérable vous est demandé, mais vous découvrirez que vos relations et votre bien-être s'en trouveront nettement améliorés. Les conseils ci-dessous, tirés de leur livre[1], vous permettront de dominer sainement la colère.

« Voici, selon nous, une façon saine d'aborder ce sentiment :

1. Reconnaissez que la colère est un sentiment naturel, sain et humain qui n'a rien de maléfique. Tout le monde l'éprouve, mais ne l'exprime pas nécessairement. Vous n'avez pas besoin d'en avoir peur.
2. Rappelez-vous que vous êtes responsable de vos sentiments. Vous vous êtes mis en colère ; personne ne vous a « fait » cela.
3. Rappelez-vous que la colère et l'agressivité sont deux choses différentes ! On peut exprimer sa colère tout en s'affirmant.

1. Robert Alberti et Michael Emmons, *S'affirmer : savoir prendre sa place*, Éditions du Jour, Paris, 1992.

4. Apprenez à vous connaître. Reconnaissez les attitudes, les situations, les événements qui vous exaspèrent. Si vous connaissez vos points sensibles, vous saurez quand ils sont touché !
5. Apprenez à vous détendre. Développez votre capacité de vous détendre et apprenez à vous en servir une fois votre colère déclenchée. Vous pouvez approfondir cette technique en vous « désensibilisant » à certaines situations qui vous font fulminer.
6. Pratiquez des méthodes affirmatives d'expression de la colère, en suivant les principes décrits dans ce livre : soyez spontané, ne laissez pas votre ressentiment s'accumuler, affirmez directement votre colère ; évitez les sarcasmes et les sous-entendus ; employez un langage honnête et expressif ; évitez les injures, le dénigrement, les attaques physiques, les airs de supériorité, l'hostilité.
7. Ne laissez pas la confusion s'installer dans votre vie. Réglez vos problèmes au fur et à mesure, au moment où vous ressentez un sentiment et non après l'avoir laissé « mijoter » pendant des heures, des jours ou des semaines... Allez-y, mettez-vous en colère ! Mais trouvez une façon positive et affirmative d'exprimer votre sentiment. Vous l'apprécierez, ainsi que les membres de votre entourage. »

Une colère justifiée

Avant de clore ce chapitre, j'ajouterai quelques mots sur les croyances religieuses qui ne sont pas favorables à la colère. Apprenant qu'il faut tendre l'autre joue, certains croyants sont convaincus que la colère est un péché. Pour ma part, je pense qu'exprimer la colère de manière positive est un acte parfaitement acceptable aux yeux de la religion car je me refuse à croire que Dieu souhaite voir la colère ou toute autre émotion forte nous dominer.

« La moutarde me monte au nez »

N'interrompez pas l'escalade lorsque vous ressentirez les premiers sursauts de la colère. Ce chapitre a montré comment vous fâcher de manière positive et constructive pour « vider votre sac ». La colère ressemble au feu et il faut du temps pour réduire un combustible en cendres. Ne vous hâtez pas, car il est important d'entreprendre cette étape sans vous faire de mal ni blesser quiconque. Incontrôlée, la colère peut se révéler extrêmement destructrice.

Mes recherches ont montré que les divorcés ressentent de la colère à l'égard de leur ancien partenaire en moyenne pendant trois ans. Combien de temps souhaitez-vous rester ainsi ?

Les enfants se fâchent également !

Les enfants du divorce ressentent une colère semblable à celle de leurs parents. Je me souviens de la fille d'un couple divorcé qui a subitement éprouvé une fureur sans borne à l'égard de son père alors qu'elle se baignait avec lui dans une piscine. Cette émotion excessive était disproportionnée à la situation et résultait probablement du sentiment d'abandon qu'elle ressentait depuis le divorce.

Les parents sont parfois tentés d'interdire à leurs enfants de se fâcher. Les mères assurant la garde de leurs enfants souhaitent souvent qu'ils continuent d'entretenir de bons rapports avec leur père même si ce dernier ne remplit pas ses devoirs à leur égard. Peut-être seront-elles tentées de leur faire accepter sans récriminer la négligence de leur père. Leur colère serait pourtant parfaitement justifiée.

Nous déclarons souvent à un enfant en colère que « nous ne l'aimons plus », nous le rejetons et l'obligeons à monter dans sa chambre pour se calmer. Nous devrions au contraire trouver l'énergie nécessaire pour accepter les colères de nos enfants tout en nous assurant qu'ils ne fassent pas preuve d'agressivité, ni ne brisent d'objets. Utilisez les conseils figurant dans ce chapitre pour autoriser vos enfants à se libérer de leurs émotions. S'ils vous disent qu'ils sont furieux contre leur père (ou leur mère) parce qu'il n'est pas venu comme il devait, dites-leur bien que c'est parfaitement normal de se fâcher en de telles circonstances.

De nombreux blocages émotionnels proviennent du fait que nos parents ne nous autorisaient pas à exprimer notre colère. La plupart d'entre nous avons été punis, empêchés de nous fâcher, et avons souffert en ces occasions d'un sentiment de rejet et d'un manque d'amour. Il est souhaitable que les enfants apprennent que la colère est un sentiment humain et que l'exprimer de manière positive est tout à fait sain.

Comment allez-vous ?

Répondez aux affirmations ci-dessous pour vérifier où vous en êtes avant de poursuivre votre route. Soyez honnête avec vous-même !

1. *Je suis capable de parler calmement à mon ancien partenaire.*
2. *Je me sens à l'aise quand je le rencontre ou quand je lui parle.*
3. *Je ne ressens plus le besoin de me fâcher contre lui ni de le blesser.*
4. *J'ai renoncé à espérer que mon ancien partenaire souffre autant que moi.*
5. *Je ne me sens plus fâché contre lui.*
6. *Cela m'est égal que ma famille, mes amis et mes collègues prennent sa défense plutôt que la mienne.*
7. *J'ai dépassé l'envie de me venger de lui pour m'avoir blessé.*
8. *Je n'accuse plus mon ancien partenaire de l'échec de notre relation.*
9. *J'ai renoncé à essayer de blesser mon ancien partenaire en lui disant que je souffre.*
10. *J'ai dépassé ma colère et commence à accepter les agissements de mon ancien partenaire.*
11. *J'exprime ma colère de façon positive et sans faire souffrir personne ni moi-même.*
12. *Je suis capable d'admettre que je suis fâché sans chercher à nier mes sentiments.*
13. *J'ai identifié les blocages émotionnels qui m'empêchaient de me fâcher.*
14. *Je suis capable d'exprimer ma colère de manière constructive sans me laisser submerger par mes émotions.*
15. *J'en arrive à pardonner sans plus me fâcher.*

10

LÂCHER PRISE
« Renoncer n'est pas simple »

Vous devez cesser d'investir émotionnellement dans ce couple qui n'existe plus. Il est plus simple de lâcher prise lorsque l'on sait remplir sa vie. La personne qui part lâche prise plus facilement parce qu'elle s'est bien souvent déjà désengagée avant même de partir. Vous êtes incapable de renoncer ? Cela signifie peut-être que vous refusez de prendre conscience de certaines émotions douloureuses.

Estelle :	*Julien m'a quittée il y a quatre ans et il s'est immédiatement remarié.*
Thérapeute :	*J'ai remarqué que vous portiez toujours une alliance.*
Estelle :	*Oui, c'est très important pour moi.*
Thérapeute :	*Et pour régler la séance de thérapie, vous avez signé un chèque sur lequel il y a toujours le nom de Julien !*
Estelle :	*Je suppose que c'est parce que je suis incapable de renoncer à lui.*

Il arrive quelquefois qu'une chanson me trotte par la tête et que je ne puisse m'empêcher de la fredonner. De combien de chansons vous souvenez-vous qui aient trait au fait de renoncer à l'être aimé ? En voici quelques-unes pour vous mettre en train :

- *Je rêve encore de toi*
- *Ne me quitte pas*
- *Il faut tourner la page*
- *Les amours d'antan*
- *Les feuilles mortes*
- *Plaisir d'amour (pour les seniors)*

À ma grande surprise, j'ai eu beaucoup de mal à rassembler des informations intéressantes sur le concept du désengagement. Pourtant, nous avons tous dû mettre fin à une relation amoureuse à un moment donné de notre vie, dès que nous sommes sortis entre garçons et filles. Il est intéressant de voir qu'un phénomène qui nous concerne autant ait suscité si peu de recherche. Ne nous reste-t-il qu'à nous fier aux poètes et aux paroliers pour apprendre à mettre fin à une relation amoureuse ?

Qu'appelle-t-on désengagement ?

Imaginez-vous mains jointes, les doigts entrecroisés et essayant ensuite d'écarter les mains tout en les gardant jointes. Cela devrait vous permettre de vous représenter ce que j'entends par désengagement. Ce processus qui peut être douloureux implique que vous renonciez aux sentiments profonds que vous éprouvez pour l'autre.

L'amour n'est pas le seul sentiment auquel il soit difficile de renoncer. Il y a aussi la colère, l'amertume et la rancœur. Quand une personne parle souvent d'un ancien partenaire, tout attendrie ou en colère, je sais qu'elle n'a pas renoncé aux sentiments profonds qu'elle éprouve pour lui.

Il est fréquent d'entendre des couples déclarer qu'ils souhaitent rester amis pendant la « lune de miel » du divorce (voir chapitre 7). Mais lorsque s'installent la culpabilité de la personne qui part et la colère de celle que l'on quitte, le désir d'entretenir l'amitié s'amenuise. Pourtant, certains s'efforcent tellement de préserver ce lien qu'ils s'empêchent de lâcher prise et par conséquent, de ressentir la colère qui les aiderait à renoncer. C'est pourquoi je conseille de ne pas maintenir de liens d'amitié dans un premier temps ; attendez d'avoir renoncé et retrouvé votre équilibre. Essayer de rester amis risque de prolonger ce processus, voire même de compromettre la possibilité d'une amitié à long terme.

Un autre phénomène qu'il faut également mentionner est le syndrome de la fuite. La plupart des divorcés ressentent à un moment donné le besoin pressant de fuir. Ils souhaitent s'intégrer dans un nouveau cercle, loin du lieu où vit leur ancien partenaire pour éviter toute rencontre douloureuse avec cette personne ou ses amis.

Joséphine a été mariée à un professeur d'université qui avait rompu pour aller vivre avec une de ses jeunes étudiantes. Au volant de sa voiture, elle a aperçu un jour, par hasard, son ex-mari avec sa nouvelle femme. Avant même d'avoir pu s'arrêter elle vomissait dans sa voiture. Il est très douloureux de rencontrer un ancien partenaire accompagné d'une nouvelle conquête.

Si votre départ correspond à un nouvel emploi, si vous souhaitez retrouver un ancien foyer pour recevoir le soutien de votre famille ou de vos amis ou s'il représente un réel progrès, il est possible que le déménagement soit une bonne chose. Si au contraire vous cherchez à fuir une situation désagréable, il faudrait attendre un peu. Vous vivez un épisode stressant ; un changement important ne vous ferait aucun bien.

Il peut être préférable de rester là où vous êtes et d'affronter les émotions douloureuses que peut faire naître une rencontre avec votre ex-partenaire ou ses amis. (« J'ai appris que vous avez été mariée au président de la Chambre de Commerce ? Je le connais bien. ») Les personnes qui choisissent de déménager ne font parfois qu'enfouir et nier le besoin de lâcher prise. Il est probable que celles qui décident de rester se montrent plus rapidement capables de rencontrer leur ex-partenaire et de lui parler sans être bouleversées.

Elles ne connaîtront pas ces difficultés car elles auront décidé de faire face.

Il semble qu'il existe un lien entre les trois étapes principales de la reconstruction : *le déni* (nier que la relation prend fin), *le deuil* (faire le deuil de la perte que l'on subit) et *le désengagement* (lâcher prise et renoncer à l'ancien couple). Il est possible, dans ce processus, de franchir simultanément ces trois étapes.

Soyez ferme

(Je m'adresse ici aux personnes qui prennent la décision de rompre quoique ce passage intéressera peut-être aussi les personnes qui subissent la rupture car il sera aussi question d'elles.)

La personne qui rompt souhaite parfois ménager l'autre pour éviter de se sentir coupable, mais cela ne fait en réalité que prolonger le processus. Si vous souhaitez quitter votre partenaire, faites-le avec force, courage et détermination. C'est bien plus souhaitable que de rester évasif.

Richard (qui avait rompu la relation) pensait bien faire en emmenant chaque semaine Nathalie dîner dehors sous prétexte de l'aider à se sentir mieux. Mais chaque fois qu'il l'invitait, il lui redonnait espoir et l'empêchait de chercher du soutien auprès d'autres personnes, ce qui la maintenait par ailleurs dans un état de besoin. Nathalie se montra incapable de lâcher prise tant qu'il y eut un espoir de réconciliation. La fermeté peut s'avérer bien plus utile qu'une gentillesse molle. Richard était en fait magnanime *envers lui-même* car, en réalité, il désirait surtout, inconsciemment peut-être, apaiser son propre sentiment de culpabilité.

D'autres situations prolongent le processus de renoncement : les procédures de divorce interminables, les échanges à intervalles réguliers d'enfants et d'animaux domestiques, tout comme le fait d'habiter très près l'un de l'autre. Une entreprise commune qui vous obligerait à rester en contact risque également de le freiner et de le rendre plus long. (Les intérêts professionnels communs empêchent de se désengager rapidement ; évaluez soigneusement toute décision dans ce domaine. Si nécessaire, faites appel à votre avocat et à votre comptable.)

Les liens avec la belle-famille interviennent également dans le processus de renoncement. Le divorce entraîne généralement la rupture avec la famille de votre ancien partenaire. Bien que dans la plupart des cas les contacts avec la belle-famille soient interrompus ou moins fréquents au moment du divorce, la rupture peut également provoquer l'effet contraire. Dans certains cas, les beaux-parents restent plus proches de leur bru ou de leur gendre que de leurs propres enfants.

Dans certains pays le droit de visite n'est pas attribué uniquement au père ou à la mère d'un enfant mineur. Il est aussi reconnu par les tribunaux au profit des grands-parents. Il arrive même que l'on voie un frère aîné ou une sœur aînée le revendiquer. Les liens avec la famille d'un précédent mariage sont donc parfois maintenus par une autre volonté que la vôtre.

Renoncer n'est pas simple

Que l'on rencontre ou non des complications de ce type, la question reste de savoir : COMMENT faire? COMMENT lâcher prise? Beaucoup pensent que répondre à la question « Comment vais-je arriver à cesser d'aimer cette personne? » suffit à résoudre le problème. Il est, bien entendu, plus simple de le faire si vous menez une vie bien remplie. Un travail intéressant, un bon réseau de soutien, des amis et une famille chaleureux et attentionnés, une vie intérieure riche, pleine et dynamique — plutôt que le néant — sont autant de facteurs qui vous aideront à combler le vide créé par l'absence de la personne aimée.

Certains gestes précis vous aideront à lâcher prise. Commencez par faire le tour de la maison et débarrassez-la des objets vous rappelant votre ancien partenaire. Rangez photos, cadeaux de mariage, cadeaux d'anniversaire et autres souvenirs pour ne pas constamment vous remémorer son existence. Vous pourrez éventuellement modifier l'agencement du mobilier, voire même transformer la maison pour qu'elle ressemble le moins possible à ce qu'elle était du temps de votre mariage. Le lit constitue souvent un symbole important. Vous devrez peut-être le placer dans une autre pièce ou le vendre, ou encore modifier son emplacement dans la chambre à coucher.

Il se peut que vous souhaitiez garder les souvenirs de votre ancien couple et les ranger dans une boîte au garage ou à la cave. En fin de semaine, vous pourriez choisir de faire un travail de deuil en ressortant tous ces objets et en réservant un moment pour exprimer le mieux possible votre chagrin. Cette période de deuil intense sera probablement difficile à traverser et nous vous conseillons de chercher du soutien autour de vous. Ne plus prendre sur vous et vous laisser aller librement à votre chagrin, quelle que soit sa force, vous aidera à renoncer plus rapidement. Ce travail de deuil, qui donne sa place au chagrin, réduira le nombre de semaines et de mois qui vous seront nécessaires pour vous libérer entièrement de votre couple.

Gérer les appels, les lettres et les visites de votre ancien partenaire peut également poser problème. S'il s'accroche de façon patente, vous en ressentirez probablement de l'irritation. Mais le simple fait que vous vous prêtiez plus ou moins à ce jeu peut indiquer que vous non plus n'avez pas lâché prise. Il faut être deux pour se renvoyer la balle ! Si vous refusez simplement de vous laisser faire, à long terme la situation sera plus facile à vivre pour tout le monde. Soyez déterminé, envisagez même de raccrocher le téléphone sans répondre ou de renvoyer les lettres sans les ouvrir.

C'est vous qui avez le pouvoir de cesser de penser à votre ancien partenaire. C'est vous qui avez le pouvoir de ne plus en rêver. Chaque fois que vous vous surprendrez à pleurer à cause de lui, pensez à un épisode douloureux ou à un aspect déplaisant de votre relation. Cela vous permettra de cesser d'y revenir constamment. Vous pouvez également choisir de vous concentrer sur une autre image ou sur n'importe quoi d'autre, plutôt que sur un aspect de votre ancien amour.

Renoncez à vos peurs

Il existe une façon moins terre à terre, plus abstraite, de répondre au problème du désengagement. Il faut savoir qu'un schéma de comportement naît habituellement d'un sentiment particulier — tel que la peur du rejet, la culpabilité, la peur de ne pouvoir être aimé, la faible estime de soi ou le manque de confiance. Or, ce qui est surprenant c'est que nous agissions souvent de façon à nous retrouver confrontés au sentiment qui nous fait le plus peur ! Si le rejet nous fait peur, nous nous préparons consciemment ou inconsciemment à nous faire rejeter. Si nous ressentons le besoin de nous sentir coupables, nous choisissons des situations qui nous font nous sentir coupables.

Quand Manon et Jean-Pierre sont venus me consulter pour une thérapie de couple, le schéma comportemental de Jean-Pierre était de se faire rejeter et celui de Manon était de se sentir coupable. Leurs besoins névrotiques s'accordaient parfaitement ! Pendant de longues années de mariage, Manon s'est sentie coupable parce que

Jean-Pierre se sentait rejeté. Elle créait les raisons de se sentir coupable, invitant Jean-Pierre à se sentir rejeté.

Dans le cas d'un divorce, lorsque les relations amoureuses prennent fin, nous avons tendance à réagir sur le mode qui était à la base de notre comportement. S'il s'agit du rejet, nous nous sentons rejetés ; si c'est la culpabilité, nous nous sentons coupables. Et, malheureusement, ces sentiments peuvent être si violents qu'ils nous submergent complètement et que nous nous montrons parfois incapables de lâcher prise en même temps.

Par conséquent, si vous avez du mal à lâcher prise, demandez-vous : « Que ressentirais-je si je renonçais effectivement à mon ancien partenaire ? » Votre résistance masque peut-être en fait un blocage concernant une de ces peurs dont nous venons de parler et votre incapacité d'affronter le sentiment à la base de celle-ci. Il se peut par exemple que vous craigniez de lâcher prise parce que vous seriez alors contraint de gérer un sentiment de rejet : vous esquivez ce rejet en ne lâchant pas prise. Vous vous protégez de lui. Il y a de grandes chances que vous soyez obligé de faire face à ce sentiment si vous voulez enfin être en mesure de lâcher prise. Faites-vous alors éventuellement aider par un ami ou un thérapeute.

Investissez en vous-même

L'objectif que vous cherchez à atteindre en franchissant ces étapes et en bâtissant pierre après pierre votre nouvel équilibre est d'investir dans votre propre développement personnel plutôt que dans une relation défunte. Il n'y a aucun bénéfice émotionnel à attendre d'un cadavre. En revanche, investir dans sa propre vie, dans sa propre personne est éminemment gratifiant et enrichissant.

Aidez les enfants à lâcher prise

Les enfants doivent renoncer au concept traditionnel de la famille dite biparentale (papa, maman et moi) car ils vivent souvent après le divorce au sein d'une famille monoparentale (papa et moi ou maman et moi), avec un parent qui s'est vu confier leur garde et un parent à qui elle a été retirée. Même lorsque la garde est partagée, ils doivent s'adapter à un nouveau style de vie et à deux façons de vivre différentes. Il est souhaitable que les enfants ne soient pas contraints à renoncer à une relation de qualité avec chaque parent.

Les enfants peuvent toutefois éprouver des difficultés à comprendre l'incapacité de renoncer de l'un des parents. Cette étape de la reconstruction peut être très difficile pour eux s'ils entendent continuellement parler (en bien ou en mal) de leur père ou de leur mère par l'autre parent. Si ces derniers n'ont pas renoncé au lien, les enfants risquent de se sentir piégés par les sentiments positifs ou négatifs existant encore dans le couple. Cela risque de prolonger chez eux le processus de guérison.

Comment allez-vous ?

Vous avez assez marché ! Vous êtes déjà à mi-chemin. Faites une pause et reposez-vous. Prenez le temps de vous délivrer des sentiments qui vous forcent à investir encore émotionnellement dans une relation morte. Écoutez votre propre souffle ; sentez votre propre force ; débarrassez-vous de ce fardeau et découvrez à quel point vous vous sentez léger sans ce poids sur votre dos.

Enfin, réagissez aux affirmations ci-dessous. Avez-vous réellement lâché prise ?

1. *Je ne pense plus qu'occasionnellement à mon ancien partenaire.*
2. *Je rêve rarement que je me trouve en sa compagnie.*
3. *Je ne me sens plus bouleversé quand je pense à mon ancien partenaire.*
4. *J'ai renoncé à tenter de lui plaire.*
5. *J'ai accepté l'idée que la réconciliation est impossible, que nous ne vivrons plus ensemble.*
6. *J'ai renoncé à trouver des excuses pour appeler mon ancien partenaire.*
7. *Je parle rarement de mon ancien partenaire à mes amis.*
8. *Je ne me sens plus amoureux de mon ancien partenaire.*
9. *Je n'ai plus envie de faire l'amour avec lui.*
10. *J'ai renoncé à tout engagement émotionnel envers mon ancien partenaire.*
11. *J'accepte que mon ancien partenaire ait une nouvelle relation.*
12. *J'ai le sentiment d'être célibataire et libre de tout engagement amoureux envers mon ancien partenaire.*
13. *Je ne suis plus en colère contre mon ancien partenaire.*

11

L'AMOUR-PROPRE
« Je ne suis pas si mal après tout ! »

Il est tout à fait normal d'avoir une bonne opinion de soi. Vous pouvez apprendre à avoir une meilleure image de vous-même et acquérir plus de confiance en vous. Cela vous aidera à vaincre les difficultés. Plus vous gérerez les crises avec profit, plus vous serez fier de vous ! Si vous traversez une crise d'identité ou de révolte profonde, votre relation amoureuse peut être de ce fait soumise à des tensions importantes.

Quand j'étais petit garçon, mon père me répétait sans cesse que je ne devais pas me prendre trop au sérieux ni être égocentrique. Plus tard, j'ai commencé à fréquenter l'église où j'ai appris que j'étais le fruit du péché. À l'école, seuls les bons élèves recevaient de l'attention. Adulte, je me suis marié avec l'espoir que quelqu'un reconnaisse enfin mes qualités. J'ai apprécié l'amour de ma femme mais elle a rapidement repéré mes défauts et ne s'est pas privée de me les faire remarquer. J'ai fini par croire que je ne valais rien. C'est alors que j'ai décidé de divorcer.

Sylvain

Sur notre chemin vers le sommet, la piste est encombrée de personnes à bout de forces. Certaines sont assises, ayant abandonné tout espoir d'aller plus avant, d'autres encore sont effondrées face contre terre, de vrais tapis, et ne bronchent pas si elles se font marcher dessus. Sur certains visages, on lit un sentiment de culpabilité et d'infériorité : quelques grimpeurs essaient de se fondre dans la nature, de disparaître devant le regard des autres, comme transparents.

Toutes semblent poursuivies par des idées noires et les embûches du chemin n'atteignent qu'elles ! Voyez cette femme, elle est parvenue à échapper à une pierre qui roulait. Elle regarde anxieusement derrière elle et manque de trébucher, chercherait-elle un autre coup du sort ? Le soleil vient de se voiler et elle paraît fort satisfaite. De toute façon, le ciel va lui tomber sur la tête. C'est sûr.

L'importance de l'amour-propre

À ce stade de l'escalade, nous allons nous concentrer sur les problèmes de l'amour-propre et les manières de l'améliorer. L'amour-propre, l'estime que nous nous portons, constitue la colonne vertébrale de notre personnalité. Nous sommes au cœur de nous-même car nous allons parler maintenant de l'opinion que nous avons de nous-même et de nos croyances concernant notre valeur. Tout notre être est ici en jeu : si notre amour-propre est atteint, toute notre personnalité en pâtit et se désagrège.

Enfant, je pensais être seul à souffrir d'un complexe d'infériorité. Je n'avais pas compris que ce sentiment bien connu était partagé par de nombreuses personnes. Je demande souvent aux participants à mes séminaires de lever la main s'ils souhaitent remonter dans leur propre estime. Dans la plupart des cas tous le font. Cet exemple vous aide probablement à comprendre l'importance de l'étape que vous vous apprêtez à franchir et à prendre conscience de l'importance de la solidité de la pierre que vous allez devoir maintenant poser. Mal stabilisée ou de mauvaise qualité, friable, elle risque de faire s'écrouler la vie future que vous êtes en train de construire.

Pour commencer, vous êtes-vous jamais demandé si l'amour-propre est inné ou acquis ? Il semble que nous formions notre estime personnelle à un âge très précoce grâce aux figures marquantes de notre entourage, c'est-à-dire nos parents, nos frères et sœurs, nos professeurs, les prêtres que nous rencontrons, nos relations, la famille au sens large, etc. Puis, en particulier à l'adolescence, elle est influencée par nos pairs, nos amis, les élèves de notre classe, la bande dont nous faisons partie. À l'âge adulte, notre partenaire est, dans ce domaine, notre principal interlocuteur et affecte fortement notre estime personnelle.

De nombreux couples qui ont fini par divorcer avaient développé un système d'interactions qui portait atteinte à l'estime personnelle de chaque conjoint. Il arrive qu'une relation soit à ce point destructrice que le mari et la femme en deviennent incapables de se séparer, n'éprouvant plus l'amour-propre suffisant pour le faire. Les femmes battues, notamment, sont généralement convaincues de *mériter* leur sort. Elles n'ont pas le réflexe de quitter leur conjoint parce qu'elles croient être incapables de s'en sortir seules. De nombreuses personnes vivant un mariage raté subissent une forte érosion de leur amour-propre avant de se libérer par le divorce.

Lorsque la séparation a réellement lieu et que la relation prend fin, leur estime personnelle est au plus bas. À cela s'ajoute le fait que nous nous investissons tellement dans une relation amoureuse que, quand le mariage échoue, nous subissons une perte d'identité importante. J'ai demandé à des personnes récemment divorcées de se soumettre à un test sur ce thème et les moyennes que j'ai obtenues étaient parmi les plus basses jamais enregistrées. Rompre bouleverse notre estime personnelle. Le divorce occasionne en effet une perte d'amour-propre d'une rare intensité. Il provoque une véritable paralysie émotionnelle allant jusqu'à empêcher l'exécution de tâches quotidiennes telles que mener à bien son travail, s'occuper de ses propres enfants et communiquer avec son entourage.

Des recherches ultérieures menées sur le groupe précédemment cité rapportent que, à l'intérieur du groupe, les personnes qui possédaient une bonne estime personnelle s'adaptaient plus rapidement à la rupture, ce qui confirme ce que le sens commun nous dicte : notre amour-propre nous aide à nous tirer d'affaire en cas de crise majeure.

C'est un fait patent : notre amour-propre détermine notre mode de vie. La rupture lui ayant porté préjudice, nous devons alors restaurer l'opinion que nous avons de nous-même. Il en est de même après toute crise de quelque importance. Il est rassurant de savoir que cela est tout à fait dans nos cordes et il est également très encourageant de nous rendre compte que nous ne sommes pas contraint de traîner ce fardeau notre vie durant !

L'amour-propre en onze étapes !

Je vous présente ici un processus qui a déjà permis à de nombreuses personnes de retrouver une bonne estime personnelle. Le premier pas paraît évident mais est souvent négligé. Il faut *prendre la décision de changer.* Il y a quelques années, j'ai découvert que de nombreux participants à mes séminaires étaient poursuivis par des idées noires, tout comme les personnes que nous venons de croiser sur le sentier. Malgré les progrès qu'ils faisaient en thérapie, ils étaient mal à l'aise et inspectaient craintivement le ciel dans l'attente du pire.

Découragé, je décidai de faire une randonnée en solitaire dans la montage. À quelques encablures du sommet, je remarquai un panneau signalant un conifère qui avait été déraciné par le vent. L'arbre était couché et sa cime, qui reposait maintenant sur le sol, avait repris racine et continuait à pousser. Ces nouvelles branches pointaient vers le ciel jusqu'à atteindre une hauteur de six mètres. C'était un miracle que cet arbre presque entièrement déraciné ait survécu ! Sur le côté de l'arbre, plusieurs nouvelles branches avaient poussé aussi et l'une d'elles avait presque dix mètres de haut.

Contemplant ce phénomène, j'ai pensé que ce déracinement ressemblait fort au divorce. Cet arbre à bout de forces avait retrouvé une nouvelle énergie pour pousser vers le ciel. J'ai été très ému par cette vision et j'ai compris que nous sommes tous mus par une force intérieure qui nous permet de continuer à vivre après une crise majeure. Cet arbre a renforcé ma conviction selon laquelle il est possible de reconstruire son amour-propre.

Nous devons trouver et être à l'écoute de cette énergie émotionnelle qui nous permet de développer notre potentiel. C'est en étant en contact avec elle, que nous l'appelions âme, moi ou force vitale, que nous serons en mesure de mettre en œuvre les changements que nous appelons de nos vœux. Commencez par chercher votre

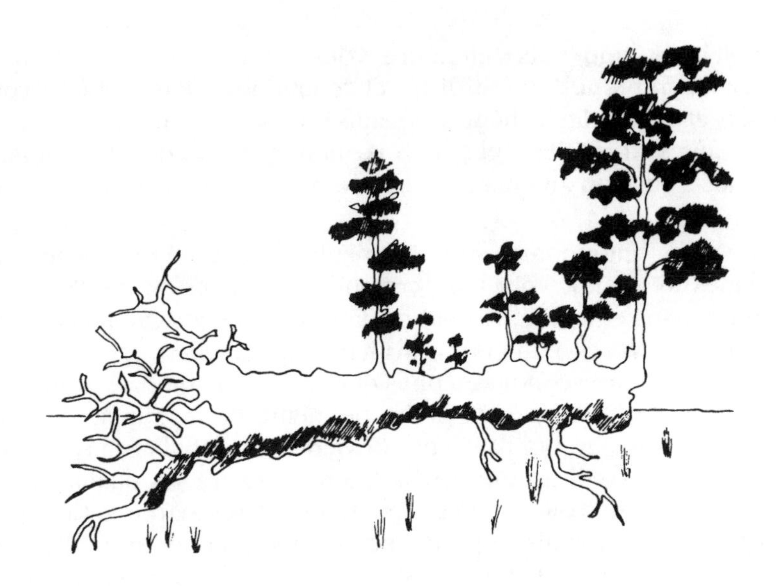

force intérieure. Ensuite, vous ferez naître à partir d'elle la personne que vous aimeriez devenir.

Si vous choisissez d'améliorer votre estime personnelle, votre vie entière en sera modifiée : votre travail, vos relations avec autrui, vos vues sur l'éducation de vos enfants, le choix de votre futur partenaire et surtout la manière dont vous vous sentirez. Vous apporterez des changements considérables dans votre vie personnelle et sociale et rehausserez votre confiance en vous. Cette première décision est un pas difficile à franchir. Si vous vous engagez fermement toutefois, le reste suivra.

La seconde étape consiste à *modifier votre opinion personnelle.* La plupart des gens peuvent facilement énumérer vingt défauts. Pourquoi ne pas commencer par vos qualités? Chaque fois que je propose ce devoir au cours d'un séminaire, j'entends des participants maugréer : et pourquoi vingt et pas deux? Une nuit, j'ai reçu un appel d'un participant furieux. Il était rentré chez lui après un séminaire et avait commencé la liste de ses qualités, il lui avait fallu une heure pour trouver la première et aussi longtemps pour la seconde. Ce fut le travail le plus difficile à réaliser pour lui au cours des dix semaines que durait le séminaire.

Cette tâche est bénéfique. Pour tous. Prenez le temps de la mener à bien et faites-le par écrit car la liste vous servira pour l'étape suivante.

Troisième étape : *parlez de vos qualités à d'autres personnes.* Les écrire est une chose, en parler en est une autre. Vous entendrez probablement une voix intérieure vous interdire de vous vanter ; ignorez-la, reprenez votre liste et continuez. Rassemblez votre courage et brisez les schémas négatifs. Il est normal de se complimenter mais formuler cela à voix haute demande du courage. Souvenez-vous qu'améliorer votre estime personnelle *n'est pas simple.*

Ces voix intérieures sont particulièrement aiguës chez les personnes ayant fait l'objet de critiques incessantes dans l'enfance. Au cours d'un séminaire, Hubert déclara qu'il ne pouvait pas franchir cette étape tant ses parents lui avaient interdit de se faire valoir. Il était en excellente condition physique et aimait bien le sport. Ses succès en la matière auraient pu lui permettre de regagner confiance en lui mais ses parents l'avaient convaincu qu'il fallait faire preuve d'humilité. Adulte, il était incapable de reconnaître ses qualités parce qu'il continuait à croire que cela contrarierait ses parents. Cela peut vous paraître inouï mais ce problème était bien réel pour lui. Il a finalement pu lire à voix haute sa liste aux autres participants mais son visage trahissait les affres qu'il surmontait. Quand il eut terminé, tout le monde a applaudi et il a enfin reconnu le bien que cela lui faisait.

La quatrième étape est très difficile : il s'agit de *revoir vos relations avec votre entourage et de changer en conséquence pour vous débarrasser de vos schémas de comportement négatifs et développer une nouvelle personnalité.*

L'opinion que vous avez de vous-même est en grande partie confirmée par les réactions de votre entourage. Quelles sont les relations qui vous aident réellement à avoir une bonne opinion de vous-même ? Qui vous fait plus de tort que de bien ? Si vous découvrez que certaines personnes nuisent à votre amour-propre, choisissez de couper le contact ou de modifier ces liens. Il peut être très difficile de transformer un mode d'interaction mais préserver des amitiés vous desservant risque d'empêcher votre évolution.

Quand j'étais agent de probation, j'ai souvent entendu dire qu'il suffit qu'un adolescent en crise change d'amis pour qu'il résolve ses problèmes. J'ai découvert qu'il devait généralement à la fois changer d'entourage et modifier l'opinion qu'il avait de lui-même. Les adolescents se servent des réactions de leur entourage pour renforcer l'image qu'ils ont d'eux-mêmes. Nos relations avec nos pairs renforcent notre estime personnelle en partie parce que nous choisissons nos amis en fonction de l'opinion que nous avons de nous-même. D'ailleurs ne dit-on pas volontier d'un ami : « Nous sommes sur la même longueur d'onde ? »

Changer de cercle d'amis peut être très difficile parce que nous avons tous tendance à nous conformer à de vieux schémas de comportement. Mais je suis convaincu que si vous souhaitez réellement aller mieux vous devez investir dans des relations positives qui vous y aideront.

Cinquième étape : *débarrassez-vous de vos voix intérieures négatives.* Nous entendons tous des voix intérieures, appelées « messages parentaux » en Analyse Transactionnelle. Ces messages nous viennent de nos parents, de nos professeurs, ou d'autres adultes qui ont marqué notre enfance. « Sois prudent ; ne te laisse pas griser par le succès ! » « Souviens-toi qu'égoïsme et vanité sont des péchés. » « Tu te crois malin ? » Ces messages ont un effet négatif et nous empêchent de développer notre estime personnelle. Ils sont utilisés pour discipliner et maîtriser les enfants mais ils sont, à la longue, inutiles et néfastes.

Adultes, nous pouvons choisir de continuer à écouter ces voix ou non. Identifiez vos messages, dites-les à voix haute et écrivez-les. Voyez s'ils sont appropriés. Les Analystes Transactionnels suggèrent que nous cherchions ces messages dans nos états du moi « Parent » et « Enfant » pour les analyser dans notre état du moi « Adulte » afin de déterminer s'ils sont logiques et adaptés. Débarrassez-vous des injonctions vous empêchant d'avoir une meilleure opinion de vous-même.

Vous aurez peut-être besoin d'une séance de thérapie ou d'un ami pour exprimer ces sentiments toxiques. Écrivez-les ou enregistrez-les. Il faut que vous expulsiez ces messages négatifs du passé pour les empêcher de nuire. Autorisez-vous à les exprimer et à les verbaliser pour vous en débarrasser et vous permettre de remonter dans votre propre estime.

La sixième étape peut vous sembler grotesque mais elle a permis à Alice, une participante d'un de mes séminaires, de progresser. Je vous propose d'épingler vos qualités dans la maison, à des endroits stratégiques, bien en vue : sur un miroir ou sur le réfrigérateur par exemple. Vous avez un joli sourire ? De jolis yeux ? Vous dessinez bien ? Faites-vous des tartes aux cerises comme pas deux ? Êtes-vous un bricoleur né ? Flattez-vous, écrivez toutes vos qualités. Quand Alice s'est inscrite au séminaire elle souffrait de dépression ; elle avait des difficultés de concentration mais cet exercice lui plut. La semaine suivante, elle avait rédigé une centaine de petits mots et en avait même affiché dans les toilettes ! Elle avait beaucoup changé et son estime personnelle s'en trouvait nettement améliorée. Rédiger ces messages lui avait permis de devenir différente. Il est rare qu'un changement soit aussi radical mais son cas illustre l'efficacité de *faire quelque chose.*

Septième étape : *acceptez les compliments qui vous sont adressés.* Nous n'entendons que ce que nous voulons bien écouter. Si votre estime personnelle est faible, vous n'entendez probablement que les commentaires négatifs et niez, ignorez ou rationalisez les éloges qui vous sont faits en pensant que les gens ne pensent pas forcément le bien qu'ils disent de vous. Certaines personnes se protègent en refusant d'entendre les compliments qui ne cadrent pas avec l'opinion qu'elles ont d'elles-mêmes. La prochaine fois que quelqu'un fait votre éloge, ne vous raidissez pas et laissez-le couler en vous ; vous sentirez à quel point cela est agréable. Ne résistez plus. Cela vous mettra peut-être mal à l'aise. Peu importe. Il est temps de rompre avec votre système de défense. Vous vous sentirez beaucoup mieux lorsque vous serez capable d'accepter les compliments sans en être gêné.

Huitième étape : *Modifiez l'un de vos comportements.* Déterminez ce que vous souhaitez changer. Peut-être avez-vous envie de dire bonjour à davantage de monde ou d'arriver à l'heure au bureau, ou de cesser de remettre au lendemain de menus travaux comme faire son lit tout de suite après s'être levé. Prenez une résolution et respectez-la pendant une semaine. Choisissez quelque chose de facile. Ne vous forcez pas à échouer en choisissant un changement impossible à accomplir en une semaine.

Annotez votre agenda pour vous souvenir de vous récompenser chaque jour. À la fin de la semaine, tous les jours que vous aurez cochés témoigneront de votre réussite et vous saurez que *vous avez été capable* de changer en partie votre personnalité. Après cela, choisissez une deuxième décision pour la semaine suivante et allez-y ! Tenez-la ! Si vous faites cela plusieurs semaines de suite, vous vous rendrez compte que *vous êtes en mesure de modifier votre personnalité en profondeur* et *votre amour-propre en sera tout ragaillardi.*

La neuvième étape est de loin la plus amusante. *Donnez et recevez des accolades !* Nous vivons dans la crainte du contact physique comme signe d'affection, un héritage probable du XIXe siècle et de sa peur du sexe. De nombreuses personnes sont incapables de distinguer le contact amical du contact sexuel. Elles craignent que toucher autrui ait une connotation sexuelle. Nous évitons les démonstrations physiques et les caresses. De nombreuses sociétés ont surmonté cette inhibition et ne fuient pas le contact physique.

La franche accolade d'un ami qui nous serre dans ses bras nous rassure davantage que les mots. Son étreinte nous réconforte et cicatrise nos blessures d'amour-propre. Elle nous libère, nous réchauffe et améliore notre opinion personnelle car elle signifie que quelqu'un est heureux et apprécie de nous avoir contre lui et ce message est notre bien le plus précieux. Si vous êtes capable de surmonter votre crainte des contacts physiques et savez demander que l'on vous prenne dans les bras quand cela vous manque, vous accomplirez un progrès et en apprécierez le réconfort !

La dixième étape consiste à *vous efforcer d'avoir une communication authentique avec une autre personne.* Les progrès les plus spectaculaires que j'ai pu accomplir après mon divorce ont eu lieu entre amis. Demandez que l'on vous réponde honnêtement et dites ce que vous n'avez jamais osé dire. Une telle qualité de dialogue vous permettra de comprendre la manière dont vous êtes perçu par votre entourage. Vous vous verrez différemment.

La onzième étape concerne la thérapie. Vous pouvez choisir d'*entamer une thérapie* pour retrouver votre amour-propre. C'est un lieu privilégié où vous pourrez parler librement. Cette aide spécialisée vous permettra probablement d'accélérer les changements et de gagner du temps. Les thérapies n'ont plus aussi mauvaise presse que dans le passé. La plupart d'entre elles visent le développement personnel et servent à résoudre des problèmes pratiques tels que le stress. Elles ne sont plus associées à la maladie mentale mais à la notion de conseil et de recul.

Si vous persévérez dans ces exercices, il est possible que vous parveniez, tout comme les participants à mes séminaires, à changer. Tout ce que vous avez à perdre finalement est votre mauvaise image de vous-même ! Mettez cette étape à profit pour vous épanouir car elle influencera votre vie plus que toute autre.

La confiance en soi de nos enfants est très fragile

Sachez que le divorce ternit l'image que les enfants ont d'eux-mêmes. Leur vie est perturbée ; ils se sentent rejetés, solitaires, mis à l'écart, voire coupables et se demandent dans quelle mesure ils ont contribué au divorce de leurs parents.

Les enfants s'adapteront avec d'autant plus de mal au divorce qu'ils sont eux-mêmes en pleine évolution et que celle-ci, par ailleurs, peut déjà malmener leur amour-propre. L'entrée dans l'enseignement secondaire, la puberté sont des exemples classiques parmi tant d'autres. Leur identité est en pleine transformation ; ils apprennent des comportements et des sentiments neufs et sont, à l'adolescence, attirés par le sexe opposé. À cette époque de leur vie, les relations qu'ils entretiennent avec leurs amis, leurs « copains » priment sur le reste et cette période de transformations brusques modifie leur vision d'eux-mêmes même si leur environnement est sécurisant. Si ces changements importants surviennent en même temps que le divorce de leurs parents, il est normal que leur amour-propre en pâtisse.

Les exercices indiqués dans ce chapitre peuvent être proposés aux enfants. Faire ces exercices avec eux constitue, par ailleurs, une excellente manière de resserrer les liens familiaux. Je suggère aux parents de suivre mon processus en onze étapes puis d'aider leurs enfants à le suivre pas à pas.

Comment allez-vous ?

Voici une liste d'affirmations concernant l'étape que nous venons de parcourir. Prenez le temps de la mener à bien. Dès que vous vous sentirez plus sûr de vous, poursuivez votre route. Et prenez bien soin de vous. Vous êtes quelqu'un de précieux.

1. *Je suis disposé à faire de gros efforts pour améliorer mon estime personnelle.*
2. *Je souhaite améliorer mon estime personnelle même si cela implique beaucoup de changements dans ma vie.*
3. *J'aime être qui je suis.*
4. *Je suis attirant.*
5. *J'aime mon corps.*
6. *Je me sens attirant et sexuellement désirable.*
7. *Je me sens à l'aise la plupart du temps.*
8. *Je me connais et me comprends.*
9. *J'aime être un homme. (J'aime être une femme.)*
10. *Je n'ai plus l'impression d'être un raté parce que j'ai divorcé.*
11. *Je me sens capable de bâtir des relations positives profondes.*
12. *J'aimerais bien m'avoir pour ami.*
13. *J'essaie d'améliorer mon estime personnelle grâce à la technique en onze étapes décrite dans ce chapitre.*
14. *Je suis convaincu que j'ai des choses importantes à dire.*
15. *J'ai une identité qui m'est propre.*
16. *J'espère et suis convaincu de réussir à améliorer mon estime personnelle.*
17. *Je suis convaincu que je pourrai résoudre les problèmes auxquels je suis confronté.*
18. *Je suis convaincu que je puis surmonter et dépasser cette crise.*
19. *Je suis capable d'accepter la critique sans me fâcher ni devenir agressif.*

12

LA TRANSITION
« Je pose tout par terre et je fais le tri »

Les expériences vécues dans l'enfance influencent considérablement notre vie. Les comportements et les sentiments que nous avons développés dès notre plus jeune âge, les relations que nous entretenons avec notre famille, nos amis et nos partenaires amoureux impriment presque toujours leur marque sur toute nouvelle relation. Certains de ces comportements et de ces sentiments sont utiles. Tous ne le sont pas. Notre besoin de nous rebeller contre les contraintes (comme les principes éducatifs qui nous ont été serinés) ou notre goût pour les luttes de pouvoir peuvent être des héritages du passé et nous créer des problèmes à l'âge adulte. Nous devons distinguer le bon grain de l'ivraie, reconnaître et favoriser les bons apprentissages et modifier les comportements qui entravent notre bien-être.

> *Lorsque j'étais enfant, je parlais en enfant, je pensais en enfant, je raisonnais en enfant ; une fois devenu homme j'ai fait disparaître ce qui était de l'enfant.*
>
> Saint Paul, Épître aux Corinthiens, chapitre 13, verset 11

Nous avons parcouru plus de la moitié du chemin et il est grand temps de vérifier le contenu de nos bagages avant de reprendre la route vers le sommet. De nombreuses personnes sont inutilement chargées. Un ami m'a raconté qu'au cours de sa première randonnée à pied, il avait transporté un litre d'eau jusqu'à un campement situé à plus de 3 000 mètres d'altitude. Arrivé au sommet, il s'aperçut qu'il venait de parcourir, ainsi lesté, sept kilomètres de pistes enneigées !

Pensez-vous que votre passé vous encombre ? Il est possible que les relations que vous entreteniez avec votre ancien partenaire, vos parents, voire même vos camarades d'école ou d'autres personnes qui vous ont marqué, pèsent encore sur votre vie aujourd'hui. Le moment est venu de vous en débarrasser. Ce chapitre vous apprend à repérer les formes les plus courantes d'héritage indésirable, il vous explique leur origine et la manière de les aborder.

Mes séminaires ont mis en lumière à quel point nous ignorons l'importance et la puissance des quatre principaux héritages du passé, à savoir notre *famille d'origine*, l'influence de *l'enfance*, la période confuse de la *révolte* et le sentiment de frustration et de désespoir que fait naître *la lutte de pouvoir de la première relation amoureuse importante.* Il existe, par ailleurs, peu d'ouvrages permettant de comprendre ces influences.

Les quatre concepts ci-dessus sont étroitement liés. J'ai choisi de désigner l'influence des événements survenus avant notre naissance par l'expression *famille d'origine.* Ce que j'appelle *l'enfance* se rapporte aux événements survenus entre votre naissance et le jour où vous avez quitté vos parents. Le mot *révolte* se réfère aux efforts que nous accomplissons pour nous forger une personnalité propre, non dépendante des attentes de la famille et de la société. Le concept de *lutte de pouvoir* recouvre l'ensemble des problèmes non résolus dont nous souffrons encore à l'âge adulte et qui trouvent leur origine dans le passé.

(Ce chapitre poursuit le travail entamé au chapitre 2 et doit vous aider à comprendre les causes de votre rupture.)

La famille d'origine

C'est tout simplement votre famille, celle au sein de laquelle vous avez grandi. Vos parents, vos frères et sœurs, vos grands-parents, vos oncles et tantes, toutes ces personnalités ont forcément façonné votre identité et c'est eux qui vous ont appris ce qu'une famille doit être. De cette famille, vous avez certainement tiré de précieuses leçons ; toutes cependant ne l'étaient pas.

Pensez d'abord à la manière dont votre relation amoureuse a débuté. Ensuite, essayez d'imaginer un mariage entre le parent qui vous a le plus influencé et celui qui a le plus marqué votre partenaire : voilà ce qu'aurait été votre vie de couple après quelques années. (Dans mon cas, ma grand-mère aurait épousé le père de ma femme. Ils ne se sont jamais rencontrés et c'est tant mieux !) Ne désespérez pas cependant : il est possible d'échapper au système familial. Mais je suis convaincu que nombre d'entre vous sont conscients que la rupture a en réalité eu lieu à cause des images parentales que vous aviez projetées sur votre couple.

J'ai souvent demandé aux participants s'ils souhaitaient vivre un mariage identique à celui de leurs parents. Moins de cinq pour cent répondent par l'affirmative. Que cherchent alors les autres ?

Certaines influences de la famille d'origine sont très faciles à distinguer : nous avons souvent les mêmes opinions politiques, les mêmes convictions religieuses et vivons généralement au sein de la même couche sociale que notre famille. Certaines personnes se révoltent et choisissent de se démarquer en menant une vie en tout point différente. Pourtant, au cœur même de ce refus, la famille d'origine continue d'exercer son emprise.

D'autres influences sont beaucoup plus subtiles et difficiles à cerner. Dans la famille de ma compagne, les femmes ont traditionnellement des personnalités dominantes et dans la mienne, ce sont les hommes qui priment. Nous avons donc dû trouver un compromis pour déterminer qui de nous deux gagnerait cette lutte pour le pouvoir. (Elle pense que j'ai gagné et je suis persuadé du contraire.)

La gestion de l'argent est également très importante. Ma mère est issue d'une famille où les hommes gèrent leur argent de manière irresponsable. Elle a donc appris à être économe et n'a pas échappé à la tradition familiale : elle a épousé un homme dépensier. De nombreuses personnes s'imaginent s'être débarrassées des chaînes du passé mais découvrent un beau jour que ce n'est pas le cas et qu'au contraire elles les perpétuent.

Il paraît paradoxal qu'alors que c'était ma mère qui gérait l'argent de la famille, c'était mon père qui représentait l'autorité et le pouvoir.

Ce type de situation a fait l'objet de nombreuses études sociologiques et leurs conclusions sont peut-être aussi valables pour votre famille. La « maîtresse de maison » était souvent plus puissante que ce que les apparences laissaient croire : *elle exerçait son pouvoir indirectement*, tout comme ma mère qui tenait les cordons de la bourse alors que mon père semblait être celui qui prenait les décisions.

Il est déroutant, quand on s'imagine avoir épousé le père ou la mère qui nous a manqué, de finir par assumer le rôle de ce parent défaillant. J'ai analysé ce phénomène au chapitre 4 : nous avons appris à nous suradapter si nos besoins affectifs n'ont pas été satisfaits dans l'enfance et avons fini par nous comporter nous-même en parent. Le résultat est que nous nous comportons envers autrui en fonction de ce qui nous a manqué autrefois. Nous assumons pour les autres le rôle du parent absent.

Vous n'êtes pas convaincu ? Alors dressez une liste des manières dont le(s) parent(s) qui vous a (ont) le plus influencé réagissai(en)t à ces différentes émotions que sont la colère, le sentiment de culpabilité ou de rejet, la solitude, la peur et l'intimité. Refaites l'exercice une seconde fois à votre sujet et comparez les deux listes. Cet exercice vous permettra d'évaluer l'étendue de cette emprise : si nous ne la remettons pas en question, nous réagissons souvent comme le faisait le parent qui a le plus compté pour nous.

À ce propos, il est fréquent que les personnes qui accomplissent cet exercice aux séminaires d'après-divorce se choisissent un parent spirituel. En effet, en l'absence physique ou émotionnelle de l'un des parents, nous choisissons un parent d'adoption pour combler le manque.

Les personnes ayant reçu un parentage insuffisant ont tendance à exiger de leur partenaire qu'il comble ce manque. Tout le monde, il est vrai, attend cela de son partenaire dans une certaine mesure, mais lorsque cette demande est démesurée, elle provoque l'échec de la relation. Rares sont les personnes qui aiment materner leur partenaire au point d'accepter de prendre en charge ses besoins affectifs insatisfaits.

Les questions relatives au poids de notre famille tout au long de notre vie sont excessivement complexes et dépassent la portée de cet ouvrage. Des critères tels que celui d'être l'aîné, le cadet, le dernier, etc., le sentiment de ne pas être à la hauteur, les phénomènes d'exclusion et de mise au ban, les favoris, les rituels et les traditions, les tabous et secrets familiaux, le père toujours absent, la mère alcoolique, etc., interviennent ; ils ont forgé notre personnalité et déterminent nos relations de couple. Contentons-nous de savoir que ces héritages du passé existent et apprenons à les gérer dans nos relations futures.

Famille d'origine et guérison

Le cas de Linda illustre bien le problème des conflits familiaux non résolus. Dès qu'elle comprit qu'elle avait épousé Yannick parce qu'il représentait le parent avec lequel elle avait encore des comptes à régler, leur couple se dégrada. Il y a deux façons de voir les choses. Soit Linda a épousé une personne ressemblant à s'y méprendre au parent qu'elle désapprouve parce que ce type de relation lui est familier même s'il la fait souffrir. Soit son époux est très différent de cette personne, mais, en cherchant à résoudre ses problèmes avec ce parent, elle a contraint son mari à endosser le rôle de celui-ci pour parvenir à aller jusqu'au bout de son processus psychologique. Affirmant : « Tu m'expliques toujours ce que je dois faire ; je croirais entendre mon père », elle imagine que Yannick essaie de la dominer mais son ressentiment s'adresse en réalité à son père qui fut trop autoritaire.

Les difficultés apparaissent dès qu'un des deux partenaires prend conscience que son mariage présente des similitudes avec celui de ses parents. Il y a alors deux options. Soit il accepte le couple que forment ses parents (au lieu de le mépriser), soit il transforme la relation qu'il a avec son conjoint dans le sens qu'il souhaite. S'il n'y parvient pas, il risque de conclure que son mariage a été une erreur. (En réalité, ce n'est pas son couple qui a échoué mais sa tentative de résolution des problèmes liés à sa famille d'origine.)

L'enfance

C'est dans les premières années de la vie que nous construisons de nombreuses croyances sur notre propre compte, sur le monde et sur les modes de relation. Nous édifions notre identité et bâtissons notre estime personnelle. Nous apprenons que le monde est un lieu sûr et que nous pouvons nous fier à notre entourage ou le contraire. Nous apprenons également à nous sentir aimés ou à nous suradapter si nous ne nous sentons pas aimés. Nous pouvons aussi développer une peur du rejet et de l'abandon. Tous, nous finissons par en conclure que nous sommes ou non « OK ».

Avez-vous jamais tenté de faire un compliment à une personne qui ne se sent pas « OK » ? La conversation est en général du genre : « J'aime bien ta coiffure. » « Mais je viens de me laver les cheveux et ils sont tout décoiffés. » « Quelle jolie robe ! » « Quoi, ce chiffon ? Je l'ai acheté à une vente de charité. » Ces personnes se sentent mal à l'aise devant tout éloge parce que ceux-ci ne correspondent pas à l'image qu'elles ont d'elles-mêmes : elles ont décidé très tôt qu'elles n'étaient pas « OK ».

Toute forme de croissance ou de développement entravée dans l'enfance réapparaît dans les relations adultes. Les personnes qui ont appris à se déprécier tenteront quelque peu d'améliorer leur opinion personnelle grâce au mariage mais s'empêcheront de s'épanouir pleinement en refusant de croire à la véracité d'un compliment. « Tu prétends aimer ma coiffure mais tu le dis uniquement pour me faire plaisir. »

La gentillesse d'autrui ne suffit par ailleurs pas à modifier l'image que nous avons de nous. Il nous faut nous-mêmes reconstruire cette image. Si vous avez été blessé dans votre amour-propre, je vous conseille par conséquent fermement de relire attentivement le chapitre précédent. Peut-être devrez-vous redescendre la piste et vous y attarder à nouveau un certain temps. (J'insiste aussi pour que vous exécutiez les tâches prescrites.)

Nos premières années de vie affective pèsent sur notre âge adulte. Des parents non inhibés, capables et heureux de serrer leurs bébés sur leur cœur, de les câliner et de les regarder dans les yeux leur apprennent les bienfaits et la chaleur de l'intimité partagée. Les personnes n'ayant pu faire un tel apprentissage à un âge précoce finissent souvent par rompre leur relation de couple. Il est possible qu'elles ne soient pas conscientes de leur difficulté mais elles tiennent leur partenaire à distance dès qu'il essaie de se montrer trop personnel. Elles souhaitent être proches de quelqu'un, partager, mais prennent la fuite dès qu'elles sont près de la réalisation de leur désir. L'intimité les effraye.

Échapper aux influences de l'enfance

Nous rencontrons chaque jour des personnes tentant de guérir des influences négatives du passé. Par exemple, un homme-enfant se comportant de manière irresponsable et contrarié par le comportement protecteur de sa femme rencontre une autre femme avec laquelle il a une aventure. Si on analyse son cas, cet homme a trouvé une nouvelle figure maternelle pour combler un besoin de maternage toujours insatisfait depuis l'enfance. Le véritable problème n'est pas la relation extraconjugale mais l'« Enfant » intérieur affamé que cet homme cherche à apaiser. (Vous trouverez en bibliographie des livres que je vous conseille de lire à ce sujet.)

La révolte : un parcours accidenté vers l'âge adulte

Les jeunes cherchent à affirmer leur personnalité en se rebellant contre leurs parents et l'autorité. Certains adultes n'ont toujours pas dépassé ce stade. Si vous ou votre partenaire étiez aux prises avec de tels problèmes, il est possible que ceux-ci aient contribué à votre rupture.

Chaque adolescent traverse une période de remise en cause de son entourage afin de définir sa propre personnalité avant d'entrer dans l'âge adulte. Bien que ce phénomène fasse partie intégrante du développement du jeune adulte, il provoque des tensions considérables au sein des familles. Voyons quelles sont les différentes phases du développement que nous devons tous traverser pour être capables de nous comporter en adultes indépendants. Je les ai baptisées le stade de la *dépendance*, le stade de la *rébellion* (*externe et interne*) et le stade de l'*amour*.

Le stade de la *dépendance* — le poussin dans sa coquille — est celui de l'enfance et de la conformité aux désirs des parents. Les enfants de cet âge partagent les valeurs morales de leurs parents, pratiquent la même religion et se comportent plus ou moins suivant leurs attentes. Au stade de la dépendance, l'enfant est un reflet de ses parents et ne possède pas réellement d'identité propre. Ses paroles traduisent une forte inhibition ; il s'inquiète de l'opinion d'autrui, souhaite à tout prix obéir et se conformer aux normes et aux contraintes sociales.

À l'adolescence, et quelquefois plus tard, l'enfant entre dans la phase de *rébellion* : le moment est venu pour lui de se libérer. Il brise sa coquille. Ce processus en deux étapes se traduit par un changement d'attitude : il désobéit, cherche et teste les limites de l'interdit. C'est une phase d'expérimentation où chacun essaie différents comportements : l'adolescent teste son indépendance et commence à sortir du cocon familial. Son langage révèle qu'il souhaite agir seul et sans aide, que les autres l'empêchent d'évoluer et qu'il désire avoir la paix. La rébellion s'exprime à deux niveaux, *interne* et *externe*.

Le stade de la *rébellion externe*. La crise d'identité débute dès lors que la personne est submergée par la tension interne qu'elle éprouve — le poids des interdits posés par la famille d'origine, l'enfance et la société devient intolérable. Ayant appris à se montrer surprotecteur, parfait, toujours aimable et à se couper de ses sentiments, l'individu épuisé se sent comme Atlas condamné à porter la voûte du ciel sur ses épaules. Dans le couple, la révolte du partenaire se manifeste par une envie de fuir : il se comporte comme un adolescent révolté à la recherche d'une identité propre, différente de celles que lui ont imposées ses parents ou la société.

Le comportement de ces personnes est souvent prévisible. Il est d'ailleurs très intéressant de noter que la rébellion est à ce point mécanique et discernable. Voici les comportements indiquant un état de rébellion externe :

1. Ces personnes, se sentant malheureuses, tendues et prisonnières de la relation, accusent leurs partenaires de cette situation, projettent sur eux leur malheur et affirment qu'elles ne connaîtront pas le bonheur tant qu'ils ne changeront pas.
2. Elles aiment faire ce qu'elles n'avaient jamais osé faire auparavant. Elles s'amusent beaucoup et ne comprennent pas pourquoi leur entourage ne partage pas leur enthousiasme. Leurs partenaires ont bien du mal à reconnaître la personne qu'ils avaient épousée.
3. Elles aiment faire preuve d'irresponsabilité après avoir assumé seules tant de charges. Elles choisissent un poste sans responsabilité ou démissionnent du leur. Leurs partenaires ont parfois le sentiment d'avoir un enfant supplémentaire à charge.
4. Elles rencontrent un confident, déclarent à leurs conjoints qu'elles n'ont jamais pu parler avec eux et qu'elles ont enfin trouvé un « interlocuteur compréhensif ». Cette personne est souvent plus jeune et la relation pourrait prendre de ce fait un tour amoureux. Ce type de relation ressemble à une aventure mais ces personnes nient généralement entretenir une liaison. Leur entourage est généralement persuadé qu'il s'agit d'une relation sexuelle alors que cette dernière est fréquemment platonique.
5. Elles expriment généralement leur révolte en ces termes : *« Je t'apprécie énormément mais je ne t'aime pas. Je pensais connaître l'amour mais ce n'est pas vrai. Je doute même de t'avoir jamais aimé. »*
   « Il faut que nous nous séparions parce que j'ai besoin de mieux me connaître. Je dois prendre des distances car j'ai besoin d'indépendance et je ne veux plus être lié à toi. Je veux être moi. »
   « Tu me fais penser à mes parents et j'en ai assez de subir ton parentage. Je te connais maintenant. »

Quoi de surprenant à ce que le divorce soit décidé lorsqu'un tel dialogue s'instaure dans le couple ? Le partenaire éconduit prend ces comportements au pied de la lettre, subit les accusations et ressent un profond bouleversement tant émotionnel que psychologique. Il devrait au contraire prendre du recul et analyser la situation pour comprendre l'évolution et les changements du conjoint rebelle. Il va lui falloir admettre qu'il s'agit d'un processus interne typique de la rébellion qui n'a pas grand-chose à voir avec le couple. Les rebelles tentent souvent de se débarrasser de leur passé et des personnes qui ont compté pour eux aux dépens de leur conjoint.

Le stade de la *rébellion interne.* Les personnes en pleine rébellion qui ont le courage et la présence d'esprit de se remettre en question atteignent inévitablement ce stade. Elles comprennent que le conflit est interne et qu'elles sont tiraillées entre ce qu'elles pensent être, leurs devoirs et leurs désirs. Elles essaient en réalité de se débarrasser des attentes de leur famille d'origine et de la société. La lutte est intérieure et n'est plus dirigée contre leur partenaire ou d'autres figures parentales.

Le stade de l'*amour.* Les rebelles finissent par découvrir leur personnalité profonde, ce qui leur permet de faire des choix fondés sur l'amour plutôt que sur des principes. Ils deviennent alors capables de s'aimer et de se respecter comme d'aimer et de respecter autrui et, en particulier, leurs parents.

Le mode d'expression des personnes ayant atteint ce stade reflète l'acceptation et la compréhension. « Mes parents ont fait ce qu'ils ont pu. Ils ont commis des erreurs et je me suis souvent mis en colère contre eux mais ils ont voulu bien faire. Je les comprends et les accepte tels qu'ils sont. » Les personnes ayant atteint le stade de l'amour possèdent une identité propre et sont capables d'un amour adulte. Elles en ont fini avec les attentes enfantines.

Dans la phase de dépendance, les comportements obéissent à des principes ; dans la phase de rébellion, nous agissons en dépit des règles édictées et dans la phase d'amour nous faisons ce que nous souhaitons. Les comportements observés dans les phases de l'amour et de la dépendance sont très semblables mais la motivation diffère. Plutôt que de tenter de plaire à autrui, la personne essaie de connaître et de créer une certaine harmonie.

Il faut que le partenaire prenne part à ce processus. Il peut en effet décider d'attendre que l'autre retrouve son équilibre pour que la relation reprenne. Il considérera alors le rebelle comme un malade et n'acceptera pas de s'engager dans le processus pour trouver, lui, une solution au problème de l'autre.

Mais les partenaires des individus rebelles sont souvent émotionnellement épuisés et se sentent sans force. Ils ont généralement cru ce que leur disait leur partenaire et sont prêts à accepter l'entière responsabilité de la situation. Incapables de comprendre que la relation est un système complexe et qu'ils sont seulement en partie responsables des problèmes, le courage leur manque ainsi que la force émotionnelle d'évoluer comme ils le devraient.

La rébellion de leur partenaire n'est pas le fait du hasard. Le partenaire d'un révolté s'est souvent comporté comme un parent ; il a inconsciemment choisi un conjoint appelant ce type de réaction. « Je sais ce qui lui convient, si seulement il acceptait de m'écouter ! » Il cherche à diriger autrui et en est empêché dès que son partenaire essaie de se libérer.

Au lieu d'attendre que le problème se résolve de lui-même, il doit envisager de se remettre en question et chercher à évoluer autant que possible.

Dépendance, rébellion, amour : un résumé

Le tableau 12.1 résume le cheminement qui s'effectue dans ces trois phases avec leurs principales caractéristiques : vocabulaire, comportement et étapes de l'évolution. Souvenez-vous que bien qu'il existe des similitudes de comportements, chaque personne réalise un parcours individuel.

Les participants aux séminaires d'après-divorce m'ont fourni maints exemples des phénomènes résumés ci-dessus.

Un soir, Éloïse arriva très en colère parce que son ex-mari, Arnaud, traversait une phase de rébellion qui la rendait très malheureuse. Il était directeur d'école mais n'était pas encore sorti de la phase de dépendance. Souhaitant assumer moins de tâches administratives, il avait repris la fonction d'enseignant. Il rencontra une femme avec qui il « pouvait parler » et qui lui permettait d'« enfin y voir clair » dans ses problèmes personnels. Arnaud était, on s'en doute, enthousiasmé par cette nouvelle relation. Il fit parvenir une lettre à Éloïse, expliquant à quel point cette relation le comblait. Or, nous venions d'aborder le thème de la rébellion, ce qui permit à Éloïse de comprendre Arnaud ainsi que ses tentatives de se débarrasser d'un passé devenu trop encombrant. Elle fut dès lors en mesure d'exprimer la colère qu'elle éprouvait à son égard et d'analyser la situation avec lucidité.

Tableau 12.1. Devenir adulte : Les trois phases difficiles

		DÉPENDANCE	*RÉBELLION*	*AMOUR*
VOCABULAIRE		« Que dois-je faire ? » « Je ferai ce que tu voudras. » « Prends soin de moi ! » « Tu es tout pour moi ! » « Je ne veux que ton bonheur. »	« Si tu n'étais pas là... » « Je ne veux pas de ton aide. » « Laisse-moi seul ! » « Je le ferai quand même ! » « Fais-le si ça t'apporte tant de plaisir ! »	« J'ai envisagé toutes les possibilités. » « J'assume l'entière responsabilité de mes choix. » « Cela ne marchera peut-être pas mais je veux essayer. » « Nous pouvons encore passer de bons moments ensemble. »
COMPORTEMENT		Accommodant, obéissant. Toujours prêt à rendre service, obligeant. Cohérent, prévisible. Prudent, sans risque. Obligations, aucun choix.	Egocentrique, égoïste. Irresponsable, accuse autrui. Fantasque, imprévisible, insouciant. Jeux enfantins avec des cadets. Voitures de sport, vêtements voyants, sexe.	Évolution personnelle, respecte autrui. Responsable, souple, ouvert. Prêt à prendre un risque, à tirer des leçons de ses erreurs. Décisions ancrées dans la réalité.
PHASES D'ÉVOLUTION	*Personnelles*	Commencer à se faire personnellement confiance. Commencer à prendre des risques. Commencer à communiquer ouvertement. Commencer à accepter la responsabilité. Commencer à essayer un nouveau comportement.	Essayer des activités permettant d'évoluer positivement : séminaires, délassement, exercice, amitié, passe-temps, communauté. Entamer une thérapie (éventuellement de couple). Parler à son conjoint, un ami, un thérapeute. Préserver l'équilibre moral et éthique.	Travailler à mieux se connaître. S'efforcer de s'accepter tel que l'on est. S'efforcer de communiquer honnêtement et ouvertement.
	Du partenaire	Encourager l'évolution du partenaire. Être moins dépendant du partenaire. Coopérer en thérapie si nécessaire. Se préparer aux remous de la rébellion.	Faire preuve d'équilibre, de patience. Permettre au partenaire d'évoluer. Se montrer ouvert au dialogue avec le partenaire. Encourager la thérapie de couple. Admettre que la rébellion est dirigée contre la dépendance et non contre soi !	Développer des liens amicaux proches mais non amoureux. Exprimer la colère de manière positive. Garder un équilibre entre l'indépendance et l'interdépendance dans l'intimité.

Annabelle fut conquise par ma théorie. Son mari, professeur de lycée, l'avait quittée pour une étudiante alors qu'il traversait une période de révolte. Cette situation lui paraissait insensée avant d'apprendre la théorie des trois stades d'évolution. Reconnaissant que Xavier tentait de se libérer des attentes du passé et de trouver sa propre identité, elle fut en mesure de comprendre une situation qui lui avait jusque-là paru aberrante.

Guillaume raconta que trois ans plus tôt, son couple avait traversé une crise parce que sa femme était en pleine révolte. Ils s'étaient adressés à un conseiller conjugal qui sermonna Lise et lui enjoignit de mieux se comporter, ce qui eut pour effet de la maintenir au stade de la dépendance. Guillaume ajouta qu'il s'était douté que c'était une erreur et de fait, trois ans plus tard, Lise finit par traverser une nouvelle période de révolte et perdit tout sens des responsabilités en quittant la maison avec son sac à main pour seul bagage. Guillaume resta sans nouvelles pendant trois semaines. Il termina son récit en suggérant qu'il faudrait également se soucier de l'évolution personnelle du thérapeute auquel on s'adresse !

Compte tenu du grand nombre de divorces provoqués par la rébellion, de nombreuses personnes se demandent s'il est possible de sauver un mariage en de telles circonstances. La réponse est oui, car les personnes révoltées, capables d'introspection et conscientes des interactions entre elles et les figures parentales du passé, sont en mesure de résoudre les problèmes liés à ces attentes. Parler de la rébellion est moins néfaste que passer aux actes.

Je suis convaincu que l'on peut trouver l'espace émotionnel nécessaire dans le mariage pour se rebeller, avec le cas échéant l'aide d'un thérapeute. De nouvelles activités de détente, de sports ou artistiques peuvent être tout aussi bénéfiques. Le rebelle doit pouvoir expérimenter de nouveaux comportements, essayer de nouvelles manières d'entrer en relation et de voir du monde, car son conjoint ne lui suffit pas. Si chacun est capable de comprendre immédiatement la situation, à savoir que la personne en pleine rébellion vit un conflit interne qui ne concerne pas son partenaire, le couple pourra s'adapter et permettre à la personne de s'épanouir sans que la relation en souffre.

Guérir la relation en cas de rébellion

Il est indispensable que chaque partenaire prenne une part active dans ce processus s'il veut sauver son couple. Les personnes en révolte doivent admettre que la rébellion est un processus interne et que personne d'autre qu'elles-mêmes n'est en cause. Leurs partenaires doivent pour leur part pacifier leur « Enfant » intérieur ; leur attitude protectrice et leur désir de contrôle résultent de besoins insatisfaits dans leur propre enfance.

Peut-être ne comprenez-vous pas en quoi ceci concerne le processus de guérison et notre marche vers le sommet, notre construction d'un nouvel équilibre. Il faut prendre conscience du fait que de nombreux mariages reposent sur des comportements immatures, un des partenaires étant resté au stade de la dépendance et tentant désespérément de plaire à autrui. Il finit toujours par se lasser de son rôle et par faire, adulte, la crise d'adolescence qu'il n'a pas pu faire dans sa jeunesse. Sa transformation est parfois radicale. Or, un tel changement d'attitude chez une personne s'étant montrée jusque-là docile perturbe fortement le couple car l'individu en crise se libère en se révoltant contre son conjoint.

Les remous de la lutte pour le pouvoir

De nombreux couples finissent par se quereller sur la manière de presser le tube de dentifrice ou de mettre la table, voire d'éplucher les légumes. Les points de friction sont toujours les mêmes et, quoi qu'en pensent les intéressés, ils ne sont jamais résolus. Chacun a le sentiment d'avoir perdu le pouvoir dans la relation et se sent désespéré car ces disputes incessantes sont épuisantes. Les scènes de ménage sont parfois bruyantes, pleines de cris, de colère et d'injures. Il existe cependant une forme de guerre froide qui se traduit par le silence, le repli, les bouderies ou d'autres attitudes visant à obtenir gain de cause de façon passive.

À ce stade, les conjoints ne s'adressent plus la parole ou renoncent à exprimer leurs sentiments. Ils se lancent des accusations (« Tu... » « Tu... » « Tu... », jamais « Je... » « Moi... » ou « Nous... ») et abandonnent toute forme de complicité. Certes, lorsque la tempête fait rage, cela crée une pseudo-intimité. Tous deux refusent de céder du terrain. Tous les moyens sont bons pour gagner la guerre.

Cette lutte pour le pouvoir s'enracine dans les problèmes affectifs non résolus que chacun des partenaires a projetés dans la relation. Elle se prolonge tant que les conjoints rendent l'autre responsable de ce qui arrive. Convaincus quand ils se sont mariés que leur conjoint pouvait faire leur bonheur, ils croient désormais qu'il est l'artisan de leur malheur. Ils ont, en réalité, renoncé à tout pouvoir en vivant dans l'idée que l'autre assurerait leur propre bonheur.

Le calme après la tempête

Cette lutte se transforme en souffrance constructive lorsque les deux partenaires commencent à admettre leurs propres problèmes. Cette prise de conscience peut être suscitée par un grand nombre de facteurs, personnels ou événementiels. Les deux partenaires comprennent alors qu'ils projettent leurs conflits internes dans la relation et que chaque problème non résolu attise le feu.

La lutte pour le pouvoir diminue en intensité si :

- chacun apprend à parler de ses émotions ;
- chacun se met à formuler ses observations en parlant à la première personne du singulier («Je...», «Moi...» et non «Tu...») ;
- chacun accepte d'être responsable de ses propres problèmes non résolus ;
- chacun considère l'autre comme un «professeur de relation» dont le rôle est de l'aider à mieux se comprendre au lieu d'être le réceptacle de son malaise et de son sentiment de culpabilité.

Renoncer aux bagages du passé

Comme pour toute forme de transition, cette étape est très incertaine et difficile à franchir. Le parcours est rude et semé d'embûches. Comprendre et admettre pourquoi votre relation est morte n'est guère simple et vous causera sans doute beaucoup de chagrin. Il est plus confortable de voir ce qui est boiteux chez l'autre que ce qui est tordu en soi.

Quand j'étais agent de probation, j'avais pour principe de recommander aux familles d'entamer une thérapie. Lorsque *chaque* membre de la famille était disposé à mieux *se* connaître et à changer, la thérapie était le plus souvent bénéfique. Si la famille consultait sous prétexte qu'*un des membres* devait changer, la thérapie familiale échouait généralement.

La prochaine fois que vous croisez sur la piste une personne se comportant comme un adolescent en révolte contre des figures parentales, montrez-vous compréhensif. Vous savez que cette personne essaie de réussir un apprentissage émotionnel, de se construire une personnalité propre et de se libérer des contraintes de son passé. Même si vous éprouvez le besoin d'agir en lui expliquant comment s'y prendre, résistez, ne jouez pas au parent ; comportez-vous en adulte et dites-vous bien que la meilleure chose qui puisse lui arriver est de profiter de ce qu'elle découvre. Êtes-vous si sûr d'avoir vous-même dépassé la phase de dépendance ? Ne devez-vous pas encore vous rebeller, vous aussi, pour approfondir votre amour-propre et bâtir votre identité ? Vous êtes « OK » ? Alors tant mieux !

Avez-vous remarqué à quel point vous avez progressé, comme la marche est plus aisée ? Le fait que vous soyez capable de vous débarrasser du passé et que vous l'affrontiez indique que vous avez une vision plus large de la vie. Vous ne seriez probablement pas allé bien loin si vous aviez essayé de vous attaquer au passé au pied de la montagne, là où il vous importait surtout de survivre émotionnellement.

Les enfants et la transition

Tout comme les adultes, les enfants auront souvent à affronter le passé de leurs parents : leurs familles d'origine, leurs enfances, leurs révoltes et leur lutte pour le pouvoir. Les enfants disposent d'une très courte expérience de la vie pour y voir clair au milieu des « bagages » des autres.

Leur souffrance psychique est extrême à ce stade. L'enfant en pleine croissance se comportera avec les figures parentales qu'il rencontrera comme il aura appris à le faire avec ses parents jusqu'à ce que d'autres comportements, équilibrés, lui soient montrés. (Les enfants après tout en sont au stade de l'enfance !) En présence d'un beau-parent par exemple, l'enfant risque de rencontrer des difficultés semblables à celles qu'il a vécues avec ses parents d'origine. Cette situation ne pourra évoluer tant que l'enfant ne peut apprendre, avec le soutien éventuel d'un adulte compréhensif, à gérer ses émotions archaïques (sans recourir à la violence ou à l'autodestruction) et à développer des modes de relation différents avec les adultes.

Quelques exercices facilitant la transition

- Décrivez une relation hypothétique entre les figures parentales qui ont le plus compté pour votre partenaire et vous (mon grand-père et le père de ma femme). Votre ancienne relation ressemble-t-elle à ce lien imaginaire ?

- Dans quelle mesure votre famille, au sens large, a-t-elle influencé votre rupture ?
- Faites une liste de la manière dont réagit votre famille face à la colère, la peur, la culpabilité, le rejet, l'intimité et le conflit. Dressez une liste identique concernant vos propres réactions.
- Pensez-vous que votre ex-partenaire ressemble à l'un de vos parents ? Votre mariage ressemblait-il à celui de vos parents ? Souhaitiez-vous qu'il soit différent ? Comment ferez-vous pour réussir votre prochain couple ?
- Pensez-vous avoir été émotionnellement proche de vos parents quand vous étiez enfant ? Êtes-vous à l'aise dans l'intimité ? Avez-vous appris à vous aimer et à vous estimer quand vous étiez enfant ? Étiez-vous en bons termes avec vos deux parents ? La relation avec votre partenaire ressemblait-elle à celles que vous avez eues avec un de vos parents ou avec chacun d'eux ?
- Ce chapitre décompose la rébellion en trois stades : le stade de la dépendance, de la rébellion (externe et interne) et de l'amour. À quel stade en sont vos parents, votre ancien partenaire et vous-même ?
- Le processus de la rébellion intervient-il dans votre séparation ?
- Si la personne révoltée est capable de bâtir sa propre identité et que son partenaire parvient à renoncer à un rôle de parent et à vouloir le prendre en charge, le couple pourra construire une nouvelle relation. Pensez-vous être capable de vivre une nouvelle forme de relation ?
- Votre partenaire et vous étiez-vous en pleine lutte pour le pouvoir au moment de la rupture ? Pensiez-vous en vous mariant que vous « couleriez des jours heureux et tranquilles » pour toujours ? Pensez-vous que votre bonheur ou votre malheur dépende d'autrui ? Avez-vous identifié les problèmes non résolus qui ont donné naissance à votre lutte pour le pouvoir ? Par exemple, si vous êtes une femme, avez-vous tenté de résister à votre mari comme vous auriez souhaité le faire avec votre père ? Si vous êtes un homme, avez-vous tenté de vous prendre en charge au lieu de laisser votre petite maman de femme s'occuper de tout ?
- Avez-vous défini les problèmes qui vous restent à résoudre pour créer une relation saine à l'avenir ?

Comment allez-vous ?

Après vous être assuré de vos progrès en répondant aux affirmations ci-dessous, continuez l'escalade. Nous discuterons de l'importance d'une communication franche et honnête avant d'aborder ce phénomène d'essence si insaisissable et si omniprésent qu'est l'amour.

1. *Je connais mes problèmes affectifs non résolus issus du passé.*
2. *J'essaie de résoudre les problèmes issus de mon passé plutôt que d'en faire porter la responsabilité à mon entourage.*
3. *Je noue des liens qui m'aideront à me débarrasser de ce passé.*
4. *Je comprends que je devrai modifier mes comportements et mes opinions pour me débarrasser du passé.*
5. *J'évite de me lier à des personnes émotionnellement en détresse.*
6. *J'ai identifié la phase de développement où je me situe : dépendance, rébellion ou amour.*
7. *J'ai analysé la croissance et l'évolution de mon conjoint en termes de stades de dépendance, de rébellion et d'amour.*
8. *J'ai pensé à l'évolution de mes parents en termes de phases de dépendance, de rébellion et d'amour.*
9. *J'ai appris à me rebeller de manière positive et sans violence.*
10. *Je comprends et j'admets le comportement de mon conjoint concernant la phase de rébellion.*
11. *Je comprends que les phases de dépendance, de rébellion et d'amour peuvent se répéter plusieurs fois dans une vie.*
12. *Je suis disposé à prendre soin de moi pour rester fort et stable.*
13. *J'essaierai de me débarrasser du fardeau du passé avant de m'engager dans une relation amoureuse à long terme.*

13

L'OUVERTURE
« Je me cachais derrière un masque »

Le masque est un deuxième visage, il offre à notre entourage une image qui ne correspond pas à nos véritables sentiments. Certains masques sont adéquats, d'autres pas. Ils nous protègent de la souffrance émotionnelle ou de la peur mais les porter demande une énergie considérable. Les masques ont pour effet de garder notre entourage à distance et nous empêchent de créer des liens de réelle intimité. Qui accepte d'ôter le sien à bon escient découvre la liberté et la confiance là où était la souffrance.

Après mon divorce, je souhaitais rencontrer de nouvelles personnes. J'ai accepté de jouer un petit rôle dans un spectacle monté par une troupe d'amateurs. Durant une répétition, j'ai subitement compris que je me comportais de cette façon du temps de mon mariage : je récitais un texte écrit pour moi. Je n'étais pas moi-même, j'étais le personnage d'un mélo tragi-comique.

Jérôme

À ce stade de l'escalade, vous en avez déjà beaucoup appris sur votre ancienne relation. Vous êtes capable de comprendre ce qui s'est passé et commencez à penser, du moins je l'espère, aux différentes façons d'éviter les rochers glissants à l'avenir.

L'un des principaux atouts de la réussite est l'*ouverture*. Avez-vous toujours fait preuve d'honnêteté vis-à-vis de votre ancien partenaire ? Avez-vous été sincère avec vous-même ? Ou vous cachez-vous derrière un masque en prétendant que tout va pour le mieux ?

Les masques et l'ouverture

Il nous arrive à tous de porter occasionnellement un masque lorsque nous ne voulons pas révéler nos sentiments : les masques constituent de parfaits boucliers. Ils nous permettent de feindre une émotion ou un comportement et de nous protéger de nos angoisses : peur du rejet, d'être mal aimé, de ne pas être à la hauteur ou simplement d'être ignoré.

Les enfants sont incapables d'une telle comédie ; c'est pourquoi leur présence est si agréable. Nous apprenons à créer et à porter des masques en grandissant, pendant la période de socialisation. Il ne s'agit pas de tromper délibérément ; l'idée, au contraire, est de créer un outil de communication plus efficace.

Toutefois, certains masques sont inutiles et ne contribuent pas à améliorer les relations entre personnes. Au contraire, ils nous éloignent émotionnellement de notre entourage ; cette distance nous paraît plus sûre. La perspective d'avoir à se dévoiler peut en effet être très effrayante.

De quelle couleur est votre masque ?

Voici quelques exemples :

Certaines personnes se mettent à plaisanter à corps perdu dès que l'on tente de se montrer proche d'elles. J'ai baptisé ce type de masque le *masque de l'humour.*

D'autres arborent un *sourire de poupée Barbie* figé et béat dès que l'on essaie de leur parler honnêtement de certains problèmes.

En période de divorce, de nombreuses personnes prétendent être fortes, se maîtriser parfaitement et ne pas faire preuve de faiblesse. Cette façade dissimule un grand sentiment d'impuissance et un désarroi extrême. Il s'agit du *masque de la force.*

Lidye avait été très heureuse aux premiers temps de son mariage avec Christian. Comme la plupart des divorcés, profondément blessée par la rupture, elle en avait conclu qu'il valait mieux fuir la chaleur des relations trop personnelles et intimes pour éviter de s'y brûler à nouveau. Aujourd'hui elle se tient à l'écart et arbore un air hautain et désabusé. Poussée dans ses retranchements, elle se met en rogne. Sa réputation de « sale caractère », célèbre dans son entourage, est extrêmement efficace : elle *tient l'entourage à distance.*

*Qui se cache ?
Que cachons-nous ?
De qui et de quoi nous cachons-nous ?*

Certains masques ne nous sont guère bénéfiques car ils combattent ce dont nous manquons le plus : la complicité, la confiance, la chaleur de l'intimité partagée. Nos blessures affectives nous font désormais craindre les émotions qui y sont liées.

Lydie pensait qu'elle parvenait à tromper son monde et que personne ne soupçonnait ses sentiments véritables. Elle finit par se rendre compte qu'il n'en était rien et que, malgré ses efforts pour ne pas les leur montrer, ses amis comprenaient mieux qu'elle ses difficultés. C'est le mystère du masque : il nous leurre plus souvent qu'il n'égare notre entourage. C'était son masque qui avait permis aux amis de Lydie de prendre conscience de la souffrance intérieure qu'elle endurait.

Les masques peuvent nous servir à nous duper nous-mêmes plus qu'à feindre devant notre entourage. Nous les utilisons pour nous protéger de toute souffrance. Nous faisons exactement comme les autruches, nous enfouissons notre tête sous le masque, nous imaginant ainsi être à l'abri.

Les masques peuvent être bien lourds à porter !

Nous consacrons une grande partie de notre énergie émotionnelle à créer et porter notre masque.

Prenant sur nous, nous nous efforçons sans cesse d'agir « comme nous le devrions » plutôt que d'être spontanément nous-mêmes. Nous consacrons toutes nos forces au maintien de notre masque. Nous nous épuisons à cela au lieu d'apprendre à être nous-mêmes, à nous épanouir et à aller de l'avant.

Pensez à la solitude du Masque de fer derrière son deuxième visage de métal. Nous vivons la même car personne ne connaît ni ne comprend ce que camoufle notre masque. Plus nous souffrons de cet isolement, plus nous nous protégeons pour oublier cette sensation de vide. Il existe un lien direct entre le sentiment de solitude que l'on éprouve et l'épaisseur du masque que l'on revêt.

Toutes les personnes ayant vécu semblable expérience et ayant pu en guérir découvrent un sentiment de liberté inconnu dont la force jaillissante leur procure le dynamisme nécessaire pour vivre comme elles le souhaitaient.

Tout petit déjà, Joseph cachait ses sentiments. Il apprit très tôt à « bien se tenir » pour recevoir l'amour et l'attention dont il avait besoin. Il apprit à se préoccuper des besoins d'autrui pour obtenir de l'attention. Il se montra brillant à l'école bien qu'il lui fût égal de réussir. Il résolut de cacher ses sentiments et grandit avec l'idée qu'amour et franchise ne rimaient pas puisqu'il obtenait de l'attention en « étant sage ». Joseph apprit ainsi à se méfier et à ne pas s'ouvrir au monde extérieur.

En fait, nous développons de tels systèmes de défense parce que nous n'avons pas été aimés pour nous-mêmes, quels que fussent nos défauts et nos qualités.

« Je t'invite à déjeuner. Juste ton masque et mon masque ! »

Imaginez que quelqu'un essaie de vous embrasser quand vous portez un masque. Cette image montre à quel point il est difficile de se rapprocher de vous dans une telle situation. Pensez aux types de relation que votre faux visage engendre. Il ne laisse pas beaucoup de place à la complicité et à la spontanéité !

Certains masques sont pratiques, je le reconnais. Nous adoptons tous une certaine attitude très « professionnelle » au bureau. Nous sommes efficaces, compétents et avenants, calmes et sereins de manière à faciliter la coopération entre nos collègues et nous. À la fin de la journée, n'oubliez pas d'ôter ce masque pour ne pas glacer vos amis ou votre compagnon. Redevenez vous-même. Peu de personnes ont envie de câliner un masque le soir au coin du feu !

Tout est affaire de choix

Je suis convaincu que les masques que nous *choisissons* de porter sont bons mais que ceux qui nous sont imposés ne le sont pas. Nous en sommes prisonniers parce que nous craignons d'être nous-mêmes. Or, quelquefois, nous ne sommes même pas conscients de ces carcans que nous traînons avec nous.

Êtes-vous prêt à retirer votre masque ?

Comment faire ?

Il faut, en période de divorce, commencer à songer à vous débarrasser de cette carapace. Le moment est-il venu pour vous ?

Qu'arriverait-il si le faisiez ? Faites un essai avec des amis proches et voyez s'ils vous acceptent sans vous rejeter comme vous le craigniez. Faites l'expérience de la confiance et non de la défiance. Vérifiez si vous en éprouvez davantage de liberté.

Voilà comment faire avec un ami bien choisi : « Tu sais, je n'ai pas toujours été très honnête avec toi et chaque fois que la conversation prenait un tour personnel, j'ai ironisé. Je l'ai fait pour me protéger. Je fais cela chaque fois que j'ai peur ou que je crois que je vais être blessé. Mais cela m'empêche de te connaître tout comme cela empêche les autres de savoir qui je suis. Je t'en parle parce que je voudrais changer. Le fait même de te parler me permet déjà de renoncer à une partie de mes défenses. »

Vous risquez de vous heurter à l'incompréhension de certaines personnes qui ne savent comment réagir aux confidences ou ne supportent pas d'entendre parler des émotions que vous dissimuliez. Que choisissez-vous ? Ne rien changer et ne pas apprendre à mieux connaître vos amis ? Ou changer au risque de souffrir ou de vous faire rejeter ? Si vous désirez aimer à nouveau choisirez-vous une relation franche, intime et de confiance ou une relation fondée sur la méfiance ? Ce choix *vous* appartient !

Si vous portez un masque pour dissimuler une souffrance, vous devrez affronter celle-ci pour changer. J'essaie pour ma part d'aider mes clients à entrer en contact avec leur chagrin pour leur permettre d'en parler. Pendant son divorce, Sophie s'était montrée forte et mesurée. Je l'ai encouragée à parler du chagrin et du trouble qu'elle ressentait. Elle a fini par reconnaître — timidement — ses émotions. Je lui ai alors fait remarquer qu'elles étaient parfaitement normales dans une situation aussi déstabilisante et que c'était très bien de renoncer à masquer ses sentiments pour surmonter ce bouleversement intérieur. Il lui fallut plusieurs séances de thérapie pour accepter sa souffrance et élaborer des stratégies lui permettant de se montrer telle qu'elle était.

De nombreuses personnes rendues excessivement sensibles par la rupture se dérobent devant la douleur en renforçant les verrous de leur forteresse intérieure. Tout au contraire, il nous faut faire face à nos émotions douloureuses pour pouvoir gravir la montagne.

Qui êtes-vous derrière votre masque ?

Nous possédons tous un moi qui constitue le cœur de notre véritable personnalité. Nous développons des individualités de surface que nous acceptons de montrer pour protéger ce moi et les utilisons comme un filtre avec l'extérieur. Idéalement, la communication a lieu dans les deux sens, de notre moi au moi de l'autre.

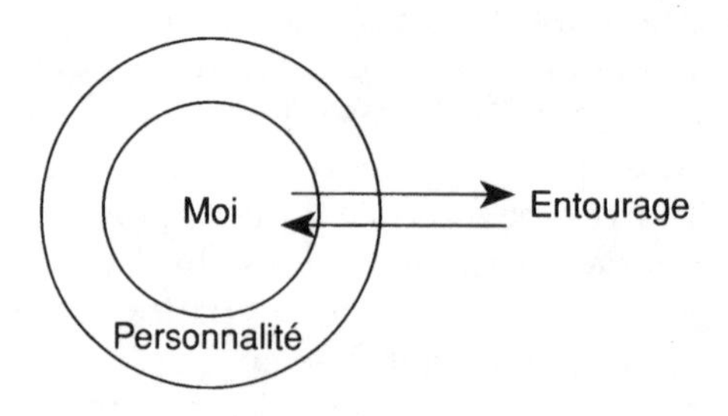

Si nous entourons notre moi d'une enveloppe protectrice trop épaisse, celle-ci empêche la communication qui s'effectue alors d'un masque à l'autre plutôt que du moi de l'un au moi de l'autre.

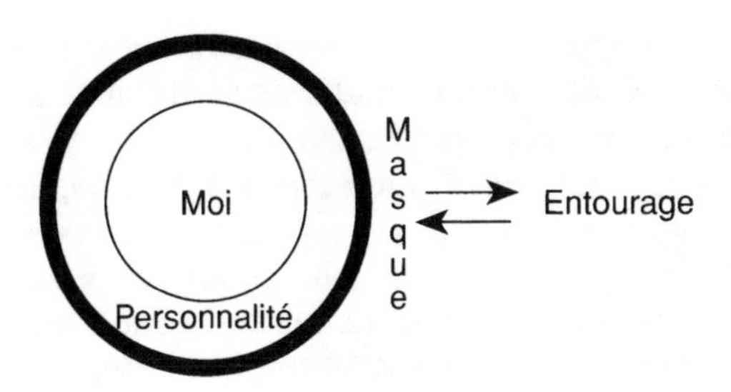

Dans une telle situation, votre moi n'est pas impliqué dans la communication. Si vous maintenez ce masque, votre moi est comme le bulbe d'une plante qui ne reçoit jamais le soleil ; affamé, il se recroquevillera peu à peu jusqu'à ce que vous ne sachiez plus qui vous êtes vraiment et l'enveloppe, qui ne protège plus qu'un noyau desséché, s'épaissira davantage.

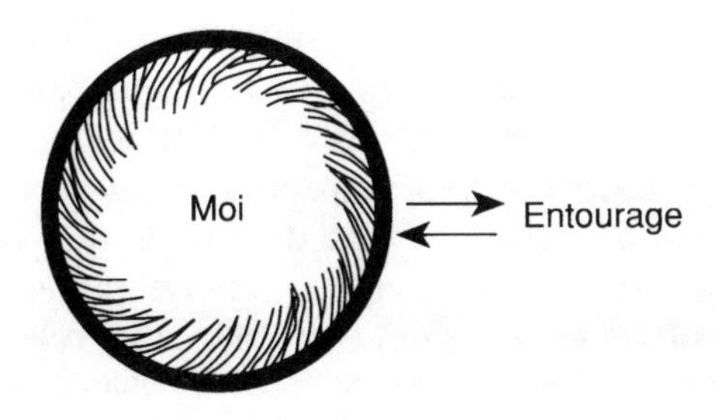

Il se peut que nous masquions certaines facettes de notre personnalité. Dans l'exemple ci-dessous, la communication est entravée par endroits mais reste toutefois possible.

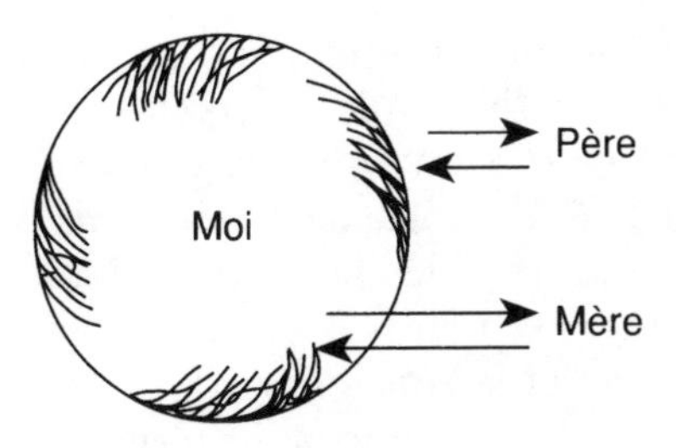

Lorsque j'étais agent de probation, j'ai pu observer que certains adolescents étaient d'un abord facile mais que d'autres étaient toujours sur la défensive. J'ai fini par découvrir des similitudes : les adolescents qui acceptaient de coopérer avaient eu de bonnes relations avec leur père et communiquaient facilement avec moi car je représentais une figure paternelle. Les jeunes qui se sentaient mal à l'aise en ma compagnie ne s'entendaient pas avec leur père et se protégeaient en empêchant tout contact entre leur moi et un homme représentant l'autorité. Ces jeunes pouvaient par ailleurs n'éprouver aucune difficulté à faire le même travail avec une femme, en particulier s'ils entretenaient de bonnes relations avec leur mère.

Qui êtes-vous ?

Vous connaissez-vous vraiment? Votre identité est-elle bien telle que vous le pensez? De nombreuses personnes se cachent parce qu'elles ignorent qui elles sont. De ce fait, elles ne peuvent être elles-mêmes et agir en conséquence. Lorsqu'une telle attitude se renforce, nous l'avons vu, le moi tend à disparaître, ce qui aggrave encore le problème. Perdant tout contact avec leur moi véritable, ces personnes sont obligées de continuer à vivre masquées puisque leur masque est devenu leur seul lien avec l'extérieur.

Si vous n'avez pu développer votre identité, vous ne pourrez vous débarrasser de votre masque avant de savoir qui vous êtes. Vous devrez pour cela l'ôter — ne serait-ce qu'en partie — devant une personne de confiance et créer avec elle une relation ouverte et franche. Vous devrez laisser votre moi profond se revivifier au contact d'autrui pour s'épanouir.

Si vous souhaitez jeter votre masque aux orties, soyez aussi franc et spontané que possible car la sincérité est la meilleure façon de se découvrir. Demandez l'opinion de vos amis, cela vous permettra d'en apprendre plus sur vous-même et vous aidera à approfondir votre identité.

Vous souhaitez réellement changer? Alors montrez-vous aussi ouvert que possible. Parlez. Allez vers les autres. Soutenez des discussions franches et *intéressantes* (et pas exclusivement centrées sur vos problèmes!). Elles vous aideront à vous montrer sous un nouveau jour. Les contacts et les liens que vous formerez ainsi favoriseront votre épanouissement. Vous développerez des relations fondées sur l'honnêteté et la sincérité.

J'ai pu observer qu'il y a souvent en nous un «Enfant» intérieur effrayé et craintif qu'angoisse l'idée de se montrer tel qu'il est. Si vous ressentez cela, je vous conseille de vous adresser à un thérapeute qui aidera votre «Enfant» intérieur à prendre confiance en lui et à devenir adulte.

Exercez-vous à vous défaire de votre masque

- Asseyez-vous et répertoriez les masques que vous utilisez. Examinez-les et identifiez lesquels sont utiles et lesquels sont encombrants. Choisissez ceux dont vous voulez vous débarrasser.
- Faites un peu d'introspection et tâchez d'entrer en contact avec vos émotions. Donnez un nom aux sensations douloureuses que vous tentez de dissimuler derrière le masque. Pourquoi est-il si important que vous portiez ce masque qui vous coupe de toute chaleur humaine authentique ? Il y a des peurs et des angoisses en vous. Examinez-les et voyez si elles sont justifiées ou si elles sont le produit de relations insatisfaisantes et négatives avec votre entourage.
- Trouvez un ami ou un groupe d'amis avec qui vous vous sentez en sécurité. Expliquez-leur cet exercice et dites-leur que vous allez essayer de leur montrer vos masques ; ceux-ci perdront de leur puissance lorsque vous accepterez de leur en parler. Parlez-leur des craintes que vous avez identifiées et qui vous empêchent de vous montrer proche des autres. Demandez-leur de faire de même avec vous. Une communication franche, profonde et sensée entre amis vous aidera à vous libérer et à retrouver l'énergie jusqu'alors consacrée à vous cacher.

Les enfants et l'ouverture

Êtes-vous honnête et ouvert avec vos enfants ? Leur avez-vous parlé des événements importants de votre couple qui les concernaient directement ? Comment avez-vous averti vos enfants de votre séparation ? Avez-vous fait preuve de cohérence ? Vos paroles les aideront-ils à s'y retrouver ? En d'autres termes : peuvent-ils vous faire confiance ?

Des enfants m'ont dit des choses inoubliables au cours de mes ateliers d'après-divorce qui leur sont consacrés. J'ai demandé à une fille de treize ans à quel animal elle pensait ressembler et elle m'a répondu : « Ce n'est pas difficile à trouver, quand je suis chez mon père, je me comporte d'une certaine façon, quand je suis chez ma mère, je suis quelqu'un d'autre. J'essaie de leur plaire pour les rassurer. Je suis un caméléon. »

C'est très difficile d'entendre ce que nous disent les enfants qui souffrent. Leurs paroles risquent de nous blesser. Ils le savent d'instinct et c'est pourquoi ils sont aussi prudents en actes qu'en paroles.

Ils se sentent responsables de nous, nous prennent en pitié et craignent de nous blesser davantage.

Les enfants doivent être encouragés à dire la vérité, à parler de leurs véritables sentiments même si nous devons en ressentir de la peine. Si vous n'êtes pas capable de les entendre sans les critiquer ou vous fâcher, aidez-les à trouver quelqu'un à qui parler, qui soit moins concerné par les problèmes qu'ils soulèvent.

Leur monde est ébranlé. Ils se demandent ce qui va leur arriver. C'est en parlant ouvertement et franchement avec leurs parents, ou tout autre adulte responsable en qui ils ont confiance, qu'ils commenceront à voir qu'ils sont partie prenante dans le nouvel équilibre que vous construisez au lieu de se sentir coupables de la situation.

Comment allez-vous ?

Avant de poursuivre l'escalade, réagissez aux affirmations ci-dessous qui vous permettront de vous évaluer.

1. *Je commence à distinguer les masques que je porte.*
2. *Je suis prêt à affronter les peurs enfouies en moi.*
3. *Je souhaite me montrer plus ouvert avec les gens que j'aime bien.*
4. *J'ai pris le risque de partager une de mes peurs avec un ami en qui j'ai confiance.*
5. *J'ai demandé à un ami de confiance de me dire honnêtement ce qu'il pensait de moi.*
6. *Je commence à comprendre l'importance de la franchise dans la relation.*
7. *La franchise me paraît plus naturelle.*
8. *Je peux choisir de porter un masque utile quand il est approprié et que l'occasion le demande.*
9. *Je ne subis plus le joug de mes masques.*

14

L'AMOUR
« Quelqu'un pourrait-il vraiment m'aimer ? »

De nombreuses personnes doivent réapprendre à aimer pour pouvoir le faire de façon adulte. Vous ne pourrez aimer avant d'être capable d'amour pour vous-même. Ce n'est ni égoïste, ni vaniteux ; au contraire, c'est l'acte le plus sain qui soit. Il vous suffit de vous fier à mes recommandations pour y parvenir.

L'amour est un bouquet de roses : vous ne pensez jamais au travail qu'il a fallu pour les obtenir; seul a compté l'amour dans ses yeux quand elle les a reçues.
Aimer est comme s'asseoir au coin du feu ; je sens la chaleur même si je ne vois pas les flammes.
L'amour est le plus grand de tous les dons. C'est d'abord le plus grand que vous pouvez vous faire.

Grégoire

À mesure que nous progressions, des graffitis sur les rochers nous parlaient d'amour. Ils ont été gravés dans la roche par des poètes ; la plupart des personnes qui chantent l'amour sont des poètes. Avez-vous eu un jour à faire une rédaction sur ce thème ? Seriez-vous prêt à en faire une aujourd'hui ? Écrivez dans l'espace réservé ci-dessous votre propre définition de l'amour. (Je parle de l'amour entre un homme et une femme, et non de l'amour parental, spirituel ou de l'amour du prochain.)

L'AMOUR C'EST :

Dès que vous aurez terminé, tournez la page et poursuivez votre route.

J'ai demandé à des centaines de personnes de se livrer à ce petit exercice au cours mes séminaires d'après-divorce. C'est une tâche très difficile pour les divorcés — et pour les autres aussi. Les divorcés répondent généralement : « Je pensais connaître l'amour, mais je suppose que je me suis trompé. » De nombreuses personnes ne savent pas exactement ce qu'il est. Il est semblable au diamant : toutes les facettes sous lesquelles on l'aborde sont également belles et réelles. Chacun ne peut donc parler que de ses propres sentiments.

Notre société véhicule des idées stéréotypées sur l'amour : nous le considérons comme une chose que nous faisons ou offrons à autrui. Rares sont les personnes qui ont appris qu'il est avant tout intérieur et que c'est l'amour de soi qui nous permet d'aimer notre prochain. Nous connaissons tous le commandement biblique : « Aime ton prochain comme toi-même. » Que faire alors si nous n'éprouvons aucun amour-propre ?

« L'amour est un sentiment de chaleur que nous ressentons à l'égard de quelqu'un qui satisfait nos besoins névrotiques. » Cette définition non dépourvue de cynisme décrit parfaitement bon nombre de relations. C'est une définition de l'assistance plutôt que de l'amour. Nous ne sommes pas parfaits, et souffrons de lacunes émotionnelles que nous tentons de combler dans le couple. Nous croyons trouver chez autrui ce qui nous manque et nous nous comportons comme des individus incomplets espérant former un tout dans la relation. Nous agissons en *moitié* cherchant une autre moitié. Les sentiments dont sont capables les personnes épanouies, accomplies, sont plus intègres et durables.

Être amoureux de l'amour

Les « Je t'aime » signifient parfois : « Aime-moi s'il te plaît. » Les déclarations cachent souvent une demande et peuvent représenter une véritable tentative de manipulation de la part de personnes se sentant mal aimées. Les sentiments que nous portent au contraire les personnes épanouies, bien dans leur peau, nous laissent libres.

L'impression de « tomber amoureux » peut souvent recouvrir un immense vide intérieur. Dans ce cas, l'amour n'est que mirage et la relation ne peut servir à vaincre l'isolement. L'impression de chaleur que nous ressentons alors est due au fait que nous avons exceptionnellement brisé les barrières que nous dressons habituellement entre nous et les autres et qui nous empêchent de former des liens intimes.

Il arrive que l'objet de notre amour ne soit pas l'être aimé lui-même mais l'image idéalisée que nous en avons. Une telle confusion provoque, à terme, une déception intense et la rupture est alors inévitable. Les couples réussissant à dépasser le stade de l'idéalisation mutuelle peuvent évoluer vers une plus grande maturité. Pour certains, cette évolution a lieu dans la relation et leurs sentiments peuvent alors mûrir. Mais pour d'autres, cette maturité personnelle n'intervient qu'après la dissolution d'une relation infantile.

De nombreux participants jugent qu'aimer c'est faire quelque chose pour ou à quelqu'un, prendre soin d'autrui, réussir, faire preuve de maîtrise en toutes circonstances, toujours faire plaisir, être fort ou être gentil.

Françoise croyait qu'il suffisait d'être gentille et tentait de sauver une liaison malsaine. Un participant lui a demandé pourquoi «être gentille» dans son cas n'avait pas marché et elle lui a répondu : «J'imagine que je ne l'étais pas assez !»

L'amour inconditionnel : aimer la personne telle qu'elle est

Beaucoup d'entre nous ont manqué d'amour inconditionnel : c'est le sentiment qu'éprouvent les parents envers leurs enfants, pour le simple fait qu'ils existent et non parce qu'ils le méritent. L'absence ou le manque d'amour inconditionnel prive notre vie sentimentale de maturité. Ce peut être difficile à surmonter, mais il faut comprendre que la maturité en amour signifie *avoir su s'accepter tel que l'on est et aimer autrui sans souhaiter le changer.* Nous sommes capable d'un sentiment adulte si nous pouvons aimer l'autre quoi qu'il fasse. Seul un amour adulte nous autorise à être nous même avec la personne que nous aimons.

Il est souvent difficile de renoncer à vivre un amour même si celui-ci est boiteux car, malgré tout, c'est grâce à lui que nous nous sentons exister. Nous ne savons pas comment nous faire reconnaître autrement. Nous acceptons un pis-aller : quelqu'un fait attention à nous, même négativement. Or, ce n'est qu'en apprenant à nous aimer nous-même que nous pourrons vivre une relation positive avec l'autre.

Il est rare que notre besoin d'amour inconditionnel soit satisfait. Enfant, nous imaginions que l'amour de nos parents était sans limite, parce qu'ils nous procuraient vêtements, logement, nourriture et soins. À nos yeux, cet amour était omnipotent.

Avec le temps, l'âge adulte et les prises de conscience, nous nous rendons compte cependant que l'être humain peut cesser d'aimer ou que les liens finissent parfois dans la mort. Les adultes trouvent difficile d'éprouver de l'amour inconditionnel. Il faut pourtant apprendre à s'aimer soi-même quoi qu'il arrive. Cela vous paraît irréalisable ? En réalité, il s'agit de s'accepter tel que l'on est et c'est tout à fait possible.

Qui n'a pas été aimé par ses parents aura du mal à s'aimer. C'est ici qu'intervient l'amour spirituel : c'est en ayant foi en un être suprême capable d'une forme supérieure d'amour que nous pouvons découvrir les vertus de la vie spirituelle. Dieu tout-puissant nous aime pour ce que nous sommes et non pour les services que nous rendons à autrui. Les personnes ayant su développer un lien spirituel avec un être supérieur se sentent aimées d'un tel amour inconditionnel et peuvent, à leur tour, le transmettre à leur prochain.

Les psychologues font toutes sortes de « diagnostics » sur la personnalité de leurs clients. Or tout diagnostic psychologique revient en fait à décrire les techniques développées par un individu pour compenser son manque d'amour inconditionnel. En dernière analyse, tous les diagnostics se résument à un problème fondamental : nous n'avons pas appris à aimer et à être aimé.

Nous transmettons à nos enfants l'amour tel que nous l'avons compris et si nous manquons de maturité à cet égard, ils en seront également dépourvus. Si vous souhaitez apprendre à vos enfants à aimer en adulte et les aider à se sentir aimés sans condition, vous devez aussi vous en montrer capable. Vous devez développer votre capacité d'aimer vos enfants pour qu'ils puissent à leur tour ressentir cet amour inconditionnel.

« … comme toi-même »

Relisez la définition que vous avez donnée de l'amour au début de ce chapitre. La plupart des participants à mes séminaires parlent d'autrui : l'amour prend naissance chez l'autre et non en eux. Ils écrivent souvent qu'aimer signifie prendre soin d'une personne et la rendre heureuse. Rares sont ceux qui font appel à des notions plus adultes incluant l'amour de soi.

À y regarder de plus près, si la source de l'amour se situe chez l'autre, elle se tarit en cas de rupture, ce qui, nous l'avons vu, accroît les difficultés liées au divorce. Que se serait-il passé si nous avions développé une harmonie intérieure et appris à nous aimer ?

Nous aurions souffert du divorce mais ne ressentirions pas un tel déchirement.

Le divorce est très traumatisant pour les personnes qui n'ont pas placé en elles le centre de l'amour, qui n'ont pas appris à s'aimer. Se sentant méprisables et incapables d'aimer, elles s'épuisent à se prouver qu'elles sont dignes d'amour. Certaines d'entre elles chercheront peut-être à nouer une nouvelle relation qui les aidera à guérir leurs blessures. D'autres multiplieront les aventures amoureuses ou se lieront d'amitié avec le premier venu. Confondant sexe et amour, elles croient qu'être désiré signifie être aimé mais les émotions qu'elles ressentent n'ont rien à voir avec l'amour !

Comme nous l'avons vu aux chapitres 2 et 6, il est sage de s'abstenir de toute relation amoureuse dans cette période difficile et de favoriser l'amitié en attendant d'être capable de s'aimer soi-même. Le chapitre 16 sera également consacré à ce sujet.

De nombreuses personnes éprouvent un besoin vital d'aimer et d'être aimées. Pour d'autres, il semble plus facile d'aimer sans retour. Or vouloir aimer à tout prix cache souvent un grand besoin de recevoir de l'amour.

J'aimerais vous faire part d'une expérience que j'ai faite au moment de mon divorce lors d'une séance de méditation. Nous étions assis les yeux fermés et méditions afin de faire circuler de l'énergie dans différentes parties de notre corps jusqu'à ce qu'elle atteigne le sommet du crâne. J'ai subitement senti un flux d'énergie se propager vers la partie supérieure de mon corps et cela a atteint la poitrine, l'animatrice nous a dit : « Vous ressentez un flux d'énergie s'écouler de votre poitrine ; imaginez que vous interrompez cet l'écoulement. » Elle décrivait exactement ce que je ressentais, c'était surprenant !

Je lui demandai par la suite comment elle savait ce que j'éprouvais alors que j'étais assis sans rien dire, les yeux fermés. Elle répondit que de nombreuses personnes sentent ce flux d'énergie s'écoulant hors de leur poitrine. Selon elle, ce phénomène est à mettre en rapport avec le fait que nous supposons souvent qu'aimer signifie donner et que notre amour est dirigé vers l'extérieur plutôt qu'ancré en nous. Nous nous épuisons à communiquer à autrui ce flux d'énergie plutôt que de l'utiliser pour nous-même.

Après mûre réflexion, j'ai décidé que l'un de mes objectifs serait de m'aimer mieux. J'ai entrepris d'utiliser mon amour comme un feu intérieur qui me réchaufferait, ainsi que les personnes de mon entourage. Mes amis se sentiraient bien en ma compagnie juste par la force de mon rayonnement intérieur sans avoir à quémander ou mériter une amitié de quelque façon que ce soit.

Comme la relation amoureuse implique une grande intimité, mon partenaire bénéficierait, lui aussi, de cette chaleur émotionnelle.

Et vous ? Ressentez-vous une chaleur intérieure ? Je suis convaincu que nous devons entretenir ce feu pour être capable d'aimer vraiment.

Les différentes formes d'amour

Notre vie reflète notre conception de l'amour. Si nous pensons que l'amour c'est gagner de l'argent, nous y consacrons tout notre temps. Qu'en est-il de vous ? Quelles sont vos priorités dans la vie ? Êtes-vous satisfait de la définition de l'amour que vos actions traduisent ou souhaitez-vous changer ? Prenez le temps de vous poser ces questions.

Notre amour a ceci de paradoxal qu'il nous paraît unique et *il nous est difficile d'admettre qu'il en existe d'autres formes.*

Quand vous entamez une relation amoureuse, il est important de tenir autant compte de votre manière d'aimer que de celle de votre interlocuteur. Peut-être que des exemples vous aideront à comprendre ce que j'entends par là. Mes observations de la relation amoureuse, menées depuis plus de vingt ans, concordent avec beaucoup des résultats obtenus par le sociologue John Alan Lee de l'université de Toronto, qui répertorie neuf formes d'amour. Voici ma propre interprétation des différentes formes que revêt ce sentiment.

L'*amour romantique* est riche en émotions. C'est un sentiment qui se traduit par des fourmillements dans le corps à la vue de l'être aimé (le corps subit réellement des variations physiologiques telles qu'une accélération du rythme cardiaque et une augmentation de la température). Cet amour tend à être idéaliste et à nous faire rechercher la « personne de notre vie » à l'exclusion de toutes les autres. La plupart des chansons populaires évoquent ce type de sentiment. Les amoureux romantiques s'aiment éperdument et se désirent sexuellement. Se priver de sexe dans une telle relation équivaut à priver un enfant de nourriture. Cette caractéristique est toujours présente et cette forme de relation est peu stable.

L'*amour amical* n'est ni sentimental ni très riche en émotions. La relation débute par une sympathie mutuelle qui se développe en une sorte d'amour. C'est une liaison tempérée et dépourvue de la passion de l'amour romantique. Le sexe est moins important et apparaît longtemps après le début de la relation. C'est une forme d'amour très stable ; il n'est pas rare que ces couples restent bons amis après le divorce car les conjoints se respectent mutuellement ; c'est l'amitié et non les émotions qui avait fondé le mariage.

L'*amour ludique* est un jeu comportant certaines règles. Les joueurs ne recherchent pas l'intimité et peuvent même vivre plusieurs relations simultanément pour éviter de s'engager. Cette forme d'amour leur permet de changer facilement de partenaire et l'amour physique obéit aux règles du moment.

Il existe un amour fondé sur le *besoin* qui se manifeste par une relation de possession et de dépendance. C'est un lien émotionnel que le besoin rend profondément instable. Les individus vivant une telle liaison ont du mal à la maintenir et se montrent jaloux, possessifs et changeants. De nombreuses personnes divorcées connaissent une relation de ce type parce qu'elle répond à des besoins résultant de la douleur causée par le divorce. Cette forme de relation caractérise souvent la première liaison de l'après-divorce car les divorcés éprouvent un besoin frénétique de connaître une nouvelle relation pour être heureux. Leurs sentiments manquent de maturité et reposent sur la dépendance et la possession.

Dans l'*amour pratique*, le partenaire est évalué et choisi de manière réaliste et rationnelle. Les deux personnes vérifient la compatibilité de leur appartenance religieuse et politique, ainsi que de leur relation avec l'argent et de leurs vues concernant l'éducation des enfants. Elles vont parfois jusqu'à étudier le statut socio-économique de la famille d'origine et ses caractéristiques génétiques. L'amoureux pratique choisit un partenaire qu'il lui paraît raisonnable d'aimer.

Les *amants altruistes* se sacrifient pour leur partenaire qu'ils souhaitent satisfaire à tout prix. Les cas extrêmes se présentent comme des martyrs essayant de combler autrui au mépris de leur propre personne. Quelquefois, l'altruisme repose sur un grand vide intérieur. Il existe cependant une forme authentique d'amour altruiste dont sont capables les personnes très disponibles qui possèdent une force intérieure leur permettant d'aimer sans égoïsme. De nombreux amants altruistes ont des convictions religieuses qui leur permettent de se ressourcer dans la relation avec l'être suprême auquel ils croient.

Un des couples que j'ai reçus en thérapie vivait d'énormes difficultés parce que lui était un amant amical alors qu'elle était romantique. Elle ne comprenait pas que son calme à lui révélait son amour et lui trouvait que son désir de romance à elle manquait de stabilité. Il prenait soin d'elle, pourvoyait à ses besoins et souhaitait faire durer le mariage, convaincu de lui apporter ainsi des preuves d'amour suffisantes. Elle exigeait qu'il lui déclare sa flamme car elle voulait se sentir aimée et éprouver de la passion. Le sentiment qu'il éprouvait ne répondait pas aux attentes de sa femme. Ils ne se comprenaient pas parce qu'ils ne partageaient pas les mêmes vues.

Il est évident que chaque personne ressent à tout moment différentes formes d'amour mais il est important de connaître nos tendances les plus fortes avant de nous engager dans une relation.

Apprendre à s'aimer soi-même

Lors de mes séminaires d'après-divorce on m'a souvent demandé : « Comment apprend-on à s'aimer soi-même ? » Nous l'avons vu, la réponse à cette question n'est pas simple. Il existe pourtant un exercice qui vous aidera à y parvenir.

Souvenez-vous d'un moment de votre vie où vous avez commencé à changer : qu'il s'agisse des premières difficultés rencontrées dans le mariage, de votre divorce ou du moment où vous avez commencé à lire cet ouvrage. Répertoriez les changements que vous avez accomplis, vos évolutions personnelles, les choses que vous avez apprises sur vous-même, sur autrui et sur la vie. Soyez attentif à la confiance que vous avez développée en apprenant ces choses et en reprenant la maîtrise de votre vie. C'est cette confiance qui fait que vous vous sentez bien. Vous serez peut-être surpris par le grand nombre de choses que vous avez apprises.

Virginia Satir avait élaboré une méthode permettant de s'aimer mieux. Répertoriez cinq adjectifs vous décrivant et faites-les précéder du signe plus ou moins selon que vous pensez que c'est une qualité ou un défaut. Ensuite, reprenez les adjectifs précédés d'un moins et essayez de leur trouver un équivalent positif.

Une femme avait écrit l'adjectif *râleuse*. Lorsque je l'ai questionnée à ce propos, elle répondit que son mari la traitait de râleuse et, en en parlant, elle comprit qu'il admirait en fait sa capacité de s'affirmer. Une fois qu'elle eut pris conscience que cela signifiait pour lui déterminée, elle put considérer que c'était une qualité.

Après tout, c'est cela l'amour de soi : apprendre à s'accepter tels que nous sommes. Selon un célèbre psychologue, Carl Rogers, c'est en apprenant à nous accepter tels que nous sommes que nous nous autorisons à grandir et à changer. Aussi longtemps que nous rejetons une partie de nous-mêmes, nous en sommes incapables ! Quel étrange paradoxe !

Nous devons tous apprendre qu'*il est normal de ne pas être parfait*. Il arrive que nous vivions des expériences traumatisantes qui laissent des blessures, qui nous donnent le sentiment de n'être aimés de personne ou d'être privés d'une partie de nous-mêmes. Mais tout cela fait partie de la vie ! Nous ne sommes pas parfaits, nous ne sommes que des êtres humains. Mais nous pouvons nous sentir mieux si nous parvenons à accepter nos traits de caractère « non OK ».

Comment apprend-on à aimer ? Qu'est-ce qui fait naître le sentiment amoureux ? Est-ce un acte de générosité, ou la réponse à un besoin insatisfait ? Aimeriez-vous agir ainsi envers vous-même ? Alors prenez le temps de faire ce que vous aimez et vous y arriverez. Après tout, il s'agit simplement d'être gentil avec vous-même !

Peut-être que la première chose à faire serait de *vous autoriser à vous aimer*. C'est en décidant que cette attitude est saine et pas égoïste ou égocentrique que vous y parviendrez.

Vous devez votre évolution à vous seul et personne ne peut vous en priver. Vous avez repris le contrôle de votre vie parce que vous avez appris à mieux vous connaître et à mieux comprendre votre entourage. Vous ne dépendez donc plus d'autrui. Imprégnez-vous de ces sentiments de bien-être et autorisez-vous à ressentir le plaisir que cela vous procure. Laissez-vous aller à ce sentiment d'amour de soi : c'est très bénéfique. Je dirais même plus : *c'est la vie même* !

Faites savoir aux enfants qu'ils sont aimés

Les enfants risquent de se sentir blessés par le départ d'un parent et craignent que l'autre ne les abandonne. Ils ont un grand besoin d'amour à un moment où leurs parents doivent surmonter leurs propres traumatismes et sont incapables de s'en occuper autant qu'ils le souhaiteraient. Il faut prendre conscience de ce problème et s'efforcer de le résoudre en parlant ouvertement de la situation aux enfants et en leur répétant que nous les aimons.

Une mère m'a récemment raconté une de ces anecdotes qui font que la vie vaut la peine d'être vécue. Un matin, son fils âgé de trois ans s'est assis sur le canapé ; il était manifestement très pensif et déclara soudain : « Tu sais, tout le monde m'aime ici ! C'est formidable ! » De tels instants sont très précieux et en tant que parents, nous sommes responsables du bien-être moral de nos enfants en période de divorce même si nous nous sentons nous-mêmes misérables et peu dignes d'être aimés.

Comment allez-vous ?

Évaluez votre amour pour vous-même avant de passer au chapitre suivant :

1. *Je me sens digne d'amour.*
2. *Je n'ai pas peur que l'on m'aime.*
3. *Je ne crains pas d'aimer.*
4. *Je comprends ma vision de l'amour.*
5. *Je vis en accord avec ma vision de l'amour.*
6. *Je satisfais mes besoins sans remord et sans me sentir égoïste.*
7. *Je suis capable d'accepter l'amour que l'on me porte.*
8. *Je suis capable d'exprimer mon amour de manière que mon entourage se sente aimé.*
9. *Je suis capable de m'aimer.*
10. *J'ai considérablement évolué depuis le début de la crise.*
11. *J'essaie de renoncer à la partie enfantine et immature de mon besoin d'amour et de la transformer en un amour plus mûr, sain et équilibré.*

15

LA CONFIANCE « Mes blessures sentimentales commencent à guérir »

En disant que vous ne pouvez pas faire confiance aux hommes ou aux femmes, vous révélez davantage de choses sur vous-même que sur le sexe opposé. Les relations amoureuses de l'après-divorce constituent souvent des tentatives de guérir ses blessures ; beaucoup ne seront donc que des amours de transition. Dans toute nouvelle relation, vous serez à même de transformer et d'améliorer les relations que vous avez connues avec vos parents. C'est fort de votre confiance en vous que vous instaurerez de nouveaux liens d'intimité et que vous vous sentirez proche et en communion avec les autres.

Je me sentais très bien et je m'amusais. C'est alors qu'il m'a dit : « Je t'aime. » J'ai eu peur et lui ai dit de se lever, de se rhabiller et de rentrer chez lui.

Sabine

Nous remarquons que, sur ce segment de la piste, certaines personnes gardent leurs distances vis-à-vis du sexe opposé. Elles sont aussi farouches qu'un animal sauvage s'approchant dans l'espoir de recevoir un peu de nourriture et s'enfuyant au moindre mouvement. Ces personnes parlent souvent d'amour, de complicité et de relations et semblent avoir envie de rencontrer des représentants de l'autre sexe. Mais chaque fois qu'une personne les aborde, elles fuient en s'écriant : « Ne m'approchez pas ! » Elles marmonnent qu'on ne peut pas compter sur l'autre sexe et souffrent de *blessures sentimentales* profondes.

Les blessures sentimentales sont provoquées par la douleur que nous éprouvons à la fin d'une relation amoureuse ; elles peuvent également remonter à un âge plus précoce. De nombreux adolescents que j'ai rencontrés avaient enduré de telles blessures. Pour eux, aimer c'était souffrir. Placés dans un foyer d'accueil aimant et chaleureux, ils s'enfuyaient. Les personnes taraudées de la sorte tiennent leur entourage à distance en attendant de se sentir moins vulnérables. Il faut parfois attendre plusieurs mois avant qu'elles puissent à nouveau se montrer émotionnellement proches de quelqu'un.

Il y a couple et couple

Le couple compte énormément pour les divorcés. Chaque fois que je distribue un questionnaire aux participants à mes séminaires pour leur demander les sujets qu'ils souhaitent aborder ils mentionnent presque toujours en premier lieu « le couple ».

Avez-vous remarqué à quel point ce terme est souvent utilisé par les célibataires ? Une dame m'a proposé de le censurer et de le remplacer par un signal sonore car elle l'avait trop entendu.

Un grand nombre de personnes pensent devoir s'engager dans une nouvelle relation pour montrer qu'elles sont « OK ». Certains experts du divorce estiment même que le remariage est un signe de guérison. Je ne trouve pas cela tout à fait exact. Les personnes remariées n'ont souvent pas accepté leur précédent divorce.

En effet, l'idée qu'une relation prouve que l'on est « normal » pousse de nombreux divorcés à partir immédiatement à la recherche d'un nouveau partenaire. Or les relations d'après-divorce les plus constructives sont celles qui visent à guérir les blessures sentimentales encore mal cicatrisées du divorce. Elles sont transitoires plutôt qu'à long terme. (Nous reviendrons sur ce sujet au chapitre 16.)

Avez-vous déjà entendu dire : « Il faut embrasser beaucoup de crapauds avant de trouver son prince ou sa princesse » ? Il me paraît bien plus sain de transformer cette devise en : « Il faut embrasser beaucoup de crapauds avant de *devenir* un prince ou une princesse » ! C'est en intégrant cette différence que l'on parvient à vivre une relation transitoire sans trop en attendre, ni bâtir de châteaux en Espagne. Ne vous demandez pas si vous pourriez vivre avec une personne le restant de vos jours, mais s'il est possible que vous fassiez un bout de chemin ensemble en vous apportant un réconfort mutuel et un bonheur, même temporaires.

Profitez de l'instant présent dans la relation. Cela vous aidera à supporter vos blessures sentimentales (et cela guérira peut-être aussi celles votre partenaire). Jouissez de la vie ; ne perdez pas un instant de bonheur ; laissez-vous guérir dans la bonne humeur et la joie et comprenez que la plupart des amours de transition ne durent pas parce qu'ils répondent chez vous à un état de manque. Servez-vous d'eux pour vous remettre et rebondir. Vous aurez le loisir de recréer plus tard une nouvelle relation durable lorsque vous aurez retrouvé un équilibre affectif.

Le processus d'adaptation au divorce peut être divisé en deux phases majeures. La première est d'apprendre à *vivre en célibataire* et à renoncer au passé. La seconde est d'apprendre à *aimer à nouveau* après avoir récupéré vos forces, lorsque vous vous sentirez capable de supporter le poids d'une nouvelle relation à long terme. Si vous venez à bout de la première phase, la seconde sera un jeu d'enfant !

Les différentes formes de relation : un exercice de « sculpture corporelle »

Voici un exercice qui vous permettra d'analyser votre manière d'entrer en relation. Ce n'est pas un « tableau vivant » mais une « sculpture vivante » ; il est inspiré du travail de Virginia Satir. Faites-vous aider par un ami. Les diagrammes illustrent les différentes attitudes que vous devez adopter et symbolisent les différentes formes de relation amoureuse qui existent. Voyons ce que ces « sculptures » recèlent comme sentiments sous-jacents :

1. La relation de dépendance

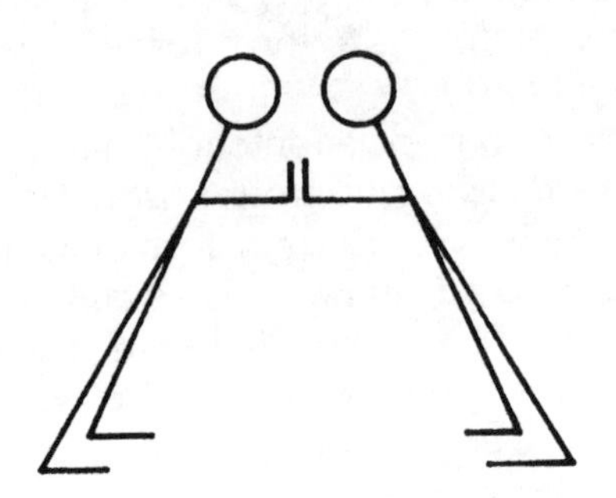

Dans la relation de dépendance, deux personnes prennent appui l'une sur l'autre. Dépendre d'autrui peut parfois être agréable mais c'est aussi étouffant. Si une personne souhaite bouger, changer ou évoluer, l'autre est obligé de bouger également. Essayez de composer cette « sculpture vivante » avec quelqu'un et donnez jour aux sentiments qu'elle fait naître en vous.

2. La relation « les yeux dans les yeux »

Voici une attitude qu'adoptent souvent les adolescents. Ils se jurent de ne pouvoir se passer l'un de l'autre, ne veulent plus se quitter et souhaitent se consacrer au bonheur de leur partenaire parce qu'ils sont si heureux ensemble. De nombreuses liaisons débutent par cette sensation de complicité totale, mais graduellemnt les partenaires tentent de prendre du recul pour pouvoir évoluer et se ressourcer. Ce schéma s'applique à merveille à l'amour éprouvé pendant la lune de miel : les débuts sont très agréables mais les conjoints finissent par se sentir trop « collés » l'un à l'autre si la relation s'éternise.

3. La relation piédestal

Dans cette relation d'adoration, les conjoints aiment l'image idéalisée qu'ils se sont faite l'un de l'autre et souhaitent que leur partenaire se montre à la hauteur de cette attente. Celui qui est sur le piédestal a une situation très précaire : il est très difficile de vivre une vie de statue quand on est humain ! Le problème de communication est évident. Amoureux de l'image de son partenaire, l'adorateur regarde vers le haut et entre en relation avec celle-ci plutôt qu'avec la personne. Les liens émotionnels sont très distants et chacun éprouve des difficultés à se rapprocher de l'autre.

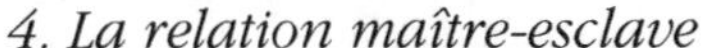

4. La relation maître-esclave

Le maître agit et est considéré comme le chef du couple, le patron. C'est lui qui commande et prend les décisions. Ce rôle ne revient pas toujours à l'homme ; les femmes peuvent se comporter aussi de la sorte et trancher sur tout dans une famille.

Dans la plupart des couples, l'un des partenaires a une personnalité moins affirmée, ce qui n'est pas un mal en soi. Les problèmes apparaissent dès lors que la relation se fige et qu'une seule personne, toujours la même, doit prendre toutes les décisions ; c'est alors qu'entrent en jeu la distance émotionnelle et l'inégalité. Faire tenir les rôles de maître ou d'esclave à l'autre demande beaucoup d'énergie à chacun des membres du couple et ceux-ci finissent souvent par entrer dans une lutte de pouvoir qui entrave toute communication et une réelle intimité entre eux.

5. Le couple-hôtel ou la relation dos à dos

Collés par les coudes, mais regardant dans des directions différentes, le couple-hôtel a décidé de vivre ensemble pour des raisons qui lui sont propres. Chaque soir, les conjoints dînent devant la télévision et vaquent à leurs occupations pendant le restant de la soirée. Ils ne parlent jamais — et encore moins d'amour. Ils n'expriment aucune tendresse l'un pour l'autre. En outre, si l'un des conjoints se déplace (évolue, change), l'autre est pris dans ce changement. La relation dos à dos est exténuante et de nombreuses personnes reconnaissent que leur relation avait pris cette forme avant le divorce.

6. La relation du martyr

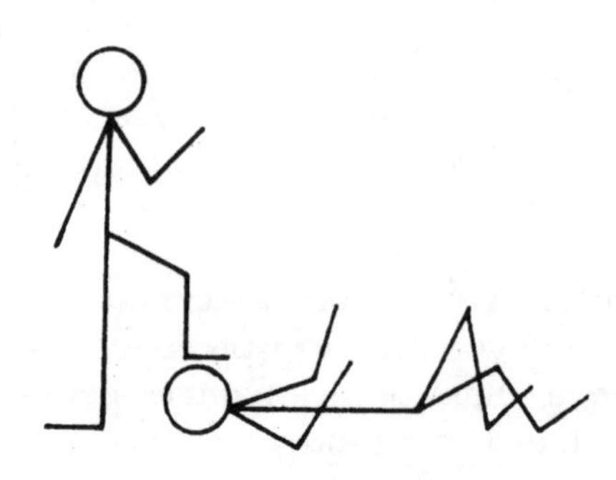

Dans cette relation, une personne se sacrifie entièrement au service d'autrui. Cherchant continuellement à se rendre utile, elle n'a plus de temps pour elle : le martyr invite son entourage à profiter de lui. Mais il ne faut pas se laisser berner par son attitude ! Le martyr exerce une domination puissante sur son entourage : si le martyr se déplace, la personne qui se repose sur lui perd l'équilibre.

Comment le martyr s'assure-t-il le pouvoir ? Je pense que vous l'avez deviné : en faisant appel au sentiment de culpabilité qui dort en chacun de nous : comment en vouloir à une personne prête à tout pour nous rendre service ? Le martyr est très doué et maîtrise entièrement la situation. Vivre avec un martyr est très pénible car exprimer ce dont on a besoin ou sa colère n'est plus possible sans sentiment de culpabilité. Peut-être avez-vous eu un parent martyr ? Peut-être serez-vous maintenant en mesure de gérer cette relation en comprenant quels en sont les enjeux.

7. *La relation saine*

Cette relation comprend deux partenaires indépendants, épanouis et équilibrés. Ils se tiennent droits, ne prennent pas appui sur l'autre et connaissent leur limites : ils sont tous deux capables de mener leur vie. Ils ont une plénitude de vie à partager et choisissent de former un couple parce qu'ils sont désireux de vivre ensemble leurs deux vies de personnes libres et heureuses. Ils sont capables de se sentir complices et proches l'un de l'autre ; ils connaissent des moments d'amour « les yeux dans les yeux » ; ils peuvent materner l'autre ; ils peuvent marcher main dans la main comme avec un enfant et supporter la séparation ; ils ont chacun une identité sociale, une vie propre et des amis. Ils choisissent de rester ensemble par amour et non parce qu'ils éprouvent des besoins insatisfaits. Une relation saine permet aux conjoints d'évoluer et d'enrichir leur personnalité.

J'insiste pour que vous fassiez une séance de « sculptures vivantes » avec un ami afin d'expérimenter les différents sentiments que ces attitudes font naître. Parlez des émotions que vous avez ressenties dans chacun des cas ou écrivez-les. Quelle attitude représente le mieux votre ancienne relation ? De nombreux participants aux séminaires reconnaissent que leur couple a connu tour à tour chacun de ces déséquilibres.

Comprenez-vous mieux maintenant pourquoi on divorce ? Dans les relations malsaines, conjugalement parlant, nous voyons souvent une personne à moitié en porte-à-faux à la recherche de son équilibre. À mesure que nous nous épanouissons et devenons un individu à part entière nos chances de développer une relation saine et constructive se multiplient.

Les sentiments en action

Nous mettons souvent en actes nos émotions internes dans la relation. Si vous êtes fâché, il se peut que vous exprimiez votre colère dans la relation. Si vous vous sentez seul, vous vous montrez peut-être possessif pour retenir votre conjoint et l'empêcher de vous quitter. Si vous ressentez une souffrance émotionnelle intense, votre relation peut à son tour devenir douloureuse. Si vous souffrez d'une certaine blessure sentimentale, peut-être tenez-vous votre partenaire à distance pour éviter de raviver cette douleur-là.

Nous cherchons souvent à entrer en relation avec des personnes possédant des qualités qui nous manquent. Si vous êtes introverti et souhaitez vous sentir à l'aise en société, vous épouserez peut-être un extraverti. Si vous manquez de confiance en vous, vous avez de grandes chances d'élire une personne débordant de confiance en soi. S'il faut que vous vous sentiez coupable de quelque chose, vous chercherez un partenaire qui suscitera en vous ce sentiment.

Fort heureusement, si vous êtes heureux, confiant et que vous vous sentez digne d'amour, vous vous sentirez attiré par une personne permettant de mettre votre bonheur de vivre en pratique dans la relation. Nous pouvons apprendre énormément de choses sur nous-même grâce à notre couple. Quels sentiments exprimez-vous ? Décelez-vous des similitudes entre vos différentes histoires d'amour ? (Rencontrez-vous toujours des « paumés » désespérés ?) Votre relation est-elle le lieu où s'expriment vos tendances positives ou une béquille qui vous permet de vous tenir debout ?

Vos histoires d'amour ont-elles tendance à se répéter ?

Les liens que nous avons connus avec nos parents influencent fortement nos relations. Ils nous ont appris à réagir à l'amour, à la colère, au rejet et à l'intimité. Les personnes dont le père et la mère se disputaient sans cesse éprouvent des difficultés en cas de conflit. Celles dont les parents étaient froids et distants éprouvent des difficultés à accepter un contact et à supporter qu'on leur montre de l'affection. De nombreux mariages sont insatisfaisants parce que les conjoints agissent en copiant leurs parents.

D'après Jean-Baptiste le mariage ressemble à la cuisine. Si vous ratez un plat, vous persévérez jusqu'à ce que vous le réussissiez. C'est ainsi que dans son premier mariage, il a mis en pratique la recette que ses parents lui avaient apprise. Ne l'ayant pas remise en question après son premier divorce, il a continué à la suivre dans son deuxième mariage !

Si vous êtes capable d'utiliser chaque relation pour apprendre et comprendre la manière dont vous fonctionnez, vous évoluez à travers elles. Je suis convaincu qu'il est possible de tirer profit de toute relation. C'est, en fin de compte, une manière positive de considérer le mariage.

De nombreuses personnes régressent après un divorce et reprennent des comportements anciens. Ce peut être positif : le développement personnel est comme l'escalade : il faut parfois redescendre pour trouver une meilleure prise. Bien que toute rupture nous fasse glisser et redescendre la pente, nous savons que nous parviendrons plus haut la prochaine fois. Après le divorce, nous nous réinvestissons dans des interactions passées pour pouvoir modifier nos comportements devenus inadéquats.

J'espère que la classification des différentes formes de relations vous aidera à clarifier vos problèmes et à évoluer. Les problèmes nés du manque de confiance sont essentiellement internes et comprendre qu'ils sont des héritages du passé peut nous aider à trouver une solution aux problèmes que nous vivons actuellement. La première étape du développement personnel consiste à prendre conscience de qui nous sommes, de nos schémas d'interaction et de nos modes de relation.

Vous en savez désormais assez sur l'identification des problèmes et pouvez commencer à reconstruire !

Où faire des rencontres ?

C'est la question que les divorcés me posent le plus souvent. La réponse est très simple et presque absurde : « À l'endroit où vous vous trouvez ! » Beaucoup de personnes fréquentent des bars, des clubs de célibataires ou s'inscrivent à des cours de peinture sur soie ou sur porcelaine (il est étonnant de voir le nombre de divorcés partageant le même passe-temps !) pour faire des rencontres.

Je ne suis pas opposé à ce principe mais soyez prudent ! Les bars sont souvent fréquentés par des solitaires incapables d'entrer en contact sans être légèrement ivres. En outre, les piliers de bistrot jouent à des jeux psychologiques dans lesquels ils excellent et le sexe constitue souvent le bénéfice de ces jeux. Vérifiez aussi si le club réservé aux célibataires auquel vous souhaitez adhérer n'est pas fréquenté par des personnes repliées sur elles-mêmes et désespérées et si sa population est bien composite avec une bonne répartition entre hommes et femmes.

Attention aussi à votre attitude. Votre démarche indique que vous désirez rencontrer un partenaire sérieux, un confident. Elle traduit un désarroi qui sera généralement confirmé par votre comportement, votre mode d'expression et votre regard. Il y a là de quoi faire fuir tout nouveau prétendant à votre amitié. Un tel besoin d'être pris en pitié n'est pas très engageant et prive à l'avance votre entourage du désir de vous aborder.

L'on entend souvent dire que les personnes séparées « ne sont pas drôles ». Et c'est en partie exact, les individus récemment divorcés souffrent et font de piètres compagnons. Mais quelle serait votre réaction si une personne attachante tentait de vous approcher ? Vous essayeriez peut-être de vous sauver ! Les célibataires bien dans leur peau effraient les personnes aux prises avec des blessures sentimentales. Peut-être *recherchez-vous* des personnes moins attirantes parce que vous vous sentez en sécurité en leur compagnie ? Peut-être pensez-vous que les célibataires manquent d'intérêt parce que vous êtes désabusé et que vous n'avez pas encore suffisamment progressé et reconstruit votre vie !

Savez-vous qu'en cherchant à tout prix un partenaire potentiel, nous nous privons de nombreux contacts ? Intéressons-nous à notre entourage pour nous faire des amis. Il est possible qu'ils deviennent plus que cela, mais *chercher* un partenaire *écarte* aussi bien les amis que les partenaires potentiels ! Je ne saurais trop insister : RENCONTREZ DE NOUVELLES PERSONNES ET FAITES-EN DES AMIS, QU'ELLES SOIENT CÉLIBATAIRES OU NON. Voyez simplement si elles sont intéressantes et si vous souhaitez mieux les connaître.

Faites-vous le plus possible d'amis des deux sexes et tant mieux si vous connaissez des aventures !

Vous pouvez commencer par chercher autour de vous. Faites la preuve de votre intérêt quand vous êtes chez l'épicier, vous verrez immédiatement la différence. Dans les soirées, si vous ne cherchez pas un partenaire pour la nuit ou quelqu'un pour vous raccompagner, vous pourrez rencontrer du monde. Si vous vous sentez heureux, votre entourage se plaira en votre compagnie.

Je suis bien conscient qu'il existe des différences pour les hommes et les femmes divorcés. Les femmes vivent plus vieilles que les hommes et il y a plus de femmes que d'hommes, quel que soit votre âge. En outre, il est plus courant pour un homme d'épouser une femme plus jeune que lui. (C'est une faible consolation mais les femmes s'adaptent mieux à la vie de célibataire.)

Anne-Laure m'a révélé un jour : « Chaque fois que je me rends à une soirée de célibataires, les hommes font des approches très directes. » De nombreux célibataires ne savent comment se comporter autrement qu'au lit avec les personnes de l'autre sexe mais cela ne signifie pas que nous devions faire comme eux. Développez votre personnalité et épanouissez-vous. Plus vous aurez de centres d'intérêt, plus vous rencontrerez de gens intéressants.

Reprendre confiance

Les séminaires d'après-divorce m'ont permis de clarifier les problèmes liés au manque de confiance.

Essayez d'être honnête la prochaine fois que vous sortirez. Si vous souffrez d'une blessure sentimentale, expliquez à votre interlocuteur que vous appréciez sa compagnie mais que vous craignez de n'être « pas très en forme » ou « pas très drôle ». N'essayez pas de prétendre être à l'aise ou énigmatique si vous avez peur. Parlez honnêtement de votre peur et vous serez peut-être surpris d'apprendre que d'autres ressentent les mêmes choses que vous ! Nous sommes humains et vous serez peut-être soulagé de vous montrer tel que vous êtes.

Avez-vous déjà pensé faire confiance à un ami plutôt qu'à un partenaire ? Si vous pouviez vous lier d'amitié avec une personne du sexe opposé, cette relation serait plus sécurisante qu'une aventure. Mêler amour et amitié déstabilise et empêche de prendre les risques nécessaires pour apprendre à faire confiance.

N'oubliez pas que nous projetons notre manque de confiance sur autrui. J'ai souvent reçu en consultation des parents qui affirmaient ne pas faire confiance à leur enfant adolescent. Les parents de Sylviane ne lui permettaient pas de sortir avec des garçons parce qu'ils craignaient qu'elle ait un enfant. J'appris par la suite que la mère de Sylviane avait elle-même été enceinte adolescente. Elle projetait en réalité son manque de confiance sur sa fille.

Il arrive également que les thérapies conjugales mettent au jour ce type de problème. Anne-Lise se plaignait d'André qui la surveillait constamment pour s'assurer qu'elle n'avait pas d'aventure. Elle découvrit un beau jour qu'il avait une maîtresse et qu'il projetait son manque de confiance sur elle. Comme pour les autres sentiments, le manque de confiance peut devenir une injonction : Sylviane m'a avoué qu'elle pensait presque devoir tomber enceinte parce que ses parents en étaient tellement persuadés. Et Anne-Lise avoua qu'elle pensait être capable d'avoir une aventure puisque son mari l'en croyait capable !

Les blessures sentimentales importantes provoquent un manque de confiance. Bien qu'une nouvelle relation nous tente, elle ravive le souvenir de la blessure. Les relations qui suivent le divorce sont souvent gouvernées par un manque de confiance. Elles devraient au contraire nous servir à réapprendre la confiance. Essayer de les faire durer artificiellement n'arrange rien et compromet le processus de guérison.

Nous avons tous appris à entrer en relation grâce aux liens que nous avons connus avec nos parents. À l'âge adulte, nous pouvons décider d'améliorer ces schémas d'interaction. Prendre conscience de notre manière d'agir est une première étape et il faudra sans doute nouer de nombreuses relations amicales et amoureuses avant de pouvoir développer un comportement sain.

Nous devons apprendre à faire confiance et à en prendre le risque. Nous exposer de la sorte nous confrontera peut-être à un rejet ou à un manque de compréhension mais c'est une étape nécessaire pour retrouver la capacité d'aimer et d'être proche. Le jeu en vaut la chandelle !

La confiance et les enfants

Le problème de la confiance concerne en particulier les enfants qui ignoraient tout du divorce et ont dû s'adapter à l'absence totale ou intermittente d'un parent. Lorsque le père, par exemple, quitte brusquement sa famille sans parler de ses projets ou des problèmes qu'il a connus avec leur mère, les enfants se sentent abandonnés et lui font difficilement confiance.

Les enfants sont plus forts que nous le croyons et peuvent supporter bien des choses si les parents sont disposés à leur accorder du temps. Mais s'ils fuient leurs responsabilités et refusent de partager leur expérience avec leurs enfants, ils affaiblissent leur confiance et renoncent à une aide qui peut être précieuse. Il est rare qu'un enfant même très jeune ne sache pas que ses parents vont se séparer avant d'en être informé. Plus vous leur parlerez et serez franc avec eux, plus ils auront confiance en ce que vous leur direz.

Comment allez-vous ?

Voici quelques affirmations qui vous permettront d'évaluer vos progrès. Nous nous approchons du sommet ; ne soyez pas impatient et ne brûlez pas cette étape, elle doit impérativement être franchie avant de poursuivre l'escalade pour que celle-ci prenne tout son sens.

1. *Je fais confiance aux personnes du sexe opposé.*
2. *J'ai commencé à comprendre que les hommes et les femmes réagissent de façon très similaire à l'amour, la haine, l'intimité et la peur.*
3. *Je me fais confiance et fais confiance à mes sentiments.*
4. *Je fais assez confiance à mes sentiments pour les laisser me guider.*
5. *Je ne crains pas d'être émotionnellement proche d'un partenaire potentiel.*
6. *Je suis consciente de la manière dont je peux tenir mon entourage à distance.*
7. *Je noue des liens qui me permettront de guérir mes blessures sentimentales.*
8. *Je noue des liens constructifs avec des amis des deux sexes.*
9. *Je parle franchement de ma situation sans transmettre de messages ambigus.*
10. *Je comprends que tout le monde n'est pas digne de confiance.*
11. *Je suis capable de faire confiance à bon escient.*
12. *Je veux guérir mes blessures et connaître la chaleur d'une réelle intimité partagée.*
13. *J'essaie de vivre mes relations au présent.*

14. *Je comprends qu'après le divorce les relations amoureuses sont souvent de courte durée.*
15. *Je prends des risques, parle de mes véritables sentiments et je dis ce que je pense.*
16. *Je suis vraiment intéressé par mes amis et ne cherche pas désespérément une nouvelle relation amoureuse.*

16

L'ATTACHEMENT
« Les relations constructives m'aident à guérir »

Il est normal d'établir une nouvelle relation importante après une rupture. Nous avons souvent besoin de soutien et d'amitié. Connaître les réactions de notre entourage peut nous aider à progresser. Ces attachements ne durent généralement pas ; c'est pourquoi nous devons apprendre à y mettre fin sainement. Avoir une relation constructive favorise notre développement personnel et nous devons apprendre à la mettre à profit pour rebondir et cicatriser nos blessures.

> *Ai-je eu des relations constructives ? Oui, j'en ai connu quatre. Chacune d'elles paraissait plus saine que la précédente. Je pense qu'elles m'ont toutes appris quelque chose.*
>
> Viviane

> *J'ai eu une liaison avec une femme qui avait le don de repérer les faux-fuyants. Je lui parlais de mes problèmes car elle était capable de déterminer ce qu'il y avait d'authentique et ce qu'il y avait d'artificiel en moi. Je pense que j'avais trouvé la compagne idéale pour mieux me connaître.*
>
> Frédéric

À un moment de leur marche vers le sommet, certaines personnes choisissent de former un couple pour se soutenir mutuellement dans les moments difficiles. Les ententes qui naissent alors semblent leur convenir parfaitement mais elles finissent souvent par y mettre fin pour poursuivre seules leur route.

Le réconfort d'une présence est bénéfique pendant un temps, mais les membres du couple comprennent tôt ou tard, parfois d'un commun accord, qu'il est préférable qu'ils se séparent. La rupture peut être douloureuse pour tous deux. Après avoir fait ensemble de rapides progrès — que la fin de la relation semble ralentir — chacun devra sans doute repasser par des étapes déjà franchies telles que le deuil ou la colère.

Qu'est-ce qu'une relation constructive ?

J'ai nommé ces liens *relations constructives.* (Je décrirai plus loin dans ce chapitre les types de relation qu'il m'a été donné d'observer le plus fréquemment.)

Les relations constructives favorisent le développement personnel et peuvent être très bénéfiques pour chacun des partenaires, mais il ne suffit pas, pour cela, de les laisser se produire. Nous devons en comprendre le fonctionnement pour faire en sorte qu'elles favorisent notre épanouissement, les rendre le plus durable possible et éviter de trop souffrir au moment de la rupture.

Elles présentent les caractéristiques suivantes :

- Elles interviennent souvent, mais pas nécessairement, après un divorce ou une rupture.

- Ces relations peuvent se nouer avec un partenaire éventuel, mais elles se contractent également avec un ami, un membre de la famille, un thérapeute voire même avec un ancien partenaire.
- Elles sont généralement temporaires mais peuvent se muer en lien durable. Elles sont souvent très bénéfiques mais ont le pouvoir aussi, si l'on n'y prend pas garde, d'être destructives.
- Elles naissent souvent pendant les phases de maturation personnelle ou lors des périodes de changement que nous traversons.
- Elles servent à créer et à construire de nouvelles formes de relations avec nous-même et les autres.
- Elles peuvent se terminer sainement sans les souffrances et les blessures occasionnées par les ruptures précédentes.
- Ce sont des relations d'extrême « bonne communication ». On y parle beaucoup et notamment de sujets importants tels que le développement personnel et le sens de la vie.
- Ces relations se fondent sur l'honnêteté et la franchise entre les deux personnes — même si ce ne fut pas le cas pour l'une ni pour l'autre avec leurs précédents partenaires — et favorisent un grand sens du partage. Plutôt que de nous montrer sous un jour meilleur (comme nous en avions l'habitude pour séduire), nous nous mettons à nu et révélons notre moi profond, nos émotions les plus intimes. Ce nouveau type de relation nous stimule énormément.
- Ces relations sont orientées vers la remise en question. Il ne s'agit plus ici de répéter l'histoire ancienne. Les hommes qui ont besoin de maternage se marient souvent, en effet, avec une femme responsable à l'excès qui les maintient inconsciemment dans cette dépendance. Il n'est pas rare qu'ils rompent pour se remarier avec une personne ayant une personnalité semblable (et portant souvent un prénom identique ou proche !). Les femmes qui éprouvent le besoin de prendre quelqu'un en charge, quant à elles, épousent parfois un autre homme désemparé de manière à préserver leur schéma de comportement. Les relations constructives visent, au contraire, à développer une nouvelle forme de lien. Véritables laboratoires du développement personnel, elles nous évitent de reproduire d'anciens schémas de comportement.

S'agit-il de liaisons amoureuses ?

Il arrive qu'une personne vivant en couple entretienne une deuxième relation qu'elle considère comme constructive. Ces relations sont parfois amoureuses et il m'est arrivé de travailler avec des clients qui s'étaient montrés capables de se servir de ce lien secondaire pour guérir afin d'enrichir et consolider leur couple. Mais une relation amicale plutôt qu'amoureuse facilite ce type de processus. Les aventures ont des conséquences à long terme et compromettent la guérison.

J'entends d'ici mes parents me demander si, en vous encourageant à avoir des liens profonds hors mariage, je favoriserais les aventures extraconjugales et les expériences sexuelles. Il n'en est rien : ces liens n'ont à être ni amoureux ni sexuels. Si vos valeurs religieuses ou morales interdisent l'adultère, vous pouvez apprendre et guérir grâce à une amitié excluant toute forme de sexualité.

Une relation constructive doit être en accord avec vos valeurs morales et vous permettre de mûrir.

Pourquoi certaines personnes ont-elles plus de chances que d'autres de connaître une relation constructive ?

Certaines personnes ont plus de chances de connaître une relation constructive :

- La personne qui initie la rupture noue plus facilement de nouveaux liens après le divorce.
- Les hommes s'engagent plus rapidement que les femmes après un divorce.
- Les femmes ont plus de chances d'établir une relation constructive à titre amical.
- Les extravertis plutôt que les introvertis choisiront une relation constructive pour guérir. Des recherches fondées sur le profil psychologique des personnes montrent que les extravertis guérissent mieux avec l'aide d'autres personnes et que les introvertis préfèrent y parvenir seuls.
- Les personnes capables d'être émotionnellement ouvertes et vulnérables et qui partagent leurs émotions ont plus de chances de connaître une relation constructive que les personnes renfermées qui refusent de dévoiler leurs sentiments.
- Les rebelles connaissent généralement une relation constructive. (Voir le chapitre 12 concernant la transition pour en savoir plus sur la rébellion.)
- Les jeunes nouent plus volontiers des relations constructives.

- Les participants aux groupes et séminaires d'après-divorce développent automatiquement des relations constructives dans ce cadre. C'est là un des principaux « effets secondaires » de ce type de réunions. Les liens que nous développons dans ce contexte sont durables et se maintiendront peut-être toute la vie. Ils sont aussi plus sains et plus constructifs que nos anciennes amitiés. Souvenons-nous que nous sommes en mesure de faire naître des attachements semblables en dehors du groupe.

Il arrive que nous refusions de nous lancer dans une telle entreprise de peur d'être dépassés par la relation. Nous optons pour une amitié à court terme qui paraît plus sûre. Mais il est important d'être clair et de faire part directement et ouvertement de nos intentions, de nos besoins et de nos désirs à notre partenaire éventuel. Il est possible de maîtriser la mesure de notre engagement et de ne pas nous laisser envahir par la relation.

Quinze à vingt pour cent des participants aux groupes d'après-divorce s'inscrivent à mes séminaires non pas juste après la rupture de leur couple mais *après* la fin de la relation constructive qui a suivi le divorce. J'ai également pu observer que la première relation établie après une rupture dure rarement longtemps. La souffrance émotionnelle ressentie est plus intense après la fin de cette relation qu'après la séparation du couple.

Je pense que les relations constructives vont se multiplier à l'approche du XXIe siècle eu égard aux nombreuses transformations que subit notre société. En savoir plus sur ces relations les rendra d'autant plus bénéfiques, c'est pourquoi nous allons en aborder deux des principaux types : la relation *passionnelle* et la relation *thérapeutique*.

La relation passionnelle

Dans la plupart des cas, les relations constructives naissant après la rupture sont de type passionnel et centrées sur le sentiment amoureux. Elle rassemblent — ou paraissent le faire — toutes les qualités dont le mariage avait fini par être dépourvu : passion, honnêteté, bonne communication, empathie, compréhension et même rapports sexuels satisfaisants ! Il n'est guère surprenant que les nouveaux partenaires souhaitent voir cet amour durer toujours, qu'ils s'y accrochent fermement et parlent d'un avenir commun.

Mais un engagement à long terme peut être préjudiciable à ce stade. Voici quelques avantages et inconvénients de ces relations extrêmement émotionnelles :

Inconvénient : *Rendre votre partenaire responsable de votre enthousiasme et de l'intensité de vos sentiments.* Avez-vous exagéré l'importance de cet attachement dans votre vie ? Cette période de transition est tellement riche en rebondissements que vous souhaitez qu'elle ne cesse jamais. Vous pensez ne pas pouvoir vivre sans cette personne si excitante. Il faut vous souvenir que vous êtes en convalescence. Vous êtes vous-même responsable de la relation que vous entretenez. Acceptez de la mener au rythme qui vous convient. Vous commencez à peine à trouver votre équilibre ; n'oubliez pas de vous accorder le temps nécessaire à le rendre fort. La présence de cette personne est douce et agréable, je vous l'accorde. Ne renoncez pas pour autant à votre pouvoir en la rendant seule détentrice des clefs de votre bonheur.

Avantage : *Votre développement personnel se nourrit de cette relation.* Ce lien est pour vous l'occasion d'apprendre à mieux vous connaître, à devenir et être libre et, enfin, à être vous-même. Tirez parti de son existence et accordez-vous-en les mérites : vous avez créé les conditions favorisant votre développement personnel.

Inconvénient : *Placer votre partenaire sur un piédestal.* En commettant cette erreur vous risquez de réduire les possibilités de guérison qu'offre la relation. Essayez de mimer ce type de rapport en utilisant la technique de la séance de « sculptures vivantes » mise au point par Virginia Satir (voir chapitre 15). Décrivez cette situation avec une autre personne en prenant position dans l'espace. Placez votre partenaire sur un piédestal (une chaise, un tabouret ou une petite table). Parlez-lui, enlacez-le et voyez comment, tous deux, vous ressentez cette situation. Votre partenaire se sentira probablement esseulé et mal à l'aise.

Inconvénient : *Être obsédé par l'avenir.* Cette relation est tellement agréable que vous commencez à penser à l'avenir et à imaginer épouser cette personne. Vivre dans le futur entrave le processus de guérison alors que vivre dans le présent le favorise ; c'est également un signe d'équilibre. Admirez chaque soir le coucher du soleil et profitez de chaque instant. Faites part de tous vos sentiments ; ne faites aucun projet et ne spéculez pas sur la durée de la relation.

Avantage : *La communication passe bien dans ce type de relation.* Vous partagez volontiers votre expérience et n'avez jamais été aussi confiant : vous avez dévoilé un trésor d'intimité et vous ressentez le bienfait d'une relation si abandonnée et sans défiance. Sachez qu'avoir appris à exprimer ses vrais sentiments et à se sentir si moelleusement ouvert et vulnérable est le plus grand apport de cette liaison. Souvenez-vous que vous pourrez toujours communiquer aussi bien et renoncer à vos défenses dans d'autres relations.

Inconvénient : *Vous pensez que vous ne rencontrerez plus jamais quelqu'un d'aussi merveilleux.* Vous vous accrocherez à cette personne si vous pensez qu'elle est unique. (Une leçon que vous a apprise la société ?) Le monde entier vous paraît en comparaison morne et terne. C'est en partie vrai puisque nous sommes tous uniques mais l'enthousiasme que vous ressentez ne dépend-il pas aussi de votre propre évolution ? Vous vivez au présent ; vous êtes vulnérable et éprouvez des sentiments inexplorés. L'intensité de vos émotions s'explique par le fait que vous sortez de votre coquille tout en vivant un retour aux sources émotionnel. Vous vivez enfin votre identité émotionnelle.

Il est possible que vous ne connaissiez plus jamais ce sentiment de liberté. Mais vous êtes désormais capable de ressentir la joie et les plaisirs de l'intimité tendre et partagée, d'être émotionnellement proche, d'aimer et d'être aimé et ces facultés sont des valeurs en elles-mêmes qui transcendent les sentiments agréables que vous découvrez dans la relation actuelle qui vous permet de vous libérer.

Avantage : *Vous découvrez le bien-être que procure la sérénité.* À mesure que nous nous développons et apprenons à nous connaître, nous nous autorisons à nous montrer vulnérables, à être confiants et à nous sentir en sécurité quand nous nous montrons tels que nous sommes. II est important de savoir que nous portons ce bien-être en nous et que nous pouvons le mettre en œuvre *dans de nombreuses autres relations et au contact d'autres personnes.* Il faut cesser de croire que nous ne pourrons jamais plus vivre une telle expérience. Nous sommes capables de nouer d'autres liens de ce type si nous le décidons car nous avons appris à être en bons termes avec nous-mêmes. Il faut prendre conscience aussi qu'il est possible que nous n'éprouvions jamais plus une pareille intensité de sentiments car notre besoin ne sera plus aussi pressant. Nous serons accoutumés à l'harmonie !

Avantage : *Une relation adulte peut vous aider à évoluer.* Souvenez-vous des chapitres 3 et 10 concernant l'influence de votre famille et de votre enfance. Avec elle, vous pourrez revivre votre passé pour le réorganiser et faire disparaître les pans d'ombre qu'il contient. Cette relation constructive vous permettra de vous observer en tant qu'adulte épanoui et de restructurer les liens les plus significatifs que vous avez noués dans le passé. Elle diffère probablement tellement de celles que vous entreteniez avec votre famille et avec votre ancien partenaire, qu'elle vous procure une sorte d'ivresse, celle de vous sentir enfin vous-même.

Inconvénient : *Un déséquilibre de l'investissement émotionnel.* Vous risquez d'investir la quasi-totalité de votre énergie émotionnelle et de votre temps dans cette relation et de vous négliger. Cela risque de freiner votre développement personnel, de précipiter la rupture de la relation et d'intensifier votre chagrin. Si vous souhaitez mettre toutes les chances de votre côté dans cette relation constructive, efforcez-vous d'investir dans votre propre croissance autant que dans la relation. Cela vous aidera à préserver votre identité malgré l'enthousiasme que suscite cet amour passionné. Si vous avez des difficultés à le faire, surveillez vos horaires : combien d'heures consacrez-vous à vos passe-temps, à des cours, à vous-même ou à vos amis ? Combien de temps passez-vous en compagnie de votre partenaire ?

Tirez-en le maximum de profit, apaisez grâce à cette relation vos blessures les plus vives, découvrez à travers elle la joie d'être vous-même mais ne mettez pas en cause votre liberté. Votre guérison est encore trop jeune pour pouvoir y résister. À vouloir serrer trop fort un poussin contre son cœur, on l'étouffe. L'énergie que vous consacrez à vous accrocher à l'autre et à la relation vous empêcherait de gravir la montagne. Vous ne verriez pas le sommet.

La relation thérapeutique

J'ai dit précédemment que cette relation constructive ne doit pas nécessairement être d'ordre amoureux. En fait, il est préférable de nouer des liens avec un ami, qui ne soit pas un partenaire sexuel, ou avec un membre de votre famille. Cela ne vous empêche pas de parler de vos sentiments, de votre fragilité, ou des choses que vous avez toujours gardées secrètes. Cette amitié n'aura peut-être pas le piment d'une relation amoureuse mais elle sera plus sûre. La séparation ne vous causera ainsi pas le même déchirement et son pouvoir de guérison sera plus stable. Elle peut vous aider, tout comme une relation amoureuse passionnée, à évoluer et à modifier vos anciennes habitudes.

Les participants à mes séminaires nouent facilement des relations constructives amicales au sein du groupe. Francs et honnêtes, ils parlent de ce qu'ils jugent important et font l'expérience de la communion d'opinions et de sentiments et de l'ouverture d'esprit comme de la connivence. Ils comprennent alors que ce type de relations les aide davantage car elles sont saines et bénéfiques. Apprendre à nouer de tels liens est l'un des apprentissages les plus précieux des séminaires d'après-divorce.

La thérapie peut également être considérée comme une relation constructive en fonction du type de thérapie et de la personnalité du thérapeute. Elle a l'avantage en outre de présenter la sécurité d'un contrat basé sur l'argent et la neutralité professionnelle. La relation thérapeutique peut être une expérience merveilleuse lorsqu'elle nous apprend à être nous-même.

Les relations constructives sont-elles toujours transitoires ?

On me demande souvent si toutes les relations constructives doivent fatalement mourir un jour. Ma réponse est non. Avez-vous déjà pensé au fait que chaque relation est née de façon unique et particulière ? Elle possède une histoire qui lui appartient en propre ainsi qu'à l'état émotionnel dans lequel vous vous trouviez au moment de la rencontre. La genèse de toute relation constructive repose sur un désir de croissance et de guérison. Une relation à long terme se forme, elle, sur un désir de longévité, ce qui est différent. Je m'explique.

Lorsque vous créez une relation constructive, vous êtes dans une période de recherche de vous-même, à l'affût d'un nouvel équilibre. Vous vivez un processus de croissance et pansez des blessures émotionnelles. Instable, vous êtes constamment à la recherche d'un équilibre et changez constamment. Cette période faite d'adaptations successives appelle une base souple, modulable et non figée ; elle doit vous permettre de vous montrer tel que vous êtes à mesure que vous évoluez. Ce n'est pas ce que réclame une relation qui vise la longue durée. Le contrat établi au début d'une relation constructive mentionne ainsi, même s'il est de l'ordre du non-dit ou du non-formulé, que vous allez vous nourrir de la relation pour trouver vos repères. Les bases d'une relation à long terme sont nécessairement plus stables et ont forcément un caractère permanent (bien que non rigide). Les unions à long terme s'appuient donc sur un certain engagement, un objectif et de la stabilité.

De la sorte, le fondement d'une relation constructive qui se prolonge doit obligatoirement être revu. Cela peut se faire de diverses manières. Je connais des couples qui se sont séparés (en bons termes) pour que chacun des partenaires puisse, en retrouvant sa liberté, consacrer du temps et de l'énergie à son cheminement personnel, avant de se reformer dans une perspective à long terme.

Une bonne communication permet également de modifier une relation. Parler est un acte en soi. En abordant les problèmes ou les désirs inavoués, on reconnaît leur existence et on évite ainsi d'avoir à les vivre dans la violence. Prenez conscience de ce que la relation doit changer dans le sens d'un plus grand engagement ; acceptez vos responsabilités et agissez. Vous ne pouvez réussir sans ces trois éléments : conscience, responsabilité et communication.

Il existe un autre problème. Si vous opérez un changement véritable, votre personnalité s'en trouvera altérée. Peut-être que cette relation a débuté parce que vous souhaitiez rencontrer une personne très différente de vos parents, de votre ancien amant ou de vos anciens amis. Une fois ce besoin satisfait, peut-être souhaiterez-vous mettre un terme à cette relation. De nombreuses personnes ayant connu une relation constructive y renoncent pour diverses raisons.

Inutile donc de se hâter pour transformer une relation constructive en lien à long terme. Chacun des deux partenaires doit pour cela être prêt à s'accepter tel qu'il est et à progresser vers un avenir fait de stabilité.

Pourquoi un tel besoin ?

On me demande parfois pourquoi il nous est nécessaire de former autant de relations constructives. C'est une excellente question qui appelle plusieurs explications :

- La relation peut avoir seulement permis une guérison partielle parce qu'elle était axée sur l'avenir et non sur le présent.
- Vous n'avez pas été suffisamment attentif à votre propre guérison tant vous admiriez l'autre.
- Vous avez provoqué une séparation douloureuse parce que vous ignoriez comment rompre sainement. (Cette douleur ravive le besoin d'une nouvelle relation constructive.)
- Vous avez un grand besoin de guérir votre passé et cherchez à vous libérer d'un fardeau qui est lourd. Plusieurs relations sont alors nécessaires pour y parvenir.
- Vous avez parcouru les étapes décrites dans cet ouvrage sans bien vous rendre compte de quoi il s'agissait. Comprendre nous aide à guérir dans une relation.

- Vous avez noué de nombreuses relations parce qu'elles vous ont permis de connaître la passion. Elles deviennent essentiellement physiques et leur but premier perd de l'importance. Il est tentant de s'évader dans le sexe sans jamais atteindre le niveau de la conscience.
- Vous êtes peut-être incapable d'être émotionnellement proche de quelqu'un. Vous ne vivez pas dans le présent ; vous ne protégez pas la relation ; vous fuyez toute intimité et toute mise en cause personnelle. De ce fait, vous vous empêchez de guérir par la relation. Vous hésitez à rompre dans votre désir toujours renouvelé et non abouti d'obtenir un degré satisfaisant d'intimité. Chaque relation vous a aidé à avancer et il serait peut-être bon pour vous d'identifier en quoi (et d'être reconnaissant envers les personnes avec qui vous avez été en contact). Je vous propose d'écrire, quand vous aurez terminé ce chapitre, ce que vous avez appris dans chaque relation constructive.

Soyez indulgent envers vous-même. Si vous vous critiquez chaque fois que vous nouez une relation ou que vous rompez, vous risquez de nier les progrès accomplis dans la voie de la guérison. Félicitez-vous de chaque relation constructive ; vous progresserez mieux en reconnaissant ce qu'elles vous ont apporté.

Transformez votre précédent couple en relation constructive

L'une des meilleures manières de connaître une relation constructive est de transformer son couple ! Les principes ne changent pas : vivre au présent, communiquer, vivre au jour le jour et assumer ses responsabilités (dans la création de cette nouvelle relation).

Les paragraphes concernant la rébellion et les séparations bénéfiques vous aideront à créer une nouvelle relation dans votre couple. Cela ne sera pas facile mais presque tous les couples peuvent être transformés pour repartir sur de nouvelles bases.

Apprendre à communiquer

La communication favorise les relations constructives. Apprenez à utiliser des messages commençant par « je » au lieu de « tu ». Ces derniers sont piégés car ils provoquent une réaction défensive chez l'interlocuteur qui cherche à rendre les coups. Les messages commençant par « je » informent votre interlocuteur que vous acceptez la responsabilité de vos sentiments et de vos comportements.

Vous avez peut-être du mal à les formuler parce que vous n'avez pas l'habitude d'être attentif à ce qui se passe en vous. Je vous propose simplement de commencer vos phrases par « je » chaque fois que vous avez une chose importante à dire. Exercez-vous à former des phrases commençant par : « Je pense...... », « Je sens........ », « Je veux........ » et « Je vais........ ». Il est très utile de séparer pensée et sentiments et de les distinguer en deux types de communication différents.

Réfléchissez à ce que vous espérez obtenir grâce à ces messages. Si vous ne *demandez* pas ce que vous désirez, vous n'avez aucune chance de l'*obtenir*. Vous devez aussi terminer vos phrases en disant ce que *vous* comptez faire. Agir de manière responsable pour obtenir ce que l'on souhaite est la meilleure manière de réussir.

Les hommes ont souvent du mal à dévoiler leurs émotions et à en parler. Des messages commençant par « je » les aideront à surmonter ce handicap. Les femmes quant à elles sont généralement trop conscientes de ce que leur entourage attend d'elles et incapables de répondre à leurs propres besoins.

(Le fondement théorique des messages en « je » s'inspire des travaux du psychologue californien Thomas Gordon, qui a développé une série de programmes destinés aux parents, aux enseignants et aux dirigeants.)

Les séparations bénéfiques

Les relations constructives doivent se terminer sainement, par ce que j'ai baptisé une *séparation bénéfique*. Étant donné que la plupart de ces relations sont appelées à connaître une fin, il est souhaitable que chacun puisse apprendre à rompre sainement. C'est un problème inhérent à ces relations que l'on est souvent tenté de prolonger plus qu'il n'est souhaitable ou sain de le faire en bâtissant des projets d'avenir.

Tenter de prolonger une relation par essence à court terme risque de provoquer des tensions inutiles et de mal finir pour chacun.

Recréer des liens d'amitié avant la séparation aide à rompre pacifiquement. Si vous vivez dans le sentiment présent, vous remarquerez quand celui-ci se détériore. Les besoins qui avaient donné naissance à la relation ont changé et il est temps de penser à mettre fin à celle-ci. Parlez des changements que vous traversez ; acceptez la responsabilité de ces changements et dites en quoi la relation vous a été profitable. Parce qu'elles interviennent à temps, les séparations bénéfiques provoquent une douleur nettement moins importante.

Pour être bénéfiques, ces séparations doivent être franches et honnêtes et respecter les attentes qu'avait chaque partenaire au début de la relation. Le cas de Pierre-André l'illustre parfaitement : « Je lui avais dit que j'étais un chat écorché et que j'avais besoin que l'on me materne. Je l'avais également prévenue que je ne savais pas si je souhaiterais poursuivre la relation quand je serais rétabli. Nous avons su nous séparer sans mal parce que nous avons été francs et honnêtes d'entrée de jeu. »

En vue d'une séparation bénéfique, les relations constructives doivent comporter les éléments suivants et je vous encourage à y veiller :

- Une communication franche et honnête.
- Vivre au présent. Prendre la vie comme elle vient, au jour le jour, sans faire de projets concernant un hypothétique avenir commun.
- Se montrer responsable de ses sentiments, se les approprier et les exprimer librement. Éviter les déclarations du type : « Mais non, je t'assure ; tout va bien. »
- Considérer la relation comme un lien à court terme dès le début. L'« engagement » n'intervient pas dans les relations constructives sauf lorsque celles-ci se transforment en une union à long terme.
- Exprimer vos besoins. Être à l'écoute de ceux de votre partenaire.
- Être attentif et ne pas manquer les signaux indiquant qu'il est temps de se séparer. En informer votre partenaire.
- Planifier la séparation ; parler de la manière dont elle se déroulera. (Faudra-t-il déménager ? Acheter une nouvelle voiture ? Y a-t-il des enfants dont il faudra s'occuper ? Resterez-vous amis ? Qu'adviendra-t-il de vos amis communs ?)

La séparation bénéfique s'applique à tous les types de séparation. Chaque relation évolue à son rythme, certaines sont courtes et d'autres sont longues et il n'est pas facile de prévoir leur durée. Montrons-nous responsables de nous-mêmes, de nos sentiments et de notre évolution, cela nous aidera à laisser la relation évoluer.

Les souffrances que nous ressentons sont le plus souvent provoquées par le refus de lâcher prise. Si vous croyez que votre bonheur dépend d'autrui, vous éprouverez des difficultés à laisser la relation suivre son cours.

Faut-il nécessairement passer par une relation constructive ?

Il existe de multiples manières d'évoluer sans connaître de relation constructive. Toutefois, il est parfois plus agréable d'avoir un compagnon de route et un interlocuteur qui partage votre développement personnel et chemine à vos côtés. Le processus en est grandement facilité.

Comprenez bien que ces relations sont un terrain privilégié pour mettre la théorie en pratique ; ce faisant, leur utilité vous apparaîtra dans toute son ampleur. Mon souhait est que les prises de conscience qu'auront fait naître cet ouvrage vous aideront à suivre la voie de la guérison et que vous saurez employer ces relations pour briser un cycle infernal : celui de l'appauvrissement affectif et personnel.

La lucidité et la responsabilité sont deux grands atouts dans ce domaine. Les remèdes que je prescris seront *stériles* si vous ne prenez pas vos responsabilités et si vous ne vous appropriez pas le sens que vous voulez donner à vos relations avec autrui.

Les enfants et l'attachement

Vos enfants devront sans nul doute nouer aussi des relations constructives. Peut-être se feront-ils comme amis des enfants de parents en instance de divorce. Peut-être découvriront-ils qu'ils peuvent leur parler plus facilement qu'aux enfants de couples mariés.

Vous vous surprendrez peut-être à nourrir des préjugés envers ces enfants de parents divorcés et à refuser que vos propres enfants les fréquentent. Cela vous permettra d'identifier vos propres idées à l'égard du divorce. Comment ne pas se souvenir que vos enfants sont également aux prises avec un divorce et accepter qu'il peut leur être très profitable de rencontrer d'autres enfants dans la même situation? Admettez que n'importe qui peut divorcer et que vous ne devez pas critiquer ces personnes.

Comment concilier vos enfants et vos propres relations constructives ? Tout dépendra du genre de la relation que vous aurez établie. Si vous êtes en thérapie, il sera peut-être utile d'en parler à vos enfants. Savoir que vous avez besoin de parler les aidera à communiquer. Si votre relation constructive concerne un ami ou un membre de la famille, vous pourrez peut-être impliquer vos enfants en leur disant à quel point il est bon d'avoir quelqu'un à qui parler.

Si votre relation est une aventure amoureuse, vous devez décider si vous souhaitez les en informer. Ils ont assisté à vos disputes avec votre ancien partenaire et vous souhaitez peut-être leur montrer qu'il est possible d'établir des relations plus calmes et pacifiques. Il est possible que l'enthousiasme vous incite à les inclure plus que nécessaire. Inviter, par exemple, votre partenaire à passer la nuit à la maison n'est pas forcément facile à vivre pour vos enfants.

Nous l'avons vu. Il est très probable que cette relation ne durera pas : vos enfants auraient alors à gérer une nouvelle rupture. Pensez à eux et réfléchissez à quel point vous souhaitez qu'ils soient impliqués dans cette relation.

Acceptez-la comme faisant uniquement partie de votre guérison. Prenez à l'avance la responsabilité d'y mettre fin ; cela aidera vos enfants à relativiser la situation. Vous êtes en train de reprendre la maîtrise de votre vie et des relations que vous avez avec autrui ; votre exemple sera suivi par vos enfants.

Exercice

Écrivez vos réponses aux questions suivantes dans votre journal.

1. Comment réagissez-vous à la lecture de ce chapitre ? Correspond-il à votre expérience ?
2. Si vous avez connu plusieurs relations constructives, décrivez-les. En quoi étaient-elles gratifiantes ? En quoi aussi ont-elles été douloureuses ? Qu'en avez-vous appris ? S'agissait-il d'un ami, d'un thérapeute ou d'un membre de la famille ? Comment pensez-vous pouvoir améliorer la prochaine ?
3. Si vous n'en avez jamais connu, souhaiteriez-vous en avoir ? Avez-vous peur de vous montrer vulnérable ? Êtes-vous incapable de communiquer ? Avez-vous peur de souffrir à nouveau ?
4. Si votre couple a opté pour une séparation bénéfique, pensez-vous qu'il soit possible de vivre une relation constructive avec votre partenaire ? Cette idée est-elle neuve pour vous ?

Laissez-moi vous redonner espoir. Au cours des nombreuses années passées à animer des séminaires, j'ai pu observer des centaines de couples tentant d'insuffler une nouvelle vie à une relation après une rupture pénible. Je sais aujourd'hui que c'est possible ! Lisez cet ouvrage et demandez à votre conjoint d'en faire autant, puis commencez chacun l'escalade. Faites les exercices chaque fois que vous avez le temps. Encouragez-vous mutuellement parce que ce processus nécessite un engagement, de la discipline et de la confiance.

Comment allez-vous ?

Avant de poursuivre, profitez de cette auto-évaluation pour décider si vous êtes ou non prêt à passer à l'étape suivante.

1. *Je suis prêt à me pardonner d'avoir, dans des relations constructives que j'ai eues dans le passé, rendu l'autre responsable de mon bonheur et de ma joie de vivre.*
2. *Je vais dresser une liste de ce que m'ont appris ces anciennes relations constructives.*
3. *Je choisirai à l'avenir, grâce à ce que j'ai appris, les relations constructives que je souhaite connaître.*
4. *Je m'approprierai à l'avenir le droit de nouer des relations constructives pour guérir.*
5. *Je m'approprierai à l'avenir le droit de me sentir bien dans les relations constructives que je connaîtrai parce que je suis en train de devenir la personne que j'ai choisi d'être.*
6. *Je développerai et mettrai en pratique mes capacités de nouer des relations. J'utiliserai ces capacités dans toutes les relations constructives que je connaîtrai.*
7. *Je suis décidé à être franc et honnête dans ma relation, à employer mes capacités de communiquer et à tester de nouveaux comportements ; je renonce à mes anciens schémas d'interaction avec les autres, et suis décidé à tenter de tirer un maximum de profit de mes relations.*

17

LA SEXUALITÉ
« J'y pense mais j'ai peur »

C'est la première fois que vous vous séparez ; depuis la rupture, vous fuyez et craignez « le sexe ». Au cours du processus de guérison, vous pouvez apprendre à exprimer votre sexualité en respectant vos valeurs morales. Les célibataires accordent généralement plus d'importance à l'authenticité, à la responsabilité et à la personnalité qu'aux conventions. Découvrez ce que *vous* jugez important sans tenir compte de ce que l'on attend de vous. Il semble qu'hommes et femmes n'aient pas une attitude aussi différente qu'on le croit envers la sexualité. Les changements de mentalités intervenus dans ce domaine au cours des dernières années rendront peut-être votre adaptation plus difficile mais en tout état de cause, *ne vous mettez pas en danger*, préservez-vous !

Être divorcée lorsqu'on a atteint l'âge mûr, c'est :
...Ne pas descendre la poubelle de peur de rater un appel obscène.
...Se planter au milieu d'un parking souterrain et crier : « Attrapez-moi voyous, votre victime est là ! »
...Dire au type qui vient de vous fouiller que vous n'avez pas d'argent mais que s'il recommence vous le paierez par chèque.
...Accrocher une enseigne à la grille annonçant que quiconque pénètre dans cette enceinte risque le viol.
...Regarder sous le lit dans l'espoir d'y découvrir quelqu'un.

Liliane

Tout le monde est impatient d'aborder cet aspect du problème. Il est possible que vous vous apprêtiez à lire ce chapitre avant les autres. (Si c'est le cas, j'insiste pour que vous lisiez d'abord le chapitre 1 !) Peut-être aviez-vous hâte d'en prendre connaissance depuis que nous avons évoqué les étapes de la guérison dans le chapitre 1.

« Si seulement j'étais célibataire... »

Que pensiez-vous de ces couples d'un jour quand vous étiez marié ? Les performances sexuelles qu'on prête à ces « bourlingueurs du sexe » vous intriguaient-elles ? Pensiez-vous que ce devait être passionnant de passer chaque nuit avec une personne différente ?

Aujourd'hui vous êtes célibataire : regardez autour de vous. De nombreuses personnes restent seules le soir. D'autres prétendent s'amuser en sortant entre célibataires — alors qu'elles s'ennuient à mourir. Chaque nouvelle rencontre vous fait regretter votre ancien partenaire — que vous trouviez détestable à l'époque. Vos connaissances ont l'air d'entretenir des liaisons multiples — au point que vous ne savez plus qui est avec qui. Vous aviez rêvé d'une réalité toute différente et votre déception aggrave le traumatisme causé par le divorce.

« Un rendez-vous ? C'est-à-dire que... »

Courage ! Seuls les premiers pas sont difficiles ; avec le temps vous vous habituerez au célibat. Vous n'avez fait aucune rencontre depuis des années et la première personne que vous avez invitée a refusé. Vous courez les soirées réservées aux célibataires. Vous avez l'air tellement apeuré que personne ne vous invite à danser. D'ailleurs vous préférez cela, car vous avez trop peur pour approcher qui que ce soit. Tout contact avec les personnes de l'autre sexe vous intimide comme votre première boum de lycée et vous espérez que personne ne vous fera de proposition. D'ailleurs vous finissez par rester chez vous pour être sûr de ne pas avoir à faire face à des invitations auxquelles vous ne saurez répondre.

Quel doit être le comportement d'un adulte qui n'a pas connu d'aventures pendant des années ? Les habitudes ont changé depuis votre adolescence. Aujourd'hui, c'est à vous de choisir les règles du jeu, mais vos sentiments sont confus et vous ne pouvez vous y fier. Vous enviiez autrefois les célibataires pour leur liberté — que ne donneriez-vous aujourd'hui pour retrouver la sécurité du mariage !

Nous allons franchir cette étape ensemble. Ensuite vous serez plus à l'aise ; vous aurez décidé quelle attitude adopter et surmonté confusion et incertitude. Vous serez capable de vous exprimer librement et d'avoir des rendez-vous avec une personne du sexe opposé. Vous découvrirez peut-être une sensation de liberté que vous n'avez pas connue à l'adolescence, une période à laquelle vous vous limitiez à faire ce que l'on attendait de vous — ou tout le contraire.

« Je suis content que tu me poses la question ! »

Dans mes séminaires d'après-divorce, la sexualité est abordée au cours de la dernière séance ; non pas pour garder le meilleur pour la fin mais pour laisser le temps aux participants de s'habituer au groupe avant d'évoquer des problèmes délicats. Pour leur faciliter la tâche, je leur demande d'écrire les questions qu'ils n'ont jamais osé poser aux hommes ou femmes au sujet de la sexualité. Bien sûr, l'anonymat de chacun est préservé ; les questions sont lues par l'animateur de la séance. Elles ont permis de mieux cerner les problèmes que rencontrent les divorcés.

Les personnes dont le divorce est récent demandent souvent : 1) « Qu'est-ce qui vous attire chez les personnes du sexe opposé ? » ; 2) « Qu'appelez-vous "sortir" ? Je déteste le mot "rendez-vous" ! » ;

3) « Comment signifier à la personne avec qui j'ai rendez-vous que je ne souhaite pas de relation trop sérieuse ? »

Plus tard, elles demandent : 1) « Que pensent les hommes des femmes qui acceptent rapidement d'avoir des relations sexuelles ? » ; 2) « Les femmes aiment-elles avoir plusieurs partenaires sexuels ? » ; 3) « Pourquoi les hommes ne rappellent-ils plus après la première nuit ? » ; 4) « Je refuse d'avoir des relations sexuelles avant le mariage ; accepteriez-vous de sortir avec moi ? »

Les changements en matière de mœurs qui résultent de l'évolution du statut des hommes et des femmes créent de nombreuses difficultés : 1) « Que pensent les hommes des femmes qui les draguent ? » ; 2) « Que veulent les femmes ? Je m'empresse d'ouvrir la porte à l'une et elle se fâche, la suivante s'irrite presque de mon manque de spontanéité à le faire. Que suis-je supposé faire ? » ; 3) « J'aime faire des compliments aux femmes avant de leur proposer de sortir avec moi. Cette semaine, une femme “libérée” m'a déclaré que j'avais de belles jambes et m'a proposé de sortir avec elle. Comment dois-je réagir ? » ; 4) « Qui doit régler l'addition ? » ; 5) « Qui est responsable de la contraception ? » 6) « Suis-je le seul à être mal à l'aise à l'idée d'utiliser un préservatif ? »

Les questions concernant les enfants sont également délicates : 1) « Qui paie la baby-sitter ? » ; 2) « Qui reconduit la baby-sitter ? » ; 3) « Que pensez-vous des personnes qui passent la nuit chez leur partenaire quand les enfants sont à la maison ? » ; 4) « Mes enfants refusent que je sorte. Que dois-je faire ? » ; 5) « Que répondre à ma fille qui me demande de rentrer tôt ? » ; 6) « Que dois-je faire lorsque ce sont ses enfants qui m'ouvrent la porte et la referment aussitôt en voyant que c'est moi qui ai sonné ? »

La plupart des divorcés craignent le Sida et les maladies sexuellement transmissibles (MST) : 1) « J'aimerais avoir une relation sexuelle mais j'ai très peur des MST. Comment éviter la contamination ? » ; 2) « Comment découvrir si une personne est ou non porteuse du virus du Sida avant d'avoir des relations sexuelles avec elle ? » ; 3) « Qu'est-ce que l'herpès ? Est-ce vraiment dangereux ? »

Les divorcés se posent de nombreuses questions au sujet de la sexualité et c'est normal. Ces questions traduisent leur anxiété. Le cas de Marie-France l'illustre parfaitement : « J'ai eu un grand choc la semaine dernière quand je me suis rendu compte que j'allais avoir quarante ans, que j'étais divorcée et que je risquais de ne plus jamais avoir d'aventure ! »

Avancez pas à pas

J'éprouve des difficultés à rencontrer des femmes. D'une part, je pense que le sexe est important pour le développement personnel et d'autre part, je me sens coupable d'avoir des relations sexuelles hors mariage. Que dois-je faire ?

Pierre-Emmanuel

À ce stade du voyage, vous souhaitez choisir votre propre chemin. Nous avons tous des principes qui déterminent en grande partie la voie que nous empruntons. Ces questions sont délicates, car il faut non seulement trouver la force d'avancer mais aussi décider de la route à suivre et il se peut que vous hésitiez par manque de confiance. Ne vous pressez pas et assurez-vous que le sentier que vous choisissez vous convient. Vous pourrez encore changer en cours de route mais il est préférable de ne pas gaspiller son énergie à essayer des comportements que l'on réprouve.

L'étape de la sexualité se divise en trois phases et chaque phase nous affecte différemment à mesure que nous progressons.

Vous avez connu une bonne entente sexuelle avec un conjoint qui n'est subitement plus disponible. Vous devez vous adapter à la rupture du point de vue émotionnel et social tout en décidant de ce que vous allez faire de ces désirs insatisfaits.

« Pas ce soir, merci »

La première étape du processus s'accompagne d'un deuil profond et d'un *manque d'intérêt* pour le sexe, voire d'une impuissance réelle. Les femmes sont souvent indifférentes et les hommes souffrent d'impuissance. Vous éprouvez une souffrance émotionnelle intense et votre manque de désir ou votre impuissance accentue encore cette douleur. De nombreuses personnes m'ont confié avoir énormément souffert et cette découverte a accru leur désarroi ; elles ont été très soulagées d'apprendre que ce manque d'intérêt ou cette impossibilité à satisfaire son désir sont parfaitement normaux.

« C'est fou ce que j'y pense »

J'ai ressenti une telle excitation sexuelle après mon divorce que je téléphonais à des amis pour leur demander quoi faire. Il était hors de question pour moi d'avoir des relations hors mariage.

Marcelle

Vers la fin de l'étape de la colère, il est courant de traverser une telle période d'impuissance sexuelle. Immédiatement après cela, vous passerez probablement d'un extrême à l'autre et éprouverez un désir intense qui dépassera tout ce que vous avez connu. Ce qui est effrayant c'est que vous vous sentiez incapable de le réfréner. Marcelle parle de cette phase comme d'une « torture délicieuse ». Vos besoins et vos désirs sexuels seront si effrénés à ce stade qu'il est important de bien comprendre ce qu'ils recouvrent.

Il y a entre autres en vous à ce moment-là le besoin de prouver que vous êtes « OK » au plan personnel et sexuel. Vous êtes tenté de franchir toutes les étapes et de retrouver un nouvel équilibre grâce au sexe ; vous risquez de ce fait d'adopter une conduite quelque peu compulsive. Vous souhaitez vaincre la solitude, vous sentir aimé, améliorer votre estime personnelle, surmonter la colère, vous faire des amis... Toutes ces motivations se concentrent dans votre désir sexuel, comme si votre corps essayait de guérir par le sexe uniquement.

Les aventures d'une nuit sont très courantes à ce stade de la reconquête de votre vie. Le cinéma et la littérature nous en offrent maints exemples. Le besoin de sortir et de prouver que vous êtes « OK » vous poussera au point même peut-être d'expérimenter ce vous n'aviez jamais osé.

Il est normal que le besoin de contact physique soit très intense à ce moment. Il devient plus pressant au fur et à mesure que vous traversez la période de l'après-divorce. Le contact physique est très bénéfique ; vous en receviez certainement si vous étiez capable de chaleur et d'intimité dans le couple. Depuis la rupture, vous en êtes privé. De nombreuses personnes tentent de combler ce manque de contact par les rapports sexuels sans comprendre qu'il appelle en fait une réponse différente. Cependant, même si le besoin de contact et le désir sexuel diffèrent, vous pouvez satisfaire vos envies sexuelles par le contact physique.

Les besoins de la phase d'excitation sexuelle peuvent en effet être satisfaits autrement que par le sexe. Si vous prenez conscience qu'ils traduisent votre envie de vous assurer que vous êtes « OK » et de conforter votre estime personnelle, vous pouvez vous attaquer à ce problème directement. Travailler votre identité et votre confiance en vous, comprendre que vous êtes digne d'amour et capable de surmonter la solitude vous aideront à vous libérer de ces tensions. Se faire câliner, recevoir de la tendresse physique est aussi très bon pour le moral. Les gestes de tendresse favorisent au plus haut point notre épanouissement.

Les divorcés sont, par ailleurs, généralement considérés comme des proies faciles. C'est d'ailleurs peut-être la phase dont nous venons de parler qui leur vaut cette réputation.

Le retour à la normale

> *Lorsque nous étions mariés, nos relations sexuelles n'étaient pas très bonnes. Nous nous sommes séparés et avons connu, chacun de notre côté, des aventures. Quand nous nous sommes retrouvés, nous avons été très surpris de constater que notre entente sexuelle s'était améliorée. Nous étions comme libérés.*
>
> Hugues et Gilberte

La phase d'excitation fait finalement place au troisième stade : vous retrouvez votre *sexualité normale*. La phase d'excitation est souvent tellement intense que la plupart des personnes sont soulagées lorsqu'elles renouent avec la routine !

Tout le monde ne traverse pas ces trois phases. Certaines personnes ne connaissent jamais la phase de désintérêt total et d'autres ne sont jamais atteintes par la phase d'excitation. Toutefois, elles sont assez habituelles et il faut donc être capable de les identifier.

Dans le premier temps, nous agissons comme nous le *devons* ; nous entrons ensuite dans la phase où nous faisons ce que nous *souhaitons*. De nombreuses personnes qui entament le processus du divorce découvrent leur véritable personnalité, leur vraie nature, dans la liberté sexuelle. Et ce n'est pas désagréable !

D'autres, et parfois les mêmes, qui étaient restées fidèles à leur conjoint dans le mariage, par habitude ou par conviction, font preuve d'une véritable boulimie sexuelle, une fois leur couple volé en éclat. Généralement, elles choisissent ensuite de rester fidèles à nouveau. Ce processus a donc un impact important sur les relations futures. Le besoin d'expériences sexuelles diminue dès lors que l'on atteint la troisième phase, celle du réengagement volontaire et conscient dans un lien amoureux stable. Tant que la fidélité est forcée, nous sommes tentés de briser l'interdit. Mais dans la troisième phase, nous sommes devenus plus responsables de nos décisions, de nos valeurs et de notre couple et sommes moins tentés par les aventures sans lendemain.

Il y a pas que cela dans la vie

> *Jusqu'ici j'avais été d'accord avec vous, mais je suis complètement contre votre théorie sur les aventures sexuelles facilitant le développement personnel. Le sexe est sacré et ne peut avoir lieu qu'entre deux personnes unies par les liens du mariage.*
>
> Père Jean-Michel

Pour l'avoir nié trop longtemps, notre culture accorde trop d'importance au sexe, ce qui a provoqué certaines distorsions. Les campagnes publicitaires en abusent pour augmenter les ventes. Nous vivons un culte de la jeunesse, du bonheur et de la sexualité. Cette omniprésence fausse nos comportements sexuels dans le couple.

La spiritualité est généralement absente de la façon dont nous représentons habituellement la sexualité. Or le sexe est un moyen par lequel nous pouvons dépasser nos modes d'expression ordinaires pour exprimer notre amour et notre attention à la personne que nous aimons d'une manière extrêmement totale et pleine. Nous devenons par lui plus que ce que nous sommes, plus que l'instant ; nous vivons un certain au-delà de notre réalité quotidienne. La dimension spirituelle existe dans la sexualité comme elle existe quand nous surmontons notre colère, quand nous mettons toute notre âme à communiquer, quand nous apprenons à aimer, quand nous acceptons et voulons vivre totalement en homme et femme capables d'émotions. Dans cette perspective, la sexualité peut être vécue et considérée comme une merveilleuse preuve d'amour et de tendresse.

Dans nos cultures, nous avons inscrit l'activité sexuelle dans le cadre restreint du mariage. Mais cette contrainte est ambiguë. De nombreux divorcés sont extrêmement surpris d'apprendre qu'il est possible d'avoir des relations sexuelles très satisfaisantes hors mariage et d'autres s'en sentent coupables. D'autres encore bornent leurs interrogations et leur code moral au moyen de contraception utilisé et à la non-propagation de germes ou de virus.

Nous devons prendre conscience que la sexualité est plus que l'expression de la vitalité de notre corps mais un bienfait dont nous sommes dépositaires pour partager et communiquer. Il nous faut l'inclure dans nos valeurs morales comme un mode d'expression et d'épanouissement de notre personnalité, comme de celle de notre partenaire sexuel, et nous comporter en adulte respectueux de l'autre, responsable, accompli et humain.

Chaque personne doit aussi développer une moralité sexuelle conforme à ses valeurs, à sa personnalité, à son passé, à ses comportements et à ses prises de conscience. De nombreuses personnes choisissent de ne pas connaître de relations sexuelles en dehors du mariage. D'autres estiment que les aventures sexuelles leur permettent de dépasser la phase de l'excitation et de guérir. Chacun fait ce qu'il croit approprié à son cas.

J'ai remarqué que les divorcés préfèrent généralement avoir des relations sexuelles avec un seul partenaire à la fois et c'est une décision qui peut se révéler très positive pour eux. Il apparaît clairement qu'ils souhaitent généralement que ces relations reposent sur une entente émotionnelle. Quand deux personnes communiquent bien, se font mutuellement confiance, se comprennent et se respectent, elles peuvent avoir des relations sexuelles épanouissantes. Si vous êtes capable d'avoir des relations sexuelles de cette qualité, je pense que vous serez moins tenté de connaître des aventures extraconjugales lorsque vous vous remarierez.

Peut-on parler ouvertement du sexe ?

Voyons quels sont les problèmes que vous risquez de rencontrer en tant que célibataire après la séparation. De nombreuses femmes se plaignent du fait que les hommes ne pensent qu'à les attirer dans leur lit. C'est un cliché véhiculé de salon en salon. Pourtant, rares sont les divorcés — des deux sexes — que des relations sexuelles fortuites, occasionnelles et exemptes de respect mutuel intéressent vraiment. Malheureusement, dans notre société, de nombreuses personnes sont encore incapables d'avoir des relations amicales avec les personnes de l'autre sexe, même celles avec lesquelles elles sortent. Les rapports sexuels sont souvent leur seul moyen de communiquer et — reconnaissons-le — cela procure beaucoup de plaisir. Néanmoins, il est possible de bâtir d'autres formes de relations et votre vie sera meilleure si vous êtes capable d'élargir l'éventail de vos relations avec les autres. Par exemple, nous avons parlé dans le chapitre précédent de la façon de nouer avec des personnes de l'autre sexe des amitiés qui ne soient ni romantiques, ni sexuelles.

Les questionnaires que je fais remplir aux participants à mes séminaires révèlent qu'hormis les problèmes de couple qui viennent en première place, hommes et femmes choisissent des sujets de discussion différents. Les femmes optent presque toujours pour la sexualité alors que les hommes désirent parler d'amour. C'est étonnant car cela va à l'encontre des stéréotypes ; en outre, les femmes évoquent volontiers leur sexualité. Vincent m'a confié qu'entendre des femmes parler aussi librement pendant plusieurs heures l'avait empêché de dormir.

Je suis et reste convaincu que la franchise est une bonne chose. (Souvenez-vous du chapitre 13, dans lequel nous avons vu que le fait de se montrer tel que l'on est favorise la communication.) Par le passé, la sexualité a été un sujet tabou ; il était impossible d'en parler, si bien qu'elle est restée un phénomène insaisissable. Aujourd'hui, nous montrant plus ouverts, nous pouvons comprendre et épanouir nos comportements sexuels au même titre que toute autre émotion.

La franchise dans ce domaine est très libératrice. Les divorcés sont capables de parler ouvertement de la sexualité dès le début de la relation sans recourir à des astuces pour savoir si l'aventure finira dans un lit. De nombreuses relations que vous connaîtrez n'auront rien de sexuel. Parlez-en pour permettre à la relation de suivre son cours sans avoir à recourir aux stratagèmes qu'entraîne le manque de transparence.

Si vous venez d'entamer le processus de guérison et que vous craignez d'avoir des relations sexuelles, parlez-en. Dites à votre compagnon que vous désirez mieux le connaître mais que vous êtes incapable de dépasser le stade de l'amitié. Vous serez surpris de l'accueil favorable réservé à ce genre d'aveu. La plupart des gens l'acceptent très bien parce qu'ils ont également connu la période d'après-divorce et les sentiments qui la caractérisent.

Ne pas se laisser abuser par autrui

Les personnes seules souffrant de leur solitude constituent un problème supplémentaire pour les individus fraîchement divorcés. Elles aggravent les difficultés que leur posent leur sexualité parce qu'elles cherchent désespérément quelqu'un à vampiriser. Celui (ou celle) qui se montre généreux et attentif risque d'être tenté d'aider son entourage, y compris sur le plan sexuel.

Si vous avez tendance à être *trop compatissant*, il vous faudra faire preuve d'égoïsme et apprendre qu'il n'est pas possible de satisfaire quiconque paraît être seul et dans le besoin. Vous devez commencer par vous occuper de vous-même sans profiter d'autrui et sans laisser à d'autres la possibilité de profiter de vous. Réconciliez-vous avec vous-même, épanouissez-vous, affrontez votre propre solitude et prenez soin de vous. Cela vous permettra de consolider vos relations futures et d'aider les personnes dont les besoins sont authentiques.

Us et coutumes : le savoir-vivre

Quel comportement adopter? Voilà un problème majeur pour les personnes qui ont divorcé récemment. Vous vous sentez peut-être comme un adolescent perdu et ignorant. De grands changements sont intervenus en ce qui concerne la sexualité ; ils se traduisent souvent par une libération des mœurs en matière d'approche amoureuse. Cette liberté peut être difficile à assumer si nous ignorons qui nous sommes vraiment. Autrefois il fallait respecter certaines conventions. Aujourd'hui nous devons définir nos propres règles. L'honnêteté, la franchise envers soi-même et les autres, l'expression juste de ce que l'on est sont des exigences parfois plus difficiles à respecter que le cadre strict des règles du savoir-vivre d'autrefois.

Le statut des hommes et des femmes a également subi de profondes transformations ; les femmes prennent désormais davantage d'initiatives. On attend d'elles un comportement plus actif, ce qui peut être déroutant tant pour elles que pour les hommes. Les femmes me demandent souvent comment les hommes réagissent quand ce sont elles qui font les approches ; or ils répondent qu'ils trouvent cela extrêmement libérateur. Ils craignaient constamment le rejet à l'époque où l'initiative leur revenait entièrement ; ils aiment voir les femmes accepter de prendre ce risque. Ils disent en être soulagés.

Malgré ce discours, les femmes « qui osent » rapportent qu'en réalité les hommes se sentent alors menacés. Il semble que, quoi qu'ils en disent, les hommes soient encore mal à l'aise dans ce type de situation : capables de l'accepter *intellectuellement*, ils éprouvent *émotionnellement* des difficultés à admettre qu'une femme soit entreprenante.

Les femmes de leur côté se montrent aussi peu sûres d'elles : bien qu'elles souhaitent faire des propositions aux hommes, elles manquent souvent de courage et, lorsqu'il s'agit de passer à l'acte, les vieux interdits reprennent le dessus. Elles sont confrontées à un double problème : il leur faut d'une part s'habituer au célibat et d'autre part accepter un changement dans leur identité sociale en tant que femme. Il n'est pas facile après une rupture de renoncer aux vieilles habitudes et d'essayer de nouveaux modes de vie. Pourtant, c'est le moment ou jamais : votre existence est bouleversée, pourquoi ne pas essayer d'en changer le sens ?

De telles mutations déstabilisent les rapports entre les sexes. Les femmes aiment pouvoir partager l'addition au restaurant, car elles ne se sentent pas alors obligées de la rembourser au lit. Elles apprécient de pouvoir réagir au sexisme par l'humour en complimentant un homme sur sa beauté. Certaines femmes vont jusqu'à montrer aux hommes comment on se sent quand on vous a utilisé sexuellement : elles acceptent une aventure, après quoi elles se lèvent, se rhabillent et rentrent chez elles.

L'ensemble de ces changements favorise l'égalité des sexes et tend à permettre aux humains de se montrer tels qu'ils sont. Ils s'effectuent cependant à la manière d'un pendule. Dans les années 1960, 1970 et au début des années 1980, la tendance était à la libéralisation des mœurs et à l'égalité des sexes. Depuis le début des années 1990, ce mouvement s'est inversé et certaines valeurs traditionnelles refont surface. Le chemin est semé d'embûches, car toute révolution provoque incertitude et confusion. Plus que jamais, il est nécessaire de bien se connaître, d'adopter des valeurs morales favorisant l'accomplissement de soi et des autres et de s'y conformer.

Soyons prudents

De nos jours, l'irresponsabilité en matière de prévention est devenue une affaire de vie ou de mort et d'atteinte à l'intégrité physique d'un individu. La peur de l'herpès avait déjà modifié nos habitudes sexuelles depuis dix ans. Le Sida (syndrome immuno-déficiencitaire acquis), pratiquement inconnu il y a quelques années, a considérablement modifié les comportements sexuels de nos contemporains. Le nombre de malades atteints du Sida est en constante augmentation. Nous devons tous contribuer à empêcher la propagation des virus du Sida, de l'herpès, de l'hépatite B et des autres maladies sexuellement transmissibles (MST).

La prévention est un problème sanitaire et social important. Nous vous invitons à tenir compte des faits exposés ci-après :

- Les relations sexuelles constituent une activité humaine fondamentale, normale, positive, personnelle, intense et hautement valorisante. Bien que les pratiques sexuelles soient régies par des considérations sociales, religieuses et juridiques, les personnes et les couples sont libres de s'y conformer ou de les rejeter.
- Une activité sexuelle responsable nécessite une bonne information et une connaissance de la sexualité, de la contraception et des moyens de protection contre les maladies sexuellement transmissibles dont fait partie, entre autres, le Sida.
- Les maladies sexuellement transmissibles telles que le Sida, différentes formes d'herpès, l'hépatite B et d'autres maladies vénériennes sont graves et représentent à l'heure actuelle un danger de mort pour vous, votre partenaire et tous vos futurs partenaires à tous les deux. La santé publique à l'échelon mondial est de ce fait actuellement mise en péril.
- La prévention permet de minimiser les risques de transmission des MST et exige que l'on prenne les précautions suivantes :
  - Rester fidèle à un partenaire unique dont on est sûr, ou *se plier à l'ENSEMBLE des exigences suivantes :*
  - Se faire examiner régulièrement par un médecin.
  - Utiliser constamment un préservatif (accompagné de préférence d'un spermicide) pendant les rapports sexuels.
  - Connaître et éviter les comportements à risques concernant les MST (injection de drogues par voie intraveineuse, population à haut risque, etc.).
  - Parler ouvertement et honnêtement de ses habitudes et de ses préférences sexuelles avec ses partenaires éventuels.
  - Ne pas changer de partenaire trop souvent.
- Chaque personne, qu'elle soit ou non mariée, a le droit de choisir son mode d'expression sexuel, pour autant qu'elle s'adresse à des adultes consentants et qu'elle s'abstienne de nuire à quiconque que ce soit au plan physique ou au plan psychologique.
- Nul ne peut être contraint à avoir des relations sexuelles, y compris au sein d'un couple.

Les risques d'infection par le virus du Sida nous concernent tous, qui que nous soyons, contaminés ou non. *Nous sommes tous responsables de ce que nous faisons.* Seules les mesures de prévention suivantes peuvent nous protéger et protéger les autres :

- Le Sida se transmet de deux manières : soit par les rapports sexuels oraux, anaux ou vaginaux avec une personne infectée soit par l'utilisation d'aiguilles et de seringues usagées employées par une personne infectée.

- Les risques de contamination sont proportionnels au nombre de partenaires sexuels.
- Le Sida ne s'attrape pas par les contacts quotidiens : piqûres de moustique, salive, transpiration, larmes, urine, selles, baisers, vêtements, téléphone, lunette des WC.
- Une personne infectée peut ne présenter aucun symptôme.
- Le virus du Sida peut être présent dans le corps pendant des années avant que les symptômes n'apparaissent.
- Outre l'abstinence sexuelle, les préservatifs constituent la meilleure forme de protection.

Les comportements à risques sont :

- Le partage d'aiguilles et de seringues.
- Les rapports anaux, avec ou sans préservatif.
- La pénétration vaginale ou orale avec une personne consommant de la drogue par voie intraveineuse ou pratiquant des rapports anaux.
- Les relations sexuelles avec un inconnu (personne de passage ou prostituée) ou avec une personne dont vous savez qu'elle a (ou pensez qu'elle a) des partenaires multiples.
- Les relations sexuelles sans préservatif avec une personne infectée.

Les comportements sans risque sont :

- L'abstinence.
- Les relations entre partenaires mutuellement fidèles et non infectés.
- L'absence de consommation de drogue par voie intraveineuse.

Si vous connaissez suffisamment bien une personne pour avoir des relations sexuelles avec elle, vous devez pouvoir lui parler du Sida. Si la personne n'est pas disposée à en parler, abstenez-vous.

•

Nous devons aborder le problème de la prévention avec nos partenaires potentiels, même si cela est difficile. Nous devons nous montrer responsables de notre sexualité et de nos choix. Le Sida fait actuellement plus de morts aux États-Unis que les accidents de la route. Une fois contaminé, vous ne pouvez plus revenir en arrière.

Nous sommes tous concernés par cette lutte, c'est pourquoi j'ai souhaité rappeler les conseils en matière de prévention. Je vous invite à réfléchir à la manière dont ils s'appliquent à votre cas.

Relations sexuelles et nouveaux divorcés

La sexualité aujourd'hui est-elle très différente de ce qu'elle était du temps de votre jeunesse? Elle n'est plus un sujet tabou et permet à chacun de s'exprimer comme il le souhaite. Elle ne suit plus les mêmes rites conventionnels qu'autrefois, quand on «faisait la cour». Pour être capable de rencontrer des célibataires, vous devez apprendre à exprimer qui vous êtes, à communiquer et à être proche des autres sans adopter de comportements stéréotypés. En d'autres termes, il faut apprendre à rester vous-même quand vous êtes en compagnie d'autres personnes, y compris vos partenaires sexuels. La sexualité a toujours été une étape importante de la libre expression et du développement personnel.

Les enfants et la sexualité

Les enfants du divorce doivent aussi traverser l'étape de la sexualité. Leurs parents sont séparés et ils doivent trouver de nouveaux repères en matière de sexualité pour pouvoir devenir à leur tour des hommes et des femmes adultes et épanouis.

Il peut être très difficile pour des enfants de voir leurs parents s'engager dans une nouvelle relation amoureuse. Les enfants pressentent l'existence d'une relation d'ordre sexuel. (Je suis convaincu que les enfants sont, plus que nous ne le pensons, conscients du fait que leurs parents entretiennent des relations sexuelles ou non.) Que font les enfants de personnes en pleine phase d'excitation dont les comportements sont on ne peut plus clairs? Comment perçoivent-ils ce changement d'attitude?

Vous ne serez guère surpris si je vous invite à leur en parler! Ici encore, bien communiquer est crucial. Les parents qui parlent *franchement et ouvertement* de la sexualité avec leurs enfants se facilitent grandement la tâche et aident également leurs enfants. Bien que ces derniers traversent une période angoissante et déstabilisante, ces transformations peuvent leur servir de base d'apprentissage. Les enfants seront ainsi mieux en mesure de comprendre la sexualité en général, et la leur en particulier, à travers le travail de maturation effectué par leurs parents au cours de cette étape.

Les enfants peuvent trouver également des modèles parentaux auprès de leurs amis, de leurs grands-parents et des amis et amies de leurs parents. Un adolescent m'a avoué qu'il fréquentait davantage d'adultes et qu'il était plus attentif à leurs comportements depuis le divorce de ses parents.

Comment allez-vous ?

Nous avons fait du chemin dans ce chapitre sans pour autant pouvoir clore le sujet. La sexualité est souvent un rocher très glissant pour les divorcés ; c'est pourquoi il faut vous assurer que ces questions sont réglées avant de poursuivre votre lecture. Voici quelques affirmations qui vous permettront d'évaluer vos progrès.

1. *Je suis à l'aise quand je sors en compagnie d'un partenaire potentiel.*
2. *Je connais et suis capable d'expliquer mes valeurs morales et mes comportements.*
3. *Je me sens capable d'avoir des relations sexuelles enrichissantes et épanouissantes si les circonstances s'y prêtent.*
4. *Je me sentirais à l'aise dans l'intimité d'un nouveau partenaire sexuel.*
5. *Mes comportements sexuels et mes valeurs morales sont cohérents.*
6. *Je suis actuellement satisfait du tour que prend ma vie privée.*
7. *J'aimerais que mes enfants se conduisent moralement comme je le fais maintenant.*
8. *Je suis convaincu que la sexualité est le reflet des valeurs morales personnelles de chacun d'entre nous. Ma sexualité l'est.*
9. *Je suis satisfait de la manière dont je réponds à mes besoins sexuels.*
10. *Je suis responsable de mes relations avec autrui.*
11. *J'ai appris que les comportements sexuels des hommes et des femmes sont plus semblables que différents. Il en est de même pour leur code moral.*
12. *Je me sens à l'aise en compagnie d'une personne du sexe opposé.*
13. *Je me sens suffisamment en sécurité pour faire ce que je veux même si l'on attend autre chose de moi.*
14. *Je ne me laisse pas dominer par mes envies dans la phase d'excitation.*
15. *Je réponds d'une façon qui convient aux besoins que provoque la phase d'excitation.*
16. *Je comprends et j'accepte que de nombreuses personnes n'éprouvent aucun désir et puissent souffrir d'impuissance si elles souffrent.*
17. *Je reçois suffisamment de contact physique agréable chaque semaine.*

18

LE CÉLIBAT
« Il n'y a donc rien de mal à cela ? »

Au cours de la phase de célibat, vous investissez dans votre développement personnel plutôt que dans vos relations. Vous reprenez confiance en vous et êtes capable d'apprécier votre solitude et de profiter tranquillement et en toute liberté de la vie. Faites attention : certaines personnes s'installent dans le célibat par peur d'une nouvelle intimité amoureuse.

Je suis conscient du fait que vivre seul est une preuve de force intérieure et non un constat d'échec. Je suis à l'aise en société, je ne gaspille plus mon énergie à masquer ma véritable personnalité. Peu m'importe de savoir qui de nous deux était coupable, ou si j'aimerai à nouveau un jour; j'ai repris confiance en moi. Je suis heureux de vivre seul. Je n'aurais jamais cru cela possible.

Albert

Êtes-vous déjà parti en randonnée avec une personne qui préfère marcher seule ? Il arrive que l'on ait besoin de solitude pour réfléchir ou que l'on ait envie d'être seul un moment.

Vous remarquerez que de nombreuses personnes poursuivent seules l'ascension. Elles se sentent suffisamment sûres d'elles et préfèrent progresser à leur rythme plutôt que de se mêler à la foule. Elles ont fait ce choix pour se réserver du temps. J'ai baptisé cette phase *l'étape du célibat.*

Avez-vous déjà vraiment vécu seul ?

De nombreuses personnes n'ont jamais appris à vivre seules. Ayant quitté leur parents pour se marier, elles n'ont jamais pensé qu'elles pourraient être heureuses en vivant seules, croyant que le mariage faisait le bonheur.

Mona a vécu chez ses parents jusqu'à son mariage avec Paul. Elle s'est efforcée de s'entendre avec son père et a fait de même avec son mari. Lorsqu'il lui a annoncé qu'il voulait la quitter, elle s'est accrochée à lui parce qu'elle était terrifiée à l'idée de vivre seule. Elle n'avait jamais appris à être en paix avec elle-même. Comme elle n'avait jamais cessé de dépendre d'autrui, l'indépendance lui faisait peur tout en la stimulant. Elle trouvait ridicule, à vingt-cinq ans, de ne pas savoir ce qu'elle voulait faire de sa vie.

Elle s'est finalement faite au célibat petit à petit. Au début, elle a tenté de s'appuyer sur d'autres relations. Puis, plus elle prenait confiance en elle, plus elle profitait de sa liberté. Elle retapissa les murs d'une pièce, scia et construisit une palissade dans le jardin ; elle invita ses voisins chez elle, s'enhardit jusqu'à aller seule au cinéma un jour où Paul gardait les enfants et prit même plaisir à héler la vendeuse de « chocolats-bonbons-crèmes glacées » pour avoir un esquimau. Elle prit goût à l'indépendance et finit par devenir un parfait exemple de personne vivant seule dont la vie est riche et réussie.

Emmanuel a fait la même expérience. Élevé dans le giron maternel, il n'avait jamais dû se préoccuper du repassage, des repas ou autre tâche ménagère. Il se consacrait à ses études, à ses activités extra-scolaires et aux copains. Devenu étudiant, il emménagea à la cité universitaire. Il prenait ses repas au réfectoire et apportait son linge sale à sa mère. Quand il épousa Martine ce fut elle qui se chargea de l'intendance. Il se croyait indépendant et n'avait jamais mesuré à quel point il dépendait d'autrui ; son divorce le lui révéla. Incapable de faire cuire un œuf, il ignorait également comment faire la lessive et tous ses sous-vêtements prirent une jolie coloration rose le jour où il les lava en même temps que ses chaussettes rouges ! S'offrir les services d'un domestique est hélas au-dessus de bien des bourses !

Poussé par la nécessité, Emmanuel apprit donc à cuisiner et osa même un jour inviter une femme à dîner — elle trouva le repas délicieux. Ses vêtements reprirent forme quand il apprit à repasser ses chemises — un exploit dont il n'était pas peu fier. Il s'épanouissait à mesure qu'il apprenait à prendre soin de lui-même et chaque réussite était pour lui une victoire.

« Je ne suis plus l'ombre de moi-même »

Le célibat auquel je fais allusion ne se limite pas à réaliser ce que d'autres accomplissaient pour vous. Il s'agit d'un véritable style de vie. Sortir avec une personne du sexe opposé est un bon exemple. La même personne récemment divorcée qui me déclarait quelque temps auparavant qu'elle n'y arriverait jamais et qu'elle avait absolument besoin de trouver un nouveau conjoint, s'exclame souvent : « Pourquoi me remarier ? Je fais ce que je veux ; je mange quand cela me plaît et ne dois tenir compte de personne. C'est formidable de vivre seul ! »

Avant d'avoir atteint ce stade, nous cherchions désespérément une « moitié ». Maintenant, nous sommes bien dans notre peau. Nous n'avons plus besoin de l'autre pour nous estimer accomplis. La qualité de nos relations s'en ressent et si nous choisissons de voir une personne, c'est pour le plaisir de la rencontrer et non parce que nous souffrons d'un manque. Nous sommes capable de profiter de la compagnie agréable d'autrui sans pour autant faire de projets d'« avenir à deux ».

« *Je me sens très bien tout seul* »

L'une des tâches assignées aux participants à mes séminaires est de développer de nouveaux centres d'intérêt. De nombreuses personnes ont toujours meublé leur temps libre avec des passe-temps imposés par leur conjoint ou hérités de leurs parents. Elles doivent désormais découvrir leurs propres envies ou entreprendre ce dont elles rêvent depuis toujours : apprendre la guitare, chanter, peindre, conduire une voiture ou pratiquer un sport. Les participants finissent par découvrir ce qu'ils ont eux-mêmes plaisir à faire sans se plier aux activités et aux goûts d'autrui.

Quand nous sommes seul, nous devons nous comporter en adulte responsable. Et, parce que les rôles que nous adoptons en société sont en contact étroit avec notre réalité intérieure, nous nous transformons intérieurement à mesure que nous modifions nos comportements. Un environnement sentimental neutre facilite les changements, externes et internes. Devoir vivre une période de célibat est propice aux changements que nécessite le développement personnel. C'est une période charnière de notre vie ; nous apprenons à nous tenir debout seul et prenons conscience de notre identité.

Est-ce si bien de vivre seul ?

Cette étape n'est bien entendu pas toujours facile ! Les recherches ont montré que les célibataires rencontrent de nombreuses difficultés tant au plan de l'avancement professionnel que dans les relations amoureuses, où ils sont considérés comme des proies faciles. Les femmes célibataires risquent d'en souffrir sur leur lieu de travail. La législation et les mesures sociales favorisent les personnes vivant en couple. La vie économique aussi est axée sur le couple. Voyager seul coûte toujours plus cher, etc.

Les discriminations rencontrées peuvent aussi être d'un autre ordre. Chantal explique que lorsque ses enfants fréquentaient le catéchisme, le professeur leur avait demandé de dessiner leur famille. Son fils s'était représenté entouré de sa mère et de sa sœur.

Son professeur l'avait contraint à y ajouter un homme. Chantal avait été voir le professeur pour discuter avec lui de cet incident et de son impact sur son fils et elle-même. Laure avait assisté à un office religieux le jour de la fête des mères : le sermon avait porté sur l'amour conjugal ! Elle s'était sentie exclue en tant que mère et en avait souffert. Elle a écrit au prêtre en lui expliquant ses difficultés. Comme Chantal et Laure, faites part sans agressivité de vos sentiments quand vous vous sentez atteint dans votre identité. Ne laissez pas la rancœur s'installer en vous. Faites respecter votre situation familiale.

Les écoles posent aussi des problèmes aux parents célibataires. La présidente de l'association des parents d'élèves avait demandé aux parents du petit Lucien de s'occuper du stand de jeu de fléchettes. Son père, célibataire, avait répondu qu'il pouvait venir mais seul. La présidente lui a alors répondu qu'elle avait besoin de deux personnes et qu'elle allait s'adresser aux parents d'un autre enfant. Votre enfant risque de voir son père ou sa mère exclu des activités parascolaires.

Il est fréquent aussi qu'un professeur soit convaincu que tous les enfants à problèmes sont issus de familles monoparentales. Le niveau de votre enfant baisse ? Il vous est aussitôt signifié qu'il soufre d'un manque d'attention. Votre fille a, paraît-il, un comportement anormal avec les garçons et l'on vous fait comprendre qu'elle ne fait que refléter votre propre problème. Si vous saviez entretenir une relation « durable et permanente » avec un homme, elle ne serait pas comme cela. Vous êtes en colère, vous vous sentez vulnérable et sans défense. Que répondre ?

Il vous faut, comme Chantal et Laure, élaborer des réponses qui vous permettront d'affronter les formes les plus courantes d'ostracisme. En répondant avec fermeté, vous transmettrez des informations à vos interlocuteurs tout en préservant votre intégrité. Vous en éprouverez un grand soulagement et cesserez de vous indigner. Vous leur apprendrez également à regarder les autres différemment.

Voici un exemple qui vous aidera à trouver comment argumenter devant toute tentative de bannissement : la mère de la jeune fille manifestant un intérêt trop marqué pour les garçons et à qui le professeur avait suggéré de se remarier « pour le bien de sa fille » aurait pu tenir le discours suivant : « Vous avez raison ; vivre seule n'est vraiment pas toujours simple. D'ailleurs (ici vous citez quelqu'un de connu) n'a-t-il pas déclaré que les mères célibataires étaient de véritables héroïnes ? Mais ma fille et moi nous en sortons bien et je ne pense pas que ses résultats scolaires subissent le contrecoup de mon divorce. Je suis prête à collaborer avec vous en l'aidant à faire ses devoirs ou en lui faisant donner des cours particuliers. Que me proposez-vous concernant son travail ? Comptez-vous lui donner des devoirs supplémentaires ? »

Elle aurait ainsi refusé de se laisser déconsidérer et de permettre au professeur de s'immiscer dans sa vie privée. La mission de l'école aurait été recentrée sur ce qu'elle doit être : la coopération parent-professeur pour un bon résultat scolaire de l'enfant et non une mise en cause de la vie sentimentale du parent.

Célibat heureux ou mariage heureux ?

Il faut généralement une bonne dose de confiance en soi pour se sentir bien et épanoui en tant que célibataire. Si vous avez réussi à gravir toutes les pierres précédentes et êtes à nouveau capable d'attachement et d'ouverture aux autres, de confiance et d'amour, vous serez probablement en mesure de connaître le calme et la sérénité du célibat. L'attitude des autres sera peut-être difficile à supporter quelquefois mais vous serez suffisamment serein et sûr de vous pour résoudre ces problèmes. Tirez avantage des préjugés dont vous faites l'objet pour mieux asseoir encore et accroître votre force intérieure.

Le célibat peut être une étape déterminante de votre développement personnel car c'est un temps où l'on peut guérir d'anciennes blessures. N'avoir personne d'autre que soi-même pour justifier son existence et donner un sens à sa vie forge le caractère et apprend à bien se connaître.

Mais soyez prudent, car cette étape est parfois déstabilisante et déroutante. Si vous ne résolvez pas vos problèmes affectifs et ne tentez pas de voir clair en vous, vous risquez de vous servir du célibat comme d'une carapace. Déclarer ne vouloir jamais se remarier trahit tout le désarroi et le mal de vivre d'un célibataire malheureux dans son célibat. La peur de l'intimité, le refoulement des émotions et le dégoût du mariage indiquent qu'une personne est restée *bloquée sur sa souffrance*. Le véritable enjeu doit être de *choisir* entre un célibat ou une vie de couple épanouis et non de se crisper sur son célibat envers et contre tout.

Le célibat est en effet devenu une autre façon de vivre dans nos sociétés. Quand j'étais enfant, les célibataires étaient considérés comme des gens en marge dont personne n'avait voulu. Fonder un foyer était une preuve de civisme car la famille constituait la pierre angulaire de la société. Les temps ont bien changé : lors de l'une de mes conférences sur l'amour, une femme m'a demandé pourquoi je consacrais tant de temps aux problèmes du couple. N'était-il pas tout aussi justifié de parler de célibat ? Pourquoi considérer le couple comme un idéal ? Le fait que chaque année un million de divorces sont prononcés aux États-Unis renforce notre vision du célibat. Les divorcés, en nombre toujours plus grand, ont modifié les mentalités. Peut-être sommes-nous désormais capables de mieux accepter les différences. Espérons-le !

Les enfants et le célibat

Vivre seul est aussi une étape importante pour les enfants. Ils doivent apprendre à vivre une indépendance heureuse et épanouie avant de se marier à leur tour. S'ils peuvent comprendre l'importance d'une vie personnelle réussie, ils seront en mesure de vivre une relation de couple heureuse et épanouissante.

On devient un parent différent lors de l'étape du célibat. Au début du processus de guérison, les parents se remettent en question et souhaitent s'assurer qu'ils sont « OK », toujours séduisants, dignes d'amour et que leur compagnie est appréciée. Leurs enfants souffrent de cette situation car ils sont momentanément relégués au second plan. Lors de l'étape du célibat, les parents sont plus réceptifs et attentifs aux besoins de leurs enfants. Tout de suite après son divorce, Gabrielle s'était portée volontaire dans une association caritative par désir de se rendre utile. Quand elle atteignit l'étape du célibat, elle arrêta son bénévolat parce qu'elle voulait consacrer plus de temps à ses enfants. À cette étape du développement personnel, les parents parviennent à dépasser leurs besoins émotionnels.

Comment allez-vous ?

La forêt est derrière nous maintenant et le regard dépasse enfin la cime des arbres ; vous jouissez d'une vue dont l'horizon n'est plus limité. Vous pouvez regarder loin devant vous et admirer le monde extérieur dans toute son ampleur. Vous savez davantage qui vous êtes. Vous comprenez mieux votre entourage et vos interactions avec celui-ci. Vos options sont plus nombreuses : avant la crise, vous envisagiez la vie d'une façon plus étriquée. Vous êtes capable de comprendre des notions nouvelles. Vous approchez du sommet ! Vous allez bientôt pouvoir jouir de la beauté du panorama !

Voici une liste d'affirmations qui vous permettront de vérifier où vous en êtes.

1. *Je vis seul et cela n'est plus un problème.*
2. *Je peux être heureux tout en vivant en célibataire.*
3. *Je me sens à l'aise en société quand je sors seul.*
4. *Je considère que le célibat est un style de vie tout aussi acceptable que le mariage.*
5. *Je me sens une personne à part entière. Je ne suis plus une « moitié » à la recherche de son autre « moitié ».*
6. *Je consacre du temps à mon développement personnel au lieu de rechercher une nouvelle relation amoureuse.*
7. *Je recherche la compagnie de mes amis pour eux-mêmes, sans les considérer comme des partenaires potentiels.*
8. *Si j'ai des enfants et une famille, je passe du temps avec eux plutôt que de leur reprocher le temps que je leur consacre.*
9. *J'ai trouvé une paix intérieure et suis heureux en tant que célibataire.*

19

L'OBJECTIF
« J'ai des projets d'avenir maintenant »

Les personnes récemment séparées vivent dans le passé et dépendent d'autrui. Une fois le processus de divorce terminé, elles parviennent à vivre dans le présent et à faire preuve d'indépendance. Vous voilà prêt à planifier l'avenir en toute indépendance avec ou sans partenaire amoureux.

Quand je me suis inscrit au séminaire d'après-divorce, j'ai rêvé que je descendais une montagne en voiture et que je m'arrêtais au bord d'un précipice, trop terrifié pour bouger. À la fin du séminaire, j'ai rêvé que j'étais dans ma voiture tout au fond d'un gouffre mais qu'une rampe en béton me permettait d'en sortir.

Rémi

Regardez la piste derrière vous. L'escalade vous a-t-elle aidé ? Lorsque vous étiez au pied de la montagne, votre priorité était de survivre. Vous ne pensiez pas à l'avenir et viviez au jour le jour.

La situation a bien changé ! Cela n'a pas été facile mais aujourd'hui vous avez presque atteint le sommet et vous profitez d'un certain recul. Vous pouvez regarder derrière vous pour évaluer les progrès accomplis. Vous pouvez aussi regarder devant et vous fixer un objectif.

Pensez au passé, au présent et à l'avenir

Le traumatisme occasionné par le divorce nous conduit à analyser notre vie. Nous pensons au passé et croyons qu'il aurait pu être différent et que, si tout était à refaire, nous aurions agi autrement. Obsédés par ce que nous vivons, nous sommes incapables de faire des projets d'avenir.

Je vous propose de mettre un terme à ces réflexions et de surmonter votre chagrin : il est temps de penser à l'avenir et de vous fixer des objectifs. Si les souffrances émotionnelles que vous éprouvez sont encore trop importantes, il vous sera peut-être trop difficile de construire l'avenir. Si vous avez parcouru cet ouvrage trop rapidement, et que vous n'avez pas fait tout l'apprentissage émotionnel nécessaire, je vous propose de laisser ce chapitre de côté et de revenir en arrière.

Mes recherches ont montré que les personnes récemment divorcées ont une très faible estime d'elles-mêmes. D'autres recherches indiquent que celles qui ont subi la rupture, plus que les autres, passent beaucoup de leur temps à se remémorer le passé. Elles ont perdu toute foi en elles-mêmes et en l'avenir et vivent sans projet pour le futur. Elles sont comme devant les portes de *l'Enfer* de Dante et obéissent à l'injonction qui y est inscrite : « Toi qui entres en ce lieu, abandonne tout espoir. »

Si vous avez cependant vaillamment franchi les étapes précédentes, il est probable que vous êtes prêt à aller de l'avant. Ce chapitre vous permettra de tirer profit du chemin parcouru et de vous fixer des objectifs d'avenir.

Allons-y !

Déterminez vos objectifs à l'aide de votre ligne de vie

Voici un exercice qui vous aidera à analyser passé, présent et avenir. Commencez par tracer une ligne. Cette ligne de vie symbolise le temps et se trace de gauche à droite sur une feuille de papier. Les événements heureux et malheureux de votre vie doivent y être indiqués. (Vous trouverez ci-après un exemple de ligne de vie qui vous aidera à représenter la vôtre.)

Souvenez-vous que ce projet est destiné à vous seul, ce n'est pas une œuvre d'art ! Effacez et recommencez autant de fois que vous l'estimez nécessaire pour que cela signifie quelque chose pour vous ; voici comment procéder :

Procurez-vous une grande feuille de papier car plus vous aurez de place, mieux cela vaudra. Du papier d'emballage fait très bien l'affaire.

Quel âge avez-vous et combien de temps espérez-vous vivre ? Inconsciemment nous avons tous notre idée sur la longueur probable de notre vie. Certaines personnes ont l'impression qu'elles vont mourir à un âge avancé et d'autres sont persuadées qu'elles ne feront pas de vieux os. Prenez contact avec ce sentiment. Quelle espérance de vie vous accordez-vous ? Pensez à l'âge que vous avez maintenant, au chemin parcouru et au nombre d'années qu'il vous reste, d'après vous, à vivre. Si vous êtes convaincu, par exemple, que vous vivrez jusqu'à soixante-dix ans alors que vous en avez trente-cinq, vous avez parcouru la moitié du chemin.

> *Prenez votre feuille de papier et tracez une ligne verticale. La partie gauche de la feuille représente le chemin parcouru et la partie droite symbolise les années qui vous restent à vivre. Si vous êtes parvenu à mi-chemin, tracez la ligne au milieu de la feuille. Si vous avez vécu un tiers de votre vie, la ligne doit se situer au premier tiers. Pensez au grand nombre d'années qu'il vous reste à vivre. Qu'allez-vous en faire ?*

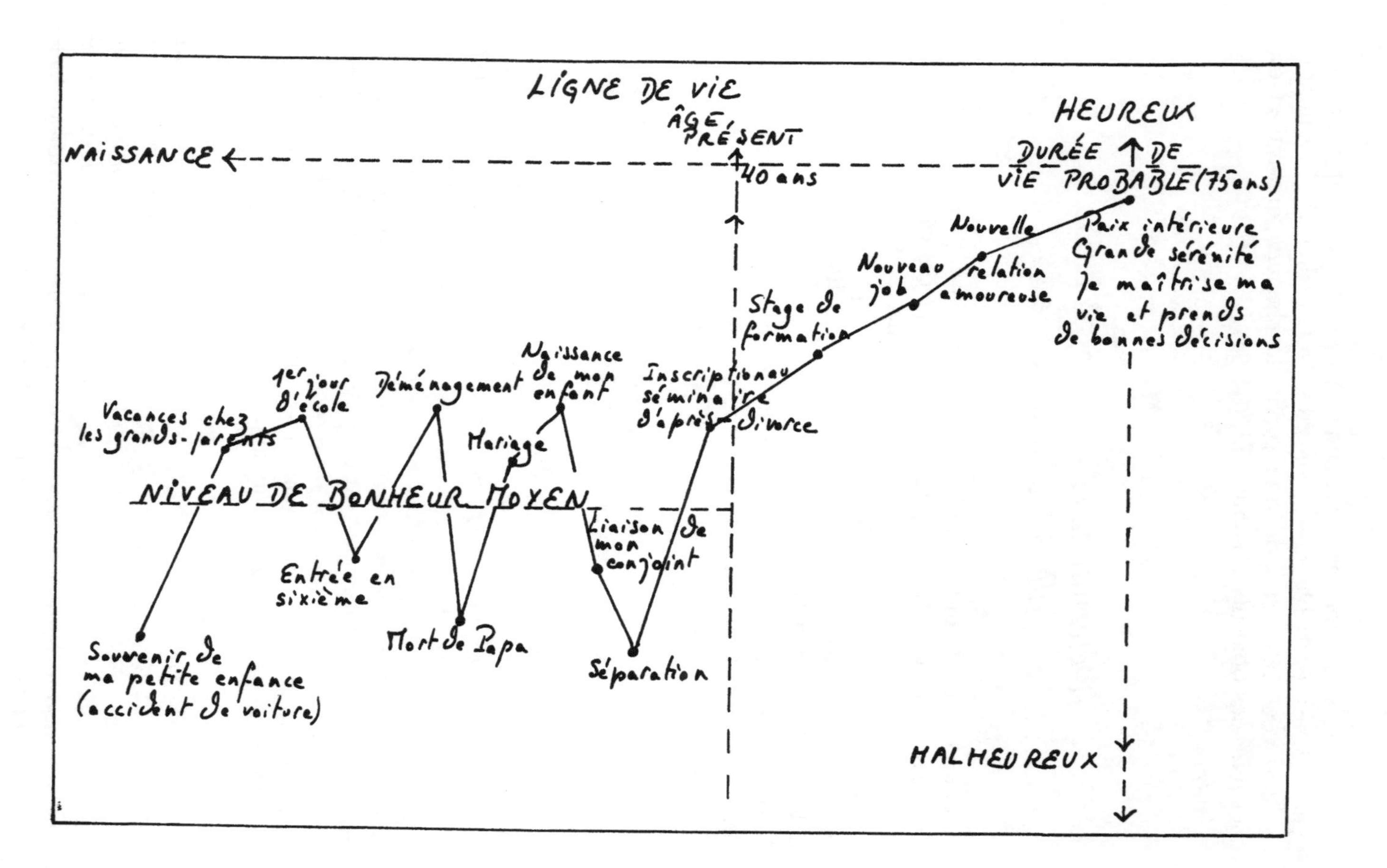
LIGNE DE VIE
ÂGE PRÉSENT
40 ans
HEUREUX
DURÉE DE VIE PROBABLE (75 ans)
NAISSANCE
Nouvelle relation amoureuse
Paix intérieure
Grande sérénité
Je maîtrise ma vie et prends de bonnes décisions
Nouveau job
Stage de formation
Naissance de mon enfant
1er jour d'école
Déménagement
Inscription au séminaire d'après-divorce
Vacances chez les grands-parents
Mariage
NIVEAU DE BONHEUR MOYEN
Liaison de mon conjoint
Entrée en sixième
Souvenir de ma petite enfance (accident de voiture)
Mort de Papa
Séparation
MALHEUREUX

Votre vie a-t-elle été heureuse ou malheureuse? Tracez une ligne horizontale représentant votre niveau de bonheur moyen. Si vous avez été plutôt malheureux toute votre vie, tracez cette ligne au bas de la page. Vous pouvez à présent représenter votre ligne de vie.

Votre ligne de vie : le passé

Commencez par vous souvenir de votre enfance. Cette période vous apprendra énormément de choses sur vous-même et sur votre vie. Cette enfance a-t-elle été heureuse ou malheureuse? Moins elle était heureuse, plus vous commencerez bas sur la page.

Tâchez ensuite de vous souvenir des événements marquants de votre petite enfance. Si vous avez connu un grand bonheur, notez-le très haut. Si vous vous souvenez d'événements malheureux comme la mort d'un proche, indiquez-le plus bas. Passez en revue toute votre vie : l'école, le lycée, l'université et continuez à prendre note des événements marquants. Faites ce graphique comme si vous racontiez votre vie à un ami. Notez également votre mariage et la naissance de vos enfants.

Votre ligne de vie : le présent

Pensez au divorce et à votre état psychique actuel. De nombreuses personnes récemment séparées indiquent la crise du divorce au point le plus bas possible de la feuille. C'est une situation inconfortable mais souvenez-vous que l'avenir est entre vos mains et que vous pouvez toujours devenir la personne que vous avez toujours voulu être. Tâchez d'exprimer à quel point vous étiez heureux ou malheureux au moment du divorce et où vous en êtes arrivé depuis. Quelles étaient vos émotions? Quelles sont-elles maintenant?

Votre ligne de vie : l'avenir proche

Maintenant que vous avez analysé le présent, il est temps de penser à l'avenir. Fixez-vous quelques objectifs à court terme (trois à six mois). Racontez ce que vous ferez et comment vous vous sentirez. Votre vie sera-t-elle plus heureuse ou moins heureuse qu'aujourd'hui ? Certains événements comme les décisions en matière de divorce, le partage des biens, les problèmes d'argent, le choix d'une nouvelle installation vous tourmentent-ils encore ? Représentez les prochains mois de la manière la plus détaillée et réaliste possible.

Votre ligne de vie : l'avenir lointain

Commencez à vous fixez des objectifs à long terme. Demandez-vous ce que vous ferez dans un an, dans cinq ans. Comment sera votre vieillesse ? Votre visage reflétera-t-il le bonheur que vous avez connu ou l'amertume, la colère ou tout autre sentiment négatif ? Comment vivrez-vous votre retraite ? Pourrez-vous vous adapter à l'inactivité professionnelle ? Avez-vous pris les arrangements financiers nécessaires ? Que ressentez-vous dans l'éventualité d'une maladie grave ? Vivez-vous suffisamment sainement pour éviter toute maladie grave ? Êtes-vous souvent confronté à des sentiments négatifs susceptibles de provoquer des maladies graves ?

Vous avez commencé à planifier votre vie, que souhaitez-vous en obtenir ? À la fin de votre vie, éprouverez-vous un sentiment de plénitude qui vous permettra de mourir sans regret ? Ou aurez-vous l'impression que votre vie a passé trop vite et que vous n'êtes pas prêt à la quitter ?

Qu'en sera-t-il de la personne qui partagera éventuellement votre vie ? Est-ce important pour vous de vivre une nouvelle relation et de partager vos vieux jours avec un compagnon ? Ou souhaitez-vous vivre en célibataire et profiter de cette liberté ?

Quelles sont vos priorités dans la vie ? Souhaitez-vous gagner de l'argent, être célèbre, en bonne santé, réussir ? Qu'est-ce que la réussite ? Que signifie-t-elle pour vous ? Comment réussirez-vous votre vie ? Savez-vous pourquoi l'on se souviendra de vous ? Quitterez-vous ce monde avec le sentiment de l'avoir amélioré ?

Êtes-vous en train de devenir la personne que vous souhaitez ? Quand allez-vous commencer à changer : aujourd'hui, la semaine prochaine, le mois prochain ? Ou ne vous résoudrez-vous jamais à réaliser vos rêves ? N'hésitez plus et commencez dès aujourd'hui.

Aujourd'hui est le premier jour du reste de votre vie. Aujourd'hui votre nouvelle vie commence.

Les enfants aussi ont besoin d'objectifs !

Les enfants se sentent perdus pendant le divorce de leurs parents. Le couple souffre souvent trop pour s'occuper d'eux. Ils ignorent eux aussi de quoi l'avenir sera fait et ce qu'il adviendra d'eux. Leur vie manque de sens.

Les enfants aussi doivent pouvoir évoluer. (Voir annexe A). Ils ont leurs propres rochers glissants à transformer en blocs de construction. Pour guérir, ils doivent également pouvoir se fixer des objectifs au sein d'une nouvelle structure familiale. L'absence d'objectifs risque de les déstabiliser et de leur donner l'impression de grandir dans le noir.

Les groupes de soutien décrits à l'annexe A sont très précieux pour les enfants à ce stade. Une telle expérience les aide à supporter le chagrin de leurs parents et à répondre à leurs propres besoins.

Le divorce est une période de désarroi. Il est particulièrement important d'aider les enfants à garder espoir en l'avenir et de leur offrir la possibilité de trouver leurs propres buts dans la vie.

Comment allez-vous ?

Vous avez réfléchi à votre vie, à votre avenir et terminé votre ligne de vie ; prenez conscience des progrès accomplis avant de poursuivre. Je sais qu'il est tentant de se précipiter vers le sommet mais je vous conseille de ne pas gâcher vos efforts par un trop grand empressement. Réagissez aux affirmations ci-dessous et passez au chapitre suivant :

1. *J'ai parcouru toutes les étapes de la guérison, pierre par pierre dans mon ascension vers le sommet.*
2. *J'ai réfléchi à ce qu'était ma vie et tracé ma ligne de vie.*
3. *Je me suis fixé des objectifs réalistes pour l'avenir et j'ai déterminé des plans d'action pour les atteindre.*
4. *J'ai repris les étapes qui me posaient encore des problèmes et pense avoir trouvé des réponses.*
5. *Je suis disposé à accepter les joies et les responsabilités que la liberté m'apportera !*

20

LA LIBERTÉ
La chrysalide a donné naissance au papillon

Le travail que vous avez effectué au cours des différentes étapes de la construction d'un nouvel équilibre vous permettra d'établir des relations enrichissantes à l'avenir. Vous serez libre de choisir et de vivre heureux en célibataire ou en couple. Vivre libre signifie pouvoir être vous-même.

J'ai souvent pressenti que le mariage était synonyme de privation de liberté. J'éprouvais des difficultés à être moi-même lorsque mon entourage nourrissait des attentes à mon égard. Au moment du divorce, la situation s'est aggravée mais j'ai découvert que j'étais capable de prendre mon envol. Je peux être moi-même. Je sens que la chrysalide s'est transformée en papillon. Je ressens une telle liberté !

Pauline

Regardez, mais regardez ce paysage ! Admirez ce panorama !

Quand vous aurez fini de lire ce paragraphe, faites une pause et laissez-vous aller à rêver. Vous êtes au sommet d'une montagne et contemplez les cimes dominant de profondes vallées. Respirez le parfum incomparable de l'air ; enivrez-vous de la clarté de la lumière, laissez le soleil vous réchauffer. Vous avez dépassé la couche de nuages et sentez la brise fraîche qui vient des glaciers. L'horizon s'étend à vos pieds à l'infini, vous contemplez un paysage grandiose.

Rappelez-vous votre escalade. Qu'avez-vous apprécié ? Quelles ont été les étapes difficiles ? Pouvez-vous identifier les changements que vous avez mis en place ? Vos émotions ont-elles réellement atteint le sommet elles aussi ou est-ce seulement votre intellect qui y est parvenu ? Réalisez à quel point vous êtes heureux d'avoir vaincu ce sommet et savourez votre exploit.

Prenez tout le temps de profiter de ce sentiment d'exaltation et de paix avant de poursuivre la lecture de ce chapitre.

Que de chemin parcouru !

J'espère que l'étape du célibat vous a permis de découvrir à quel point ce mode de vie est agréable et constitue un atout pendant l'escalade. Il est l'heure de penser à de nouvelles relations. En quoi le processus de guérison a-t-il modifié vos interactions avec votre entourage ? La manière dont vous réagissez à la solitude, au chagrin, au rejet, à la culpabilité, à la colère et à l'amour est déterminante dans votre vie quotidienne et dans vos relations avec les autres.

Si vous avez mené à bien votre guérison, si vous ne dérapez plus sur des rochers glissants, si vous avez à cœur de réinstaller chaque pierre, surtout celles qui vous étaient le plus pénible de replacer dans le bon sens, vous connaîtrez certainement une nouvelle et enrichissante relation, capable que vous êtes maintenant de satisfaire vos propres besoins et ceux des personnes que vous aimez. Vous vous êtes non seulement guéri, vous avez acquis de quoi améliorer vos relations futures. Que c'est bon !

Quelques mots pour les veufs et les veuves

Peut-être avez-vous perdu un être cher alors que vous viviez une relation heureuse. Les recherches ont montré que les veufs des deux sexes sont capables de réussir leur remariage. Le veuvage est douloureux ; la guérison est lente mais les étapes du processus peuvent vous aider à retrouver une nouvelle vie. Beaucoup d'entre vous cependant n'ont pas à affronter les parties du processus de guérison qui sont liées à une vie de couple conflictuelle et malheureuse.

Au sommet, l'oxygène est rare

Pour de nombreuses personnes, l'escalade est tellement pénible qu'elles souhaitent abandonner avant d'atteindre le sommet. Je les ai souvent entendu déclarer qu'elles ne voulaient pas aller plus loin et souhaitaient se reposer. « C'est exténuant de progresser ! » Les grimpeurs s'arrêtent souvent en chemin parce qu'ils sont fatigués, apeurés ou qu'ils se sentent incapables de faire face au changement. Je leur conseille toujours de faire comme les randonneurs : arrêtez-vous et prenez du repos ; vous retrouverez ainsi l'énergie nécessaire pour poursuivre. La vue dont on jouit au sommet en vaut la peine.

Faites-vous aider ; je suis convaincu que vous pouvez y arriver. Bien sûr, même si l'on croit en vous, l'emporter ne dépend que de vous-même. Vous l'avez remarqué, seul un petit nombre de personnes parviennent au sommet ; cela prouve bien que les difficultés rencontrées sont nombreuses. Avez-vous suffisamment d'autodiscipline, de désir, de courage et d'énergie pour réussir ?

Je ne vous ferai aucune promesse mensongère. Je ne peux vous garantir que vous vivrez plus heureux, que vous serez plus riche ou plus épanoui qu'avant. Je puis seulement vous assurer que l'on trouve davantage de gens épanouis au sommet. Je ne vous promets pas que vous trouverez l'être qu'il vous faut (sauf quand vous vous regarderez dans un miroir !). Car il n'est pas certain que vous trouverez la personne idéale pour partager le restant de votre vie. Mais vous découvrirez que vous vous aimez davantage, que vous êtes capable d'apprécier la compagnie et la solitude et que les personnes que vous rencontrerez au sommet ont, toutes, quelque chose en plus : elles aussi ont fait du chemin !

Il est vrai que votre choix de partenaires est désormais plus limité car beaucoup de gens ont abandonné en route. Certains n'ont pas quitté le campement au pied de la montagne et se contentent d'une amabilité de façade, refoulent leurs émotions et cherchent des excuses pour ne pas commencer. Le fait qu'il y ait peu de monde au sommet compromet les chances de rencontrer un nouveau partenaire ou de nouveaux amis mais j'ai remarqué que ces relations, quoique plus rares, étaient de meilleure qualité. Lorsque vous atteignez ce niveau, votre personnalité attire de nombreuses personnes. Je ne pense pas que la victoire soit aussi solitaire que certaines des étapes précédentes. Toutefois, un sentiment de solitude trop prononcé peut indiquer que vous n'avez pas terminé votre apprentissage émotionnel.

Respirez profondément…

Vous serez peut-être découragé de constater que vous n'avez pas entièrement abandonné vos anciens schémas de comportement. Quelle chaussure passez-vous en premier, la gauche ou la droite ? Essayez d'inverser cet ordre pendant une semaine. Je suis convaincu que vous oublierez et reprendrez votre ancienne habitude. S'il est difficile de transformer nos gestes quotidiens, changer notre personnalité l'est bien davantage. Soyez résolu et vous réussirez. Ne vous découragez pas : il faut du temps au temps…

Peut-être avez-vous peur de l'avenir. Vous n'êtes pas le seul ! Vous apprenez à vivre en célibataire, sans avenir tout tracé et ignorez ce que l'on attend de vous. Que ressentez-vous au volant de votre voiture dans une ville inconnue : de la confusion, un manque de confiance ? Qu'avez-vous éprouvé quand vous vous êtes rendu pour la première fois à une soirée en célibataire ? Nos habitudes nous rassurent et votre ancien partenaire vous paraît soudain désirable même si vous ne pouviez plus le supporter. J'espère que si vous choisissez de retourner auprès de votre ancien compagnon ce ne sera pas par peur de l'avenir !

Au-delà du célibat

J'ai plusieurs fois souligné que le célibat est une étape essentielle et souhaite maintenant insister sur l'importance de la relation de couple. Après un apprentissage adéquat, nous sommes capables d'indépendance mais je suis convaincu qu'une part de nous-mêmes a besoin d'une relation avec une autre personne pour que nous puissions nous sentir parfaitement épanouis. La relation amoureuse est comme la crème anglaise sur le gâteau ! Le gâteau existe sans la crème, mais avec, cela change tout... Si le célibat est agréable, la vie à deux l'est encore davantage ! Je pense que nous avons tous besoin de quelqu'un pour nous aider à nous réaliser complètement et nous rendre la vie plus douce !

Devenir libre

Quand vous étiez au plus profond de la crise, vous n'aviez aucun projet. Vous étiez désemparé par la perte d'un avenir et des objectifs que vous vous étiez fixés dans le cadre de la relation. Quand vous avez commencé à émerger de ce profond désarroi, vous vous êtes remis à penser au futur, à formuler des projets et à dresser des plans d'action.

Arnaud, qui travaille dans un hôpital, nous raconta un soir que le processus de guérison lui rappelait un service psychiatrique. Celui-ci comporte toujours un atelier de travaux manuels. À leur admission, les patients n'ont pas la force de créer. Lorsqu'ils en manifestent l'envie et s'investissent dans leurs productions, cela indique souvent qu'ils sont prêts à sortir. Arnaud, pour sa part, s'est senti prêt à surmonter la crise dès qu'il a pu construire des projets d'avenir.

Mes recherches ont montré que les personnes récemment divorcées, et en particulier celles qui ont subi la séparation, vivent dans le passé, pensant surtout à « comment c'était avant ». À mesure que la guérison progresse, elles se désintéressent du passé et profitent plus du temps présent et des joies de tous les jours. J'espère que vous avez désormais renoncé au passé, que vous vivez dans le présent et faites des projets d'avenir.

En outre ces personnes, et toujours plus particulièrement celles qui n'ont pas voulu la rupture, dépendent énormément de leur entourage. Plus elles évoluent, plus elles s'en libèrent et parviennent à trouver un équilibre entre indépendance et dépendance. Est-ce votre cas ?

Les enfants de la liberté

Les enfants doivent faire leur chemin à travers les rochers glissants dont nous avons parlé, apprendre la liberté, découvrir leur véritable personnalité et être heureux sans pâtir de ces besoins insatisfaits qui gouvernent tant d'individus. Ils doivent pouvoir choisir de se marier ou non. Les enfants du divorce jurent souvent qu'ils ne se marieront jamais parce qu'ils ont pu mesurer l'étendue du chagrin de leurs parents et l'impact dévastateur du divorce sur les personnalités. Il faut qu'ils soient en mesure de décider librement de leur vie sans que celle-ci soit obligatoirement le refus ou le reflet de celles de leurs parents.

Chaque enfant est différent, chaque enfant a ses propres besoins et goûts. Bien que j'aie souvent énoncé des généralités à leur sujet dans cet ouvrage, vous devez vous souvenir qu'ils sont des individus à part entière avec une personnalité qui leur est propre et qu'ils doivent être traités comme tels ! Leurs besoins diffèrent selon leur âge, leur sexe, leur appartenance culturelle, le nombre de frères et sœurs, leur état de santé, la disponibilité des membres de la famille et/ou du voisinage, leur environnement, l'école qu'ils fréquentent et le comportement de leurs parents pendant le divorce ainsi, bien sûr, que leur personnalité.

Les enfants sont plus forts qu'on ne le croit et peuvent également suivre le processus de guérison en même temps que vous. Je vous invite à les y aider ! Vous trouverez dans l'annexe A une série de suggestions qui vous seront utiles si vous vous donnez la peine de les suivre sérieusement.

Comment allez-vous ?

J'ai pensé qu'il vous serait utile de faire un bilan pour vous auto-évaluer. Il vous sera peut-être nécessaire de refaire un bilan dans un mois ou, au minimum, dans deux mois, six mois ou un an. La liste ci-dessous reprend les principaux points du développement personnel dont vous devez tenir compte pour votre évolution ultérieure et la bonne « tenue » de votre équilibre intérieur. Nous avons déjà abordé la plupart de ces questions et peut-être devrez-vous revenir en arrière pour relire l'un ou l'autre passage.

« *Comment vais-je ?* »

1. *Je suis capable d'exprimer mes sentiments.*
2. *Je suis capable de décrire mes sentiments à une autre personne.*
3. *J'ai au moins un ami intime de chaque sexe auquel je peux m'adresser quand je sens que je perds pied.*
4. *Je suis capable d'exprimer ma colère de manière constructive sans me nuire ou nuire à mon entourage.*
5. *Je tiens un journal dans lequel je décris mes sentiments et mes comportements à mesure que je progresse vers la guérison.*
6. *Je me suis fait au moins un nouvel ami, ou ai renouvelé une ancienne amitié, au cours du mois dernier.*
7. *Cette semaine j'ai passé un bon et riche moment avec au moins un ami.*
8. *J'ai identifié les rochers qui me font encore glisser et j'ai un plan pour m'y réattaquer.*
9. *J'ai consacré du temps à mon épanouissement et à des choses valables et stimulantes : j'ai lu un bon livre, assisté à une conférence, écouté la radio ou regardé une émission intéressante à la télévision au cours de la semaine écoulée.*
10. *J'ai sérieusement réfléchi à ce que pourrait m'apporter une thérapie pour m'aider à accélérer mon épanouissement.*
11. *J'ai reçu des gestes de tendresse de mes amis au cours de la semaine écoulée.*
12. *J'ai consacré du temps à la prière, à la méditation ou à la réflexion au cours de la semaine écoulée.*
13. *Je me suis fait plaisir cette semaine.*
14. *Je suis attentif aux douleurs, aux tensions et aux sensations que mon corps m'envoie pour apprendre des choses sur moi-même.*
15. *Je fais régulièrement de l'exercice.*
16. *J'ai apporté au moins un changement positif dans mes habitudes quotidiennes la semaine dernière.*
17. *Mon alimentation est équilibrée.*
18. *J'ai partagé mes sentiments avec au moins un ami cette semaine.*
19. *J'ai investi dans mon développement spirituel au cours de la semaine écoulée.*
20. *Je m'aime tel que je suis et j'aime être ce que je suis.*
21. *J'ai des projets d'avenir.*

22. *J'ai laissé la part de moi-même spontanée et libre comme un enfant rieur s'amuser au cours de la semaine écoulée.*
23. *Je n'accumule pas de colère, de chagrin, de solitude, de rancœur, de sentiments de rejet ou de culpabilité ; j'ai appris à exprimer ces sentiments de manière adéquate.*
24. *Je contrôle mieux ma vie qu'au moment où ma vie de couple a pris fin.*
25. *J'expérimente l'idée et la sensation d'être libre pour moi-même.*
26. *J'utilise activement les concepts que j'ai appris dans cet ouvrage pour accélérer le processus de guérison.*

Alors, comment allez-vous ? Êtes-vous satisfait de votre bilan ? Refaites-en un de temps en temps. Il vous permettra d'évaluer vos progrès. Souvenez-vous des concepts importants dont nous avons parlé ensemble dans cet ouvrage.

Êtes-vous prêt à prendre votre envol ?

Que représente cette liberté que nous recherchons ? La liberté est avant tout intérieure. Vous la trouverez en vous dégageant des besoins insatisfaits qui vous gouvernent : besoin incessant de compagnie, de vous sentir coupable, de vous conformer à des critiques parentales ou de vous libérer de votre « parent intérieur ».

Au faîte de la montagne, le papillon symbolise votre liberté : prenez votre envol et posez-vous où il vous plaira. Vous pouvez vous libérer des liens qui vous empêchaient d'être vous-même et vous détournaient du destin que vous étiez capable d'assumer. Nos pires ennemis sont en nous et nous devons nous dégager de leur emprise.

Bien entendu, nos meilleurs amis sont aussi en nous. Gravir la montagne nous permet non seulement de rechercher le bonheur, seul ou en couple, mais également d'être nous-même. C'est là que le développement personnel prend toute sa valeur.

Il m'est difficile de clore cet ouvrage parce que je suis conscient qu'il représente un début pour vous. J'ai observé des milliers de personnes traverser le processus de guérison. Elles m'ont beaucoup appris.

J'espère que vous ne rangerez pas cet ouvrage dans votre bibliothèque mais que vous l'utiliserez en cas de besoin. Parlez de votre expérience à un ami ou offrez-lui ce livre.

Je vous souhaite de tout cœur la réussite de votre développement personnel.

Annexe A

Les enfants sont plus forts qu'on ne le croit

Voici les enseignements que j'ai retirés d'un atelier destiné aux enfants confrontés au divorce ou à la séparation :

> *Le plus beau cadeau que vous puissiez offrir à vos enfants est de vous reprendre en main.*

Un père divorcé en difficulté raconte :

> *Bien entendu, les mères célibataires rencontrent également de réels problèmes. Mais comment vivent les pères qui travaillent et assurent seuls l'éducation de leurs enfants après un divorce ? Les hommes qui ont la garde de leurs enfants ne peuvent compter que sur eux-mêmes. Les femmes ne savent quelle attitude adopter avec eux : soit elles croient qu'ils en rajoutent pour se faire bien voir, soit elles essaient de les materner ainsi que leurs enfants. Les autres hommes n'ont pas envie d'entendre parler de problèmes de couches ou de votre souci de propreté des enfants. Ils vous trouvent un peu bizarre de faire passer au second plan des projets de tournoi de golf et de trekking au Népal.*
> *Père célibataire assurant seul l'éducation de mes enfants, j'ignorais :*
> *a) que faire quand mon fils s'éveillait la nuit en pleurant parce qu'il avait fait un cauchemar ;*
> *b) où trouver une baby-sitter fiable ;*
> *c) comment organiser l'anniversaire de mon fils quand il a eu trois ans ;*
> *d) quelle nourriture donner à un enfant et comment préparer les gâteaux ;*
> *e) comment répondre à des questions du genre : « Pourquoi est-elle partie ? Où est-elle ? Est-ce que je la reverrai un jour ? M'aime-t-elle ? Vas-tu me quitter ? Pourquoi dois-je aller chez la gardienne ? »*
> *Tous les deux nous étions très stressés et très angoissés ; nous étions fort malheureux et rongés de chagrin.*
>
> Jean-Marie

Te souviens-tu des jours heureux, papa, avant que tu ne quittes la maison ?

Sarah

Exercices

Dans mon centre, nous avons organisé un atelier pour aider les enfants à s'adapter au divorce de leurs parents. Nous demandons aux parents de nous aider bénévolement ; ils s'occupent d'enfants qui ne sont pas les leurs. Nous n'acceptons que des adultes ayant participé au séminaire d'après-divorce.

En tant que thérapeute familial, je suis convaincu qu'il est de notre devoir d'aider les enfants à s'adapter non seulement au divorce de leurs parents mais également à l'évolution que ceux-ci connaissent au cours du séminaire d'après-divorce.

Les enfants prennent part à un atelier d'une journée qui a lieu de 9 heures 30 à 16 heures. Par manque de temps et d'espace, nous avons regroupé tous les enfants, de six à dix-huit ans. Ces groupes sont intéressants car ils recréent un contexte familial mais répartir les enfants en fonction de leur âge peut également être très utile.

Chaque participant reçoit un badge coloré à son nom ; les enfants de la même famille reçoivent tous un badge de la même couleur. Il y a autant de couleurs que de familles.

Première activité

Nous commençons par détendre l'atmosphère en rassemblant les participants dans un coin de la pièce. Un adulte, déguisé en lutin, se promène à quatre pattes. Les membres de chaque famille doivent inventer une technique originale pour traverser la pièce et éviter le lutin. Il est important que les enfants et les parents d'une même famille effectuent cette traversée ensemble afin que les enfants se sentent en confiance avant de faire connaissance avec le reste du groupe.

Deuxième activité

Les parents présentent leurs enfants et chaque enfant présente son ou ses parents au reste du groupe. (Nous encourageons les parents à participer au maximum.) Les parents et les enfants font partager ce qu'ils aiment chez l'un et chez l'autre.

Troisième activité

Parents et enfants sont répartis dans deux pièces différentes. Les enfants doivent dessiner un animal symbolisant la manière dont ils se sentaient quand ils ont appris la séparation ou le divorce de leurs parents. Chacun explique aux autres le choix de son animal et ce qu'il représente.

Les parents, à qui l'on a demandé de relire les parties du livre concernant les enfants avant la séance, les commentent ensemble. Ils reçoivent de plus amples conseils et directives pour s'exercer à réellement écouter leurs enfants (c'est la méthode de l'écoute active). Ils peuvent également à cette occasion discuter avec d'autres parents, parler des difficultés qu'ils ont rencontrées avec leurs enfants et leur faire partager leurs émotions et leurs sentiments.

Quatrième activité

Nous divisons le groupe d'enfants en deux sous-groupes d'âge différent : les 3 à 12 ans et les 13 à 18 ans. Puis nous formons, dans chaque groupe, de nouvelles « familles » avec les adultes. Chaque « famille » compte deux ou trois adultes et cinq à sept enfants. Les badges de couleur permettent de s'assurer que ces nouveaux sous-groupes ne comportent pas de membres d'une même famille. Les nouvelles familles se rassemblent et se choisissent un nom.

Nous nous arrêtons généralement pour déjeuner. Chaque famille a apporté un pique-nique qui est mis en commun. Les liens qu'engendre ce repas pris en commun sont importants ; le repas est en quelque sorte une activité en lui-même.

Cinquième activité

Nous simulons et mettons en scène une discussion semblable à celles qu'ont pu entendre les enfants juste avant l'annonce du divorce ou de la séparation par les parents. Chaque nouvelle famille se divise en groupes où chacun parle de ses réactions et entend et discute de celles des autres. Les adultes encouragent les enfants à exprimer leurs sentiments et s'efforcent de mettre en pratique les techniques de la méthode de l'écoute active qu'on leur a indiquées. C'est probablement l'activité principale de l'atelier. Il est très utile de filmer ces scènes et de les visionner ensuite. Les animateurs peuvent aussi jouer différents sketchs.

Sixième activité

Nous reformons un grand groupe et distribuons aux enfants des cubes symbolisant les étapes du processus (voir les deux figures à la fin de l'annexe). Ce sont de gros cubes semblables à ceux avec lesquels les enfants ont l'habitude de jouer. Ils sont disposés en pyramide. Les enfants sont invités à manipuler ces blocs et à dire ce qu'ils éveillent en eux.

Fin de la journée

Dans le grand groupe, nous demandons à chacun (enfants et adultes) de partager ce qu'il a appris au cours de cette journée. Les garçons répondent souvent, par exemple, que « pleurer c'est bon pour les garçons comme pour les filles », les plus grands, que maintenant ils n'auront plus ni honte d'exprimer leurs sentiments et que c'est normal que leurs parents sortent avec d'autres adultes, etc. De telles prises de conscience autorisent les animateurs à considérer la journée comme réussie. Généralement, les enfants qui n'ont pas su parler du divorce ou de la séparation de leurs parents le font sur le chemin du retour et continuent d'en parler dans les jours qui suivent.

Résumé

Cet atelier est très bénéfique pour les enfants. Nous avons pensé y apporter quelques modifications comme de prévoir des activités se déroulant sur plusieurs jours pour permettre aux enfants d'intégrer plus profondément ces nouveaux apprentissages. Si nous avions le temps, nous ferions aussi davantage appel à la mise en scène et à la créativité des enfants. Nous espérons également élaborer un programme éducatif complet pour les enfants comme nous le faisons pour les adultes, avec un livre à l'appui comparable à celui que vous venez de finir.

Nous sommes convaincus que seuls les enfants dont les parents ont suivi un séminaire d'après-divorce doivent participer à cet atelier. Nous nous efforçons d'ailleurs d'organiser un atelier pour enfants après chaque séminaire pour adultes pour tirer profit de leur équilibre émotionnel. Ces ateliers pour enfants seraient inefficaces avec des adultes encore en crise.

Je recommande vivement que chaque séminaire d'après-divorce, quel qu'il soit, soit suivi d'un atelier réservé aux enfants.

Quelques réflexions supplémentaires à propos des enfants du divorce

De nombreux parents tentent de se déculpabiliser du tort qu'ils causent à leur enfant en s'efforçant d'être parfaits. De tels comportements n'aident pas les enfants.

Les enfants sont confrontés aux mêmes difficultés, aux mêmes rochers glissants, que leurs parents ; ils éprouvent les mêmes blocages. La meilleure aide que nous puissions leur offrir est d'entreprendre notre propre guérison pour pouvoir leur apporter un soutien.

Les enfants essaient souvent de se montrer forts et d'aider leurs parents jusqu'à ce que ceux-ci soient capables de se reprendre en charge et assez forts pour remplir leur nouveau rôle de parent.

J'ai ajouté cette annexe sur les enfants du divorce pour de nombreuses raisons. En premier lieu, j'ai très souvent rencontré lors de mes séminaires des adultes n'ayant jamais pu résoudre les problèmes liés au divorce de leurs propres parents. Je souhaite éviter cela à vos enfants.

La seconde raison est d'ordre déontologique : les personnes qui participent à mes séminaires connaissent souvent un développement personnel considérable et ces changements ont une influence directe sur leurs enfants. Ces derniers doivent non seulement accepter le divorce de leurs parents mais également s'adapter à l'évolution personnelle de ceux-ci. Nous devons donner à nos enfants les moyens de tirer profit des changements qui interviennent dans notre vie.

J'espère que cette annexe et mes conseils concernant les enfants vous permettront de les aider à faire de la crise que vous traversez une expérience enrichissante.

La troisième raison qui m'a incité à écrire cette annexe est que la plupart des organisations qui offrent des services similaires aux miens pour les adultes ne proposent aucune forme d'assistance psychologique destinée aux enfants, contrairement à ce que nous faisons depuis de longues années après chaque séminaire pour adulte. J'espère que les explications fournies dans ces pages motiveront les animateurs.

Mieux vaut un divorce réussi qu'un mauvais mariage

Quand j'étais agent de probation pour les mineurs, au début des années 1970, j'étais convaincu que les adolescents rencontraient des difficultés à cause du divorce de leurs parents. Le fait que 48 % des enfants avec qui nous travaillions étaient issus d'un foyer monoparental semblait conforter ma position. C'est après mon propre divorce que j'ai compris mon erreur et quels étaient mes préjugés envers les personnes divorcées : ce n'était pas le divorce qui avait provoqué les problèmes que connaissaient ces jeunes. C'était le fait d'avoir vécu dans des familles dysfonctionnelles. Le divorce n'était qu'un des symptômes.

Les recherches rapportent qu'un tiers des enfants de parents divorcés ont des résultats scolaires au-dessus de la moyenne et sont bien adaptés, que le deuxième tiers est dans la moyenne et que le troisième en dessous. En revanche, tous les enfants issus d'une famille biparentale dysfonctionnelle sont en dessous de la moyenne.

Je ne suis pas toujours d'accord avec les procédures judiciaires en matière de divorce quand il y a conflit entre les deux parties. Lorsque j'étais agent de probation, je les trouvais fructueuses parce que je pensais alors qu'elles permettaient de déceler la vérité et d'attribuer les torts au responsable. Mais après avoir travaillé pendant vingt ans avec des personnes vivant cette expérience, j'ai compris que les confrontations entretiennent la colère et la rancœur et compromettent le processus de guérison tant des enfants que des parents.

Un juge a autorisé un père à faire convoquer ses enfants à cinq audiences en deux ans. Je considère que la justice n'a pas assuré son rôle de protection à l'égard de ces enfants. Le divorce ne constitue donc pas l'essentiel du problème : ce sont certaines pratiques judiciaires qui aggravent les difficultés des enfants. Ces derniers souffrent moins, tant au plan émotionnel que psychologique, lorsque leurs parents divorcent par consentement mutuel. Leur souffrance ne doit pas être accrue par l'appareil judiciaire en cas de difficultés.

Fort heureusement, de nos jours parents et enfants ont moins de mal à surmonter la crise liée au divorce. J'ai retrouvé dans une bibliothèque des articles datant de 1948 affirmant qu'en cas de divorce, il fallait considérer les enfants comme orphelins de père ou de mère. J'espère que dans un avenir proche, nous pourrons accepter entièrement que des enfants possèdent quatre parents.

Loin de moi l'idée de minimiser les difficultés d'adaptation des enfants à la suite du divorce de leurs parents car elles se prolongent parfois pendant de longues années. Où asseoir les parents divorcés de la mariée? Comment les enfants peuvent-ils entretenir de bons rapports avec leurs grands-parents quand leurs parents sont en conflit permanent? Les enfants de parents divorcés risquent-ils davantage de vivre un divorce?

Je suis convaincu qu'un bon divorce est préférable à un mauvais mariage. Si les parents sont capables de s'adapter au divorce, leurs enfants auront d'autant plus de facilité pour faire de même. De nombreux adultes deviennent de meilleurs parents après le divorce et les enfants tirent profit de cette évolution. Le divorce est souvent un événement très traumatisant pour les enfants et nous devons nous efforcer de leur épargner une trop grande souffrance émotionnelle et psychologique.

La guérison du parent et ses conséquences pour l'enfant

Avez-vous remarqué comme moi que les appareils ménagers tombent toujours en panne au mauvais moment ? Notre machine à laver et notre voiture, notre four et notre fer à repasser savent que nous sommes en pleine crise de divorce ! J'ai appris à ne plus rire d'une de mes amies qui bénit la photocopieuse avant de l'utiliser pour conjurer le mauvais sort et le bourrage de papier !

Nos enfants nous apportent un soutien important lorsque nous rencontrons ce type de contrariétés et de tracasseries. Ils se tiennent bien pour ne pas nous contrarier et se rendent utiles, chose qu'ils ne faisaient pas forcément quand nous étions mariés. Ils nous cachent leur souffrance et leur colère et mettent en veilleuse leurs propres besoins émotionnels parce qu'ils souhaitent nous ménager.

Ils s'autorisent à se laisser aller dès qu'ils ont perçu que nous avons résolu nos problèmes personnels et que nous sommes à nouveau sur la pente ascendante.

Au cours d'un séminaire, Déborah raconta qu'elle pensait que sa vie ne pouvait aller plus mal que ce qu'elle venait de connaître. C'est alors que ses enfants ont commencé à perdre pied. Elle ne savait que faire. Je lui ai répondu qu'en réalité, ses enfants rendaient hommage à sa nouvelle vitalité : parce qu'elle allait mieux, parce qu'ils avaient senti qu'elle était désormais suffisamment forte pour les aider, ils se permettaient enfin de pleurer, de se fâcher et d'exprimer leur souffrance. Son visage s'illumina en entendant cela parce que mes paroles correspondaient exactement à la réalité.

Les enfants *sont* plus forts que nous ne le croyons et le plus beau cadeau que nous puissions leur offrir est de nous reprendre en main.

Le processus de guérison chez les enfants

Les enfants traversent un processus d'adaptation semblable à celui des adultes mais les émotions et les comportements observés à chaque étape sont différents. Nous aiderons mieux nos enfants si nous comprenons qu'ils ont aussi leur propre chemin à parcourir.

Nous avons fabriqué, pour l'atelier, des cubes de quinze centimètres de côté rappelant les jeux de construction que les enfants connaissent bien. Les embûches du processus de guérison figurent sur un côté du cube (par exemple, le déni) et les sentiments permettant de sortir de l'impasse sont indiqués de l'autre côté (par exemple, l'acceptation). Nous encourageons les enfants à exprimer leurs émotions et les faisons passer d'un côté à l'autre de la pyramide pour les amener à aborder les sentiments constructifs. Mais nous manquons souvent de temps et le comportement des enfants ne permet pas toujours de réaliser le processus complètement. Il est arrivé qu'au moment où nous parvenions au sommet de l'un des côtés, plusieurs enfants s'emparent des cubes et les emportent en les serrant fort contre leur cœur. Nous n'avons donc pas pu nous attaquer à l'autre versant !

Le jeu de construction du divorce : les mauvaises pierres

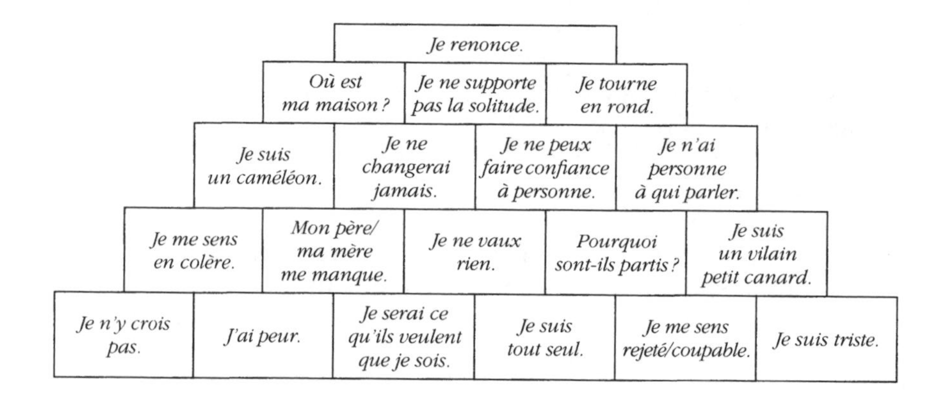

Le jeu de construction du divorce : les bonnes pierres

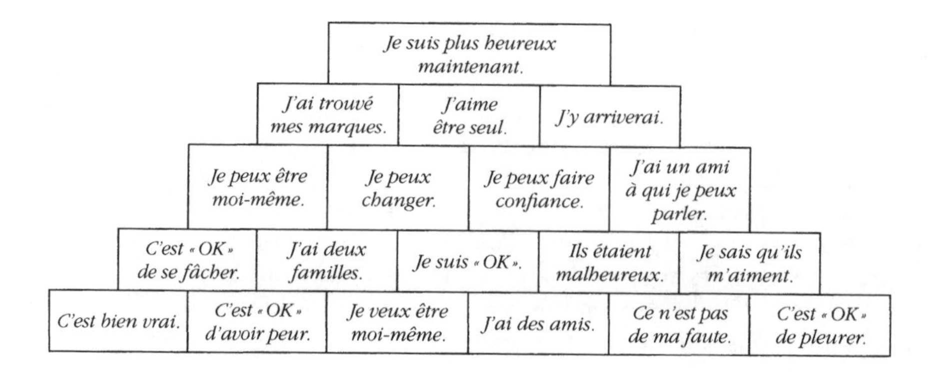

Annexe B

La séparation-réflexion : une solution de rechange

> *J'ai la vision d'une relation qui dépasserait par sa beauté et son amour tout ce que nous connaissons tous les deux ; une relation qui soit un creuset pour un réel développement personnel, où nous pourrions évoluer et nous épanouir tout en restant en couple. Je ne me sens pas capable de vivre une relation saine avec toi avant de me réconcilier avec moi-même et d'être pleinement moi-même. Je pense que je dois me séparer de toi et vivre seule pour un temps. Je t'aime.*
>
> Élise

Les magazines féminins abordent souvent le problème des couples en péril et offrent aide et conseils aux personnes en difficulté. On s'efforce généralement de sauver les mariages et je souhaite vous apprendre un moyen d'y parvenir qui a déjà fait ses preuves. Bien qu'il soit prématuré d'affirmer l'infaillibilité de cette méthode, elle est extrêmement prometteuse et je vous conseille de revoir votre décision si vous n'avez pas encore divorcé.

La séparation-réflexion est une période structurée et limitée dans le temps qui peut aider un couple à sauver une relation en difficulté. Elle peut également donner un nouvel élan et enrichir une relation sans problème important. Cette forme de séparation sert à modifier les bases d'une relation amoureuse, à combler ses lacunes et à l'assainir, à passer de l'amour-béquille à l'amour adulte. Pour qu'elle puisse réellement être bénéfique, chacun des conjoints doit accomplir un travail personnel lui permettant de mieux se connaître et d'établir des relations saines avec les autres. Ce nouvel équilibre personnel servira de cadre à une nouvelle relation de couple plus épanouissante et profonde que par le passé.

Quand un couple connaît des difficultés, trois options s'offrent à lui : 1) ne rien changer, 2) rompre, 3) créer une nouvelle relation. Les couples qui souhaitent poursuivre une relation compromise sont rares, nous pouvons donc éliminer la première solution. Il est probable que peu de couples envisagent la troisième solution car elle leur paraît impossible à réaliser. De toute façon, ils ne savent comment s'y prendre. Ils choisissent alors de divorcer presque par manquent d'autres idées. Et ils vont augmenter le nombre de divorcés de l'année.

Il existait pourtant une alternative : la transformation des relations que l'on a avec soi-même et avec l'autre.

Qu'entend-on par séparation-réflexion ?

Tout comme dans la tentative de conciliation traditionnelle, la séparation-réflexion est temporaire et permet de reporter la décision définitive. Elle en diffère toutefois parce qu'elle se vit volontairement de manière active et qu'elle veut donner aux conjoints le temps de se consacrer à leur développement personnel. C'est seulement en se sentant bien dans sa peau que l'on peut entretenir de bons rapports avec autrui. Durant cette période, vous travaillerez tour à tour à comprendre « ce que vous cherchez dans votre couple » et « ce que vous cherchez en vous ». La séparation-réflexion est une façon créative de renforcer les membres d'un couple et de construire une nouvelle relation sans défaire l'ancien lien qui vous unissait.

Le lien qui existe entre deux personnes est comparable à un pont. Chacun des deux partenaires constitue à lui seul l'une des piles du pont et la moitié de sa surface. Cet examen est angoissant car il risque d'aboutir à une rupture irrémédiable, mais le jeu en vaut la chandelle ! Une fois les deux piles consolidées, un pont plus robuste pourra être reconstruit.

Une séparation-réflexion, pour quoi faire ?

La séparation-réflexion ne vise pas seulement à répondre à cette question : poursuivre ou non une relation amoureuse. J'ai observé qu'il existe un rapport étroit entre le développement personnel des partenaires et la réussite de la séparation-réflexion. Lorsque les partenaires sont convaincus de son utilité et motivés par le désir de mieux se connaître, il y a de grandes chances pour que la nouvelle relation soit durable.

La liste des objectifs ci-dessous peut vous aider à décider si la séparation-réflexion est souhaitable dans votre cas :

- *Réduire les tensions dans une relation en difficulté.* La relation amoureuse constitue un système d'interactions en constante évolution entre deux personnes au développement émotionnel, social, physique et spirituel sans cesse en mouvement. L'évolution de la relation risque de peser sur le couple et de provoquer des tensions et des tiraillements et finalement une crise. Les périodes de crise ne favorisent pas la prise de décisions rationnelles et objectives concernant l'avenir. Une séparation temporaire peut constituer une solution de rechange intéressante et avantageuse pour le couple.
- *Favoriser votre développement personnel* de manière à éviter les embûches mentionnées dans cet ouvrage et à transformer les rochers glissants en pierres de taille. La séparation vous aidera à escalader la montagne pour arriver au sommet.
- *Transformer la relation* en un lien de bonheur serein et d'amour profond plus épanouissant que vous n'avez jamais rêvé. Au terme de la séparation, vous découvrirez que la relation favorise l'expression personnelle, vous permet d'affirmer votre personnalité et constitue une source de joie et d'amour insoupçonnée. Vous pourrez revoir et approfondir votre conception de l'amour, créer une relation sans limites et parvenir à un amour spirituel proche de celui que Dieu nous porte.
- *Rompre de manière positive* et transformer la rupture en une expérience enrichissante et constructive. La poursuite d'un tel objectif réduira les tensions et l'anxiété et vous permettra d'éviter les batailles juridiques, tout le monde étant content de la tournure prise par les événements. Une rupture en bons termes permet de poursuivre la relation à titre amical et de mener conjointement l'éducation des enfants.

« À qui conseilleriez-vous une séparation-réflexion ? »

Voici un profil des partenaires qui peuvent envisager une séparation-réflexion :

- Vous *éprouvez des sentiments pénibles*, vous avez l'impression de manquer d'espace, vous subissez des tensions importantes, vous vous sentez déprimé et vous avez même des idées suicidaires. Il vous faut alors vous séparer de votre partenaire pour survivre et retrouver goût à la vie.

- *Votre partenaire refuse d'assumer sa part de responsabilités* et ne souhaite ni suivre une thérapie de couple, ni s'engager dans une autre recherche de résolution des problèmes. Bien que traumatisante, la séparation le forcera à admettre ces difficultés.
- *Vous vivez la période de révolte* évoquée au chapitre 12. Vous avez besoin d'espace émotionnel et décidez de vous séparer pour soulager vos tensions internes.
- *Vous résolvez des problèmes provoqués par une enfance malheureuse* et éprouvez le besoin d'être seul pour y arriver.
- *Vous vivez une période de remise en cause et de transformation personnelle, psychologique ou spirituelle* et souhaitez y consacrer du temps et de l'énergie. Vous pensez que le temps et les efforts que vous investissez dans la relation vous empêchent d'y consacrer assez de temps.
- *Vous n'avez pas pu vous réserver l'espace émotionnel* nécessaire et cela vous empêche de vivre, de vous épanouir, d'évoluer ou de changer.
- *Vous vivez un conflit* : vous désirez poursuivre la relation mais êtes incapable de modifier les anciens schémas. La vie commune favorise l'ancien système. Vous voulez mettre un terme à l'ancienne relation pour en créer une plus saine et plus satisfaisante. La séparation-réflexion vous permettra de développer de nouveaux schémas d'interaction et de mieux vous connaître.
- *Vous souhaitez faire l'expérience du célibat.* Vous avez peut-être quitté le toit parental le jour où vous vous êtes marié, sans jamais avoir vécu seul. Vous avez sauté une étape de croissance et de développement importante : celle du passage à l'indépendance et à l'âge adulte. De nombreuses personnes croient à tort que le célibat se résume à une liberté sans responsabilités et constitue une fuite devant la vie de couple. Vivre temporairement seul vous permettra de mieux comprendre quelles sont les joies et les peines du célibat.
- *Vous souhaitez pour la première fois vous détacher des contraintes imposées par votre famille d'origine.* Peut-être avez-vous vécu une vie de couple semblable à celle de vos parents. Vous essayez maintenant d'échapper à leur influence et devez prendre vos distances parce que la vie commune ressemble trop à la relation que vous avez connue avec vos parents.
- *Ni vous ni votre partenaire n'êtes heureux. Vous projetez votre malheur dans la relation* et vous vous en rejetez mutuellement

la faute. Vous n'avez pas appris à vous montrer responsable de vos sentiments. La séparation, si elle inclut un développement personnel, peut vous aider à reprendre pleinement possession de votre vie d'adulte.

Initiateurs et suiveurs ne sont pas logés à la même enseigne

Une séparation intervient rarement par consentement mutuel. Dans mes séminaires, quelque 84 % des couples se sont séparés au moment où l'initiateur du divorce a décidé de partir. Le pourcentage semble être similaire en cas de séparation-réflexion : un conjoint provoque la séparation et l'autre y est plus ou moins opposé dans 80 % des cas. Ces chiffres semblent constituer un sérieux obstacle à la séparation-réflexion ! Comment les couples peuvent-ils surmonter les différences de comportement, d'objectifs et de motivations si l'un traîne les pieds et que l'autre part en courant ?

En premier lieu, les couples doivent revoir la question de la responsabilité. Lorsqu'une relation bat de l'aile, *chaque conjoint est responsable des difficultés* qu'elle traverse. Il m'a fallu du temps pour le comprendre et réellement croire à cette affirmation mais plus je travaille avec des couples, plus je découvre, en dépassant une souffrance de surface et en m'attaquant au nœud du problème, que la responsabilité est partagée. La responsabilité est donc des deux côtés, que la décision de se séparer soit prise par l'un ou l'autre des conjoints. Dès lors que vous commencez à admettre la notion de responsabilité mutuelle, vous jetez les bases d'une séparation-réflexion et d'une future relation réussie.

Mes recherches concernant le processus du divorce indiquent que les personnes subissant le divorce éprouvent une colère et une souffrance accrues. Il est donc probable que le conjoint récalcitrant souffre davantage lors d'une séparation-réflexion. Quels que soient les sentiments éprouvés par les partenaires, ils devront être résolus avant que la séparation ne puisse porter ses fruits.

Durant cette période, les conjoints peuvent consacrer davantage de temps à leur évolution personnelle, à leur ambition professionnelle, à leurs projets et à leurs passe-temps. Ceci comporte de nombreux avantages pour chacun. Le conjoint réticent apprendra peut-être à aimer être seul et à s'épanouir ; il pourra même heureux de la décision prise par son partenaire.

Lorsqu'il comprend l'utilité de la séparation, qu'il admet que son conjoint était en difficulté et se sentait émotionnellement déstabilisé, le conjoint réticent comprend et accepte la situation.

Dans mes séminaires d'après-divorce, les femmes sont souvent plus motivées que les hommes. Après cinq semaines environ, les hommes reconnaissent qu'ils estimaient ce séminaire inutile et qu'ils s'étaient inscrits parce que leur femme le souhaitait. Mais ils ajoutent que le séminaire leur a ouvert les yeux. Comprendre aide les partenaires rétifs à évaluer les avantages d'une séparation-réflexion.

Mon expérience a montré que ce sont souvent les femmes qui décident de ce temps de séparation-réflexion, et ce pour les raisons suivantes : 1) les recherches montrent que les femmes mariées sont moins heureuses que les hommes mariés ; 2) les femmes acceptent souvent d'emblée tous les moyens d'améliorer la relation ; 3) ce sont souvent les femmes qui vivent un développement personnel — peut-être pour avoir souffert dans l'enfance — et qui cherchent à trouver le temps et l'espace pour y parvenir ; 4) ce sont généralement les femmes qui traversent des périodes de recherches spirituelles ; 5) les femmes sont défavorisées dans nos sociétés patriarcales ; il est donc normal que ce soit elles qui secouent le joug en souhaitant être traitées en égales ; 6) lorsqu'une relation marche mal, l'homme quitte la relation car il ignore, ou ne croit pas, qu'il soit possible de la changer. Quand l'initiative de la séparation revient à une femme, un homme un tant soit peu phallocrate préférera la rupture à la séparation-réflexion. Un homme doit être sensible, patient, affectueux et attentionné, souple d'esprit et ouvert au changement pour accepter l'idée d'une séparation-réflexion.

Comment réussir une séparation-réflexion ?

Les conseils suivants vous aideront à réussir. Ce ne sont que des suggestions mais si vous les ignorez, vous risquez de ne pas atteindre vos objectifs.

1) Il importe tout d'abord que vous *soyez tous deux fermement décidés à réussir cette séparation-réflexion.* Amour et engagement doivent être présents. C'est capital.

2) *Dressez une liste des qualités d'une relation réussie.* Pensez aux points essentiels. Rêvez et imaginez à quoi la relation pourrait ressembler après la séparation. Parlez-en et comparez votre liste à celle de votre partenaire.

3) *Engagez-vous à parler des choses importantes avec franchise et honnêteté.* Apprenez à vous exprimer par des phrases commençant par « je » plutôt que par « tu ». Dites : « Je pense________ », « J'ai l'impression________ », « Je veux________ », « Je dois________ » et « Je vais________ » à votre partenaire. Soyez franc envers vous-même et envers votre partenaire. Apprenez à dire ce que vous avez sur le cœur. Votre honnêteté vous obligera peut-être à accepter votre part de responsabilités dans l'échec de la relation. Vous avez pris part au problème ; il vous faut maintenant prendre part à la solution.

4) *Ne faites pas de demande de divorce et n'entamez aucune procédure judiciaire pendant la séparation-réflexion.* Vous devez vous engager à n'entreprendre aucune action en justice sans en discuter préalablement avec votre partenaire. Les objectifs du système judiciaire ne sont pas conciliables avec ceux de la séparation-réflexion. Une simple menace de déposer l'affaire devant les tribunaux suffit à inverser la vapeur et à provoquer la rupture. Il faut clairement convenir de ne jamais prendre une telle mesure. Il peut être fait exception à cette règle si l'un de vous ou chacun de vous souhaite dissoudre l'ancienne relation par le divorce. Vous devez alors absolument obtenir une décision judiciaire à l'amiable, en évitant tout litige. Tout ce qui permet de mettre un terme à l'ancienne relation vous aidera. La rupture vous aidera à faire comprendre à votre partenaire que vos besoins sont bien réels.

5) *Assurez-vous de la qualité de vos rencontres.* (Voir section suivante.) Il est utile de considérer cette nouvelle relation comme une jeune pousse encore tendre. Seuls des soins fréquents et attentionnés vous permettront de la développer et de la protéger des tumultes de la séparation.

6) *Poursuivre les relations sexuelles peut servir à entretenir une bonne relation,* mais cela peut également se révéler néfaste. Mieux vaut relire le chapitre 17 à ce sujet.

7) Vous devrez également *aborder ces problèmes avec d'autres personnes.* Vous devrez être bien entouré, et/ou suivre une thérapie pour pouvoir résoudre vos problèmes personnels sans accroître les difficultés de la séparation-réflexion.

8) *Tenez un journal.* Vous aurez besoin d'exprimer et de libérer les émotions que vous ressentirez dans les moments difficiles et de faire le tri de vos pensées et vos sentiments.

9) *Lisez, suivez des cours, participez à des séminaires et à des conférences.* Comprendre les difficultés rencontrées dans la relation vous aidera à les canaliser. Lisez et apprenez pour guérir sans détruire.

10) Vous devrez *prendre soin de vous* pour ne pas vous sentir miné émotionnellement et physiquement. Ce processus est épuisant

et vous risquez de perdre courage si vous manquez d'énergie. Que pouvez-vous faire pour retrouver votre énergie ?

11) *Utilisez le contrat de séparation-réflexion de l'annexe C.* Il peut être modifié en fonction des besoins de votre relation et constitue un engagement mutuel ferme. Ce type de contrat officiel vous donnera toutes les chances de réussir.

12) *Pensez sérieusement à entreprendre une thérapie (de couple)* avec un thérapeute agréé.

Quelques autres éléments à prendre en considération

Qualité du temps passé ensemble. Passez de bons moments ensemble pendant la séparation. Mettez-vous d'accord sur la fréquence de ces rencontres. Elles doivent vous être agréables. Elles doivent comporter au moins l'une des activités suivantes : a) parler dans un but d'échange ; b) parler de choses qui vous tiennent à cœur ou avoir des relations sexuelles si vous l'estimez opportun ; c) prendre soin l'un de l'autre ; d) essayer de nouvelles interactions permettant de bâtir une nouvelle relation ; e) faire des choses amusantes ensemble ; f) parler de votre développement personnel. Si votre ancien système de relation refait surface, il vaudra mieux vous séparer pour éviter de reproduire d'anciens schémas de comportement. Souvenez-vous qu'il vous faut rester honnêtes l'un envers l'autre !

Durée de la séparation. Peut-être souhaitez-vous prévoir la durée de la séparation. Ce processus est fait en partie pour vous encourager à vivre dans l'insécurité, à savoir vous mettre en danger ! Il est tentant de décider d'une séparation de trois mois et d'utiliser ce délai comme prétexte pour ne résoudre aucun problème émotionnel. « Il ne s'agit que de trois mois à passer » vous direz-vous. Je vous propose de fixer une limite dans le temps mais de prendre conscience qu'elle est renégociable et d'agir en conséquence. Le sentiment d'insécurité qui en résultera vous aidera à respecter vos engagements et vous pourrez l'utiliser pour apprendre à mieux vous connaître émotionnellement.

L'épée de Damoclès suspendue sur l'avenir de votre relation peut vous paraître effrayante. Il vous faut travailler sur vous-même mais aussi sur la relation. Vous ne vous sentez pas en sécurité et risquez à tout moment de souffrir de solitude, de vous sentir rejeté, coupable, de vous mettre en colère ou de trébucher sur les rochers glissants dont nous avons parlé.

La séparation-réflexion vous demandera probablement une année d'efforts.

Quand reprendre la vie commune? Je suis convaincu que cette question est extrêmement importante. Les conjoints sont souvent malheureux dans le célibat et ces difficultés les poussent à reprendre la vie commune trop rapidement. Il est fréquent que l'un des conjoints presse l'autre. Les hommes sont souvent plus pressés que les femmes. Le temps est un facteur important : au début du processus, chacun est impatient de revivre ensemble ; plus la séparation est longue plus les partenaires hésitent.

Il est très nocif de se précipiter et de revivre ensemble trop rapidement : vous risquez de retomber dans les schémas destructeurs de l'ancienne relation, ce qui accroît les risques d'une nouvelle séparation. Or chaque nouvelle séparation augmente le risque d'échec.

Prenez votre temps, sachez reconnaître la phase de la « lune de miel du divorce ». Vous ressentez une nouvelle forme d'intimité, un plaisir sexuel renouvelé (peut-être parce que vous avez renoncé à vos attentes dans ce domaine) et vous souhaitez reprendre la vie commune... pour de mauvaises raisons. Je vous propose d'attendre jusqu'à ce que vous souhaitiez tous deux sincèrement revivre ensemble et partager le reste de votre vie. Aussi surprenant que cela puisse paraître, c'est quand vous croirez tous deux que vous pouvez vivre *seul* le reste de votre vie que le moment sera venu de revivre *à deux*.

Les relations amoureuses extraconjugales. En règle générale, les relations amoureuses extraconjugales compromettent le développement personnel pendant la phase de séparation. Le temps et les forces investis dans une relation extérieure nous privent d'une partie de l'énergie utile à notre développement personnel.

Ceux qui ont voulu cette séparation pour s'épanouir, changer ou guérir sont tellement absorbés par ce processus qu'ils ne sont pas intéressés par de telles relations. Ils sont fermement décidés à mener la séparation à terme et sont prêts à tout risquer avec leur ancien partenaire pour trouver un nouvel équilibre plus enrichissant et plus équilibrant.

Ceux qui n'ont pas souhaité la séparation sont plus disponibles pour ce type de relations mais découvrent généralement qu'ils préfèrent rester fidèles et qu'un nouveau partenaire fait apparaître des problèmes supplémentaires. Une telle relation peut les aider à se rendre compte qu'ils sont restés très attachés à leur ancien partenaire.

Les personnes qui décident de quitter la relation dans une période de révolte ont fréquemment une liaison. Elles considèrent généralement que cette relation fait partie du processus de séparation parce qu'elles ont besoin de pouvoir parler en toute liberté et pensent qu'il ne s'agit pas réellement d'une aventure. Cette nouvelle relation peut se transformer en union à long terme mais il est peu probable qu'elle soit heureuse.

Ce type de relation nuit à la séparation-réflexion parce que chacun a tendance à lui accorder trop d'importance. Le partenaire rebelle la trouve passionnante et prometteuse. (Cet enthousiasme dépasse rarement la phase de la lune de miel.) Son conjoint souffre, se sent rejeté et irrité et peut décider de mettre un terme à la séparation-réflexion et de rompre définitivement.

Manque de soutien. L'entourage est un élément important dans la séparation-réflexion. Chaque partenaire doit disposer d'un cercle d'amis qui l'aidera à supporter la situation. Le problème est que peu de gens ont connu une séparation-réflexion réussie et vos amis pensent probablement que votre couple est dissous. Ils ne croient pas à la séparation-réflexion et vous risquez d'être privé de soutien au moment où vous en avez le plus besoin. Ils vous disent : « Alors, tu persistes à nier l'évidence ? » ; « Ne vois-tu donc pas que tout est fini ? » ; « Es-tu codépendant ? » ; « Es-tu incapable de lâcher prise ? » ; « Tu vas te faire avoir au procès » ; « Débrouille-toi pour gagner, sinon tu perdras tout ! » ; « Pourquoi refuses-tu la réalité ? Vis ta vie ! » ou encore : « Pourquoi ne te débarrasses-tu pas de ce boulet ? »

De nombreuses personnes sont incapables de comprendre l'utilité de la séparation-réflexion . La promesse d'être uniquement séparés par la mort reste très présente dans notre culture et les séparations-réflexion la remettent en question et paraissent suspectes. C'est la raison pour laquelle peu de personnes sont capables d'aider et d'accepter les couples tentant de trouver une autre solution que le divorce.

Vous aurez besoin de la présence réconfortante de vos amis mais leurs observations risquent de vous déstabiliser. Persévérez et tâchez de trouver de l'aide mais sachez que vous devrez parfois ne compter que sur vous-même. Proposez à vos amis de lire ces pages, elles les aideront peut-être à vous comprendre.

Les paradoxes de la séparation-réflexion

Les séparations-réflexion ont souvent des effets très paradoxaux pour les raisons suivantes :

1) La personne qui décide de la séparation agit parce qu'elle a besoin d'espace émotionnel mais son conjoint en bénéficie autant si ce n'est plus.

2) La personne qui décide de la séparation paraît agir en égoïste mais donne souvent l'occasion à son conjoint d'apprendre à vivre pour lui-même.

3) La personne qui décide de la séparation paraît quitter la relation mais elle lui est souvent plus attachée que son conjoint.

4) Dès que la personne qui a décidé de la séparation sent qu'elle dispose d'un espace émotionnel suffisant, elle cherche à se rapprocher de son conjoint.

5) La personne qui veut la séparation ne cherche pas de nouveaux partenaires. Son conjoint souhaite poursuivre la relation mais cherche généralement un nouveau partenaire.

6) Quand les conjoints se séparent, ils se sentent souvent davantage « engagés » l'un envers l'autre que quand ils vivaient ensemble.

7) La plupart des personnes projettent certaines de leurs difficultés sur leur partenaire. La séparation-réflexion leur permet d'identifier ces projections car elle les met en évidence. Il est plus difficile de rendre l'autre responsable de tout ce qui arrive en son absence !

8) La personne qui décide de la séparation souhaite souvent mieux se connaître et s'épanouir davantage. Son conjoint peut tirer profit de la situation et faire de même.

9) La personne qui décide de la séparation choisit parfois de demander le divorce, mais pour pouvoir construire une nouvelle relation, différente de la précédente, avec son ex-conjoint.

10) La séparation-réflexion, aux yeux de la société, est un échec pour le couple. En réalité, c'est la situation la plus saine qui soit.

11) En cherchant à découvrir sa propre personnalité, la personne qui décide de la séparation réussit parfois à identifier son individualité au sein du couple.

12) Les personnes qui décident de la séparation offrent généralement à leur partenaire ce dont ils ont besoin au lieu de ce qu'ils souhaitent.

Séparation-réflexion ou déni ?

Il faut agir, et ne plus se contenter de promesses. Si les deux conjoints ne s'efforcent pas sincèrement d'améliorer la relation, la séparation deviendra effective et irrémédiable.

Voici quelques questions importantes : Êtes-vous tous deux motivés ou êtes-vous le seul à souhaiter évoluer ? Les conjoints sont-ils en thérapie ? Lisent-ils tous deux des ouvrages consacrés au développement personnel ? Sont-ils parfois seuls ou sont-ils constamment entourés de gens et occupés de manière improductive ? S'abstiennent-ils tous deux de consommer de l'alcool et/ou de la drogue ? Consacrent-ils du temps à leur développement personnel ou investissent-ils dans une autre relation ? Partagent-ils de bons moments ensemble et communiquent-ils bien ? Sont-ils tous deux disposés à accepter leurs responsabilités dans les difficultés de la relation ? Cherchent-ils à découvrir des manières de s'épanouir au lieu d'attendre que leur partenaire change ? Croient-ils tous deux que l'autre est responsable et que la relation ne pourra évoluer s'il ne change pas ?

Quels résultats obtenez-vous ? Vous efforcez-vous tous deux de sauver la relation et de tirer profit de ce temps de séparation ? Si une seule personne fait tout le travail, vous niez probablement la situation et allez vraiment vous séparer… à jamais.

Épilogue

La structure de la séparation-réflexion concerne tout particulièrement les couples et est adaptée à leurs besoins. Néanmoins, les recommandations contenues dans cette annexe peuvent s'appliquer à d'autres formes de relation : amitié, liens familiaux, collaboration, thérapie. Toute séparation momentanée donne un certain recul qui permet une analyse différente de la situation tout en favorisant la création de nouvelles bases.

Bilan-test

Les affirmations suivantes seront utiles aux conjoints qui vivent une séparation-réflexion :

1. *Je connais, parmi les circonstances et les besoins psychologiques qui m'ont poussé à former mon ancien couple, ceux qui m'ont amené à souhaiter une séparation-réflexion .*
2. *J'ai identifié ma part de responsabilités dans les problèmes que traverse mon couple et qui motivent la séparation-réflexion.*

3. *Je m'engage à accomplir un développement personnel pendant la séparation-réflexion.*
4A. *Je sais que j'ai besoin de davantage d'espace émotionnel à ce stade de ma vie.*
4B. *OU Je sais que je suis en partie responsable du fait que mon partenaire souhaite accroître son espace émotionnel.*
5. *Je m'engage activement dans mon développement personnel pour être en meilleurs termes avec moi-même.*
6. *Je m'engage à faire de la séparation une expérience enrichissante.*
7. *Je suis décidé à apprendre le plus de choses possible grâce à mon partenaire.*
8. *J'évite les situations qui risquent de provoquer une séparation définitive.*
9. *J'essaie de soulager les tensions internes qui ont donné naissance à mon besoin d'espace émotionnel.*
10. *J'ai rempli la partie du contrat de séparation-réflexion qui m'est réservée.*
11. *J'avertirai mon partenaire en temps voulu quand il sera temps d'interrompre la séparation-réflexion, que ce soit par le divorce ou par la reprise de la vie commune.*
12. *J'évite de critiquer mon partenaire, de l'accuser et de le tenir pour responsable de tout ce qui m'arrive.*
13. *J'évite de me comporter en victime sans défense ; je ne crois pas que ma situation soit irrémédiable. Je sais que je peux faire quelque chose pour l'améliorer.*
14. *Je vais lire d'autres ouvrages de développement personnel, et/ ou suivre un séminaire d'après-divorce.*

Annexe C

Le contrat de séparation-réflexion

La séparation-réflexion constitue un défi et peut provoquer tension et anxiété dans le couple. Une juste prise de conscience de ses enjeux et un cadre structurel bien déterminé vous aideront à la mener à bon terme. Les séparations non préparées et non structurées augmentent les risques de rupture définitive. Ce contrat de séparation-réflexion permet de donner une forme à cette expérience, de la canaliser et de la rendre constructive et enrichissante ; il favorise l'épanouissement de la relation tout en réduisant les risques de rupture définitive.

A. L'engagement

Conscients que notre relation de couple est en crise, nous choisissons de chercher à y remédier par une séparation-réflexion afin de préserver l'avenir de notre relation et de pouvoir la transformer en un lien plus riche et épanouissant après un travail de prise de conscience et de connaissance de soi. En optant pour ce type de séparation, nous reconnaissons qu'à certains égards notre relation est néfaste pour nous en tant que couple comme en tant qu'individus. Nous reconnaissons également que la relation comporte des aspects positifs qui en sont les atouts à partir desquels nous pourrons construire une relation entièrement neuve et différente. C'est pourquoi nous nous engageons à entreprendre tout travail personnel, psychologique et spirituel nécessaire à la réussite de cette séparation.

Lorsque nous aurons suffisamment progressé, forts de ce travail d'introspection et de l'expérience vécue, nous prendrons de façon plus éclairée et équilibrée les décisions nécessaires concernant l'avenir de la relation.

B. Les objectifs

Les partenaires s'engagent à respecter les points suivants :

1. Se réserver du temps et un espace émotionnel en dehors de la relation pour croître aux plans personnel, social, spirituel et émotionnel.

2. Identifier ses besoins, ses souhaits et ses attentes en ce qui concerne la relation de couple.

3. S'efforcer d'explorer ses propres attentes et besoins par rapport à tout type de relation et juger si ceux-ci peuvent être satisfaits dans une relation de couple.

4. Faire l'expérience des tensions sociales, sexuelles, économiques et parentales résultant de la séparation.

5. Se donner les moyens d'apprécier si la séparation facilite son développement personnel.

6. Faire l'expérience d'une distance émotionnelle suffisante pour départager ses propres problèmes de ceux de son partenaire.

7. Prévoir un cadre permettant de guérir, transformer et faire évoluer la relation dans une perspective d'amour et de santé psychologique.

C. Clauses particulières

1. Durée de la séparation

Nous convenons que la séparation commencera le (mois et jour) ____________ 19____ et prendra fin le ____________ 19____.

(La plupart des couples pressentent quelle doit être la durée approximative de la séparation. Cette durée peut être modifiée de quelques semaines, de quelques mois ou de plus encore. Elle peut donc être renégociée à tout moment par chacun des partenaires. Discuter de la longueur de la séparation peut être un bon exercice de communication.)

2. Temps passé en commun

Nous convenons de passer du temps ensemble conformément aux désirs de chacun. Ces moments pourront être consacrés aux loisirs, à la discussion, à l'éducation des enfants, ou au partage de nos expériences et de nos recherches d'épanouissement personnel. Nous convenons de nous rencontrer pendant __ heures à raison de __ fois la première semaine et de convenir d'un calendrier de rencontres pour les semaines suivantes. Nous acceptons de discuter et de décider ensemble si celles-ci comprendront des relations sexuelles.

(Durant la séparation-réflexion, les partenaires doivent partager des moments privilégiés. Certaines personnes apprécient une liberté récemment acquise et désirent passer peu de temps ensemble. D'autre part, la personne qui éprouvait un grand besoin d'espace émotionnel souhaite souvent passer davantage de temps avec son conjoint après la séparation. Cette attitude surprend généralement son partenaire.

Le conjoint qui a l'impression d'étouffer dans la relation rêve de s'échapper et son besoin d'espace devient moins impérieux dès qu'il a pu se libérer.

Il est important de passer de bons moments ensemble pour créer une nouvelle relation. Dès que d'anciens schémas de comportement refont leur apparition, les conjoints peuvent décider de ne plus se voir. Il existe des recommandations et des contre-indications concernant les relations sexuelles. Celles-ci appellent l'intimité et adoucissent la séparation mais elles risquent de provoquer des problèmes semblables à ceux abordés au chapitre 7 et de créer des difficultés pour la personne qui n'a pas souhaité la séparation, si son conjoint essaie de lui épargner trop de souffrances en poursuivant les rapports sexuels.)

3. Développement personnel

Le partenaire A (______________) accepte de se faire suivre par un thérapeute __, de participer à un séminaire d'après-divorce __, de se rendre chez un conseiller conjugal __ et de se documenter en lisant des ouvrages de développement personnel, ou bien de tenir un journal, d'interpréter ses rêves, de faire des exercices, de suivre un régime ou de prendre part à des activités de groupe enrichissantes ou tout autre type de recherche active d'épanouissement de soi et de connaissance de soi. (Cocher la ou les options choisies.)

Le partenaire B (______________) accepte de se faire suivre par un thérapeute__, de participer à un séminaire d'après-divorce __, de se rendre chez un conseiller conjugal __ et de se documenter en lisant des ouvrages de développement personnel, ou bien de tenir un journal, d'interpréter ses rêves, de faire des exercices, de suivre un régime ou de prendre part à des activités de groupe enrichissantes ou tout autre type de recherche active de connaissance de soi et d'épanouissement de soi.

(Idéalement la séparation-réflexion comporte le maximum d'expériences stimulantes et gratifiantes.)

4. Relations et engagements ne concernant pas le couple

Le partenaire A accepte de se faire de nouveaux amis __, d'avoir davantage de contacts sociaux __, de ne pas rechercher de partenaires potentiels __, de rester sentimentalement fidèle __, de rester sexuellement fidèle __, de s'inscrire à un club, à un groupe de célibataires, etc.

Le partenaire B accepte de se faire de nouveaux amis __, d'avoir davantage de contacts sociaux __, de ne pas rechercher de partenaires potentiels __, de rester sentimentalement fidèle __, de rester sexuellement fidèle __, de s'inscrire à un club, à un groupe de célibataires, etc.

(Idéalement les relations amoureuses et sexuelles en dehors de la relation doivent faire l'objet d'un accord entre les conjoints.)

5. Décisions en matière de logement

Le partenaire A accepte de continuer à vivre au foyer conjugal __, de trouver un autre logement __, de vivre au foyer en alternance avec son conjoint afin que les enfants puissent vivre dans la demeure familiale __.

Le partenaire B accepte de continuer à vivre au foyer conjugal __, de trouver un autre logement __, de vivre au foyer en alternance avec son conjoint afin que les enfants puissent vivre dans la demeure familiale __.

(L'expérience a montré que lorsque les partenaires continuent à vivre sous le même toit, la séparation constitue une expérience moins enrichissante. Il apparaît qu'un tel arrangement réduit l'intensité de la séparation et freine le développement personnel des conjoints. En outre, de tels arrangements peuvent ne pas permettre au partenaire qui en éprouve le besoin de disposer d'un espace émotionnel suffisant.)

6. Décisions financières

Le partenaire A accepte de garder un compte commun et de gérer ensemble les finances du ménage __, de garder un compte commun mais de gérer les finances séparément __, d'ouvrir de nouveaux comptes __, de pourvoir à l'entretien de (s) voiture (s) __, de subvenir aux besoins du ménage __, de verser une pension alimentaire de _______ francs par mois __, de contribuer au remboursement des emprunts et à l'entretien de la maison __, de payer les frais médicaux et dentaires __.

Le partenaire B accepte de garder un compte commun et de gérer ensemble les finances du ménage __, de garder un compte commun mais de gérer les finances séparément __, d'ouvrir de nouveaux comptes __, de pourvoir à l'entretien de (s) voiture (s) __, de subvenir aux besoins du ménage __, de verser une pension alimentaire de _______ francs par mois __, de contribuer au remboursement des emprunts et à l'entretien de la maison __, de payer les frais médicaux et dentaires __.

(Certains couples décident de garder des finances communes. D'autres préfèrent se séparer entièrement.

L'expérience a montré qu'il arrive souvent que l'un des conjoints agisse sans en informer son partenaire notamment lorsqu'il y a des épargnes et des biens communs. Si un désaccord peut survenir dans ce domaine, je recommande que chacun dispose de la moitié des biens et d'un compte séparé.)

7. Voitures

Le partenaire A accepte d'utiliser la ____________ et le partenaire B accepte d'utiliser la ____________.

(Je recommande de ne pas modifier les titres de propriété avant qu'une décision définitive ait été prise concernant l'avenir de la relation.)

D. Les enfants

1. Nous acceptons que la garde commune __ ou exclusive __ soit accordée à ____________.

2. Nous acceptons les horaires de visite suivants : ________________________.

3. Les honoraires médicaux et la couverture sociale seront assurés par ____________.

4. Nous acceptons les propositions suivantes afin que nos enfants puissent eux aussi tirer profit de la séparation-réflexion.

a. Les parents s'engagent tous deux à maintenir de bons rapports avec chacun de leurs enfants. Chaque enfant devra se sentir aimé par ses deux parents comme auparavant.

b. Les parents parlent franchement et honnêtement aux enfants de la séparation-réflexion chaque fois qu'ils le jugent approprié.

c. Les parents aident les enfants à comprendre que la séparation physique qu'ils ont choisie est une situation à régler entre adultes et qu'eux, les enfants, ne sont pas responsables des problèmes que connaît la relation amoureuse de leurs parents.

d. Les parents épargnent à leurs enfants la colère et les sentiments négatifs qu'ils éprouvent l'un envers l'autre. Ils ne cherchent pas à régler leurs comptes à travers leurs enfants. Ces derniers souffrent des tensions émotionnelles existant entre leurs parents. Ils seraient encore plus traumatisés d'en être le jouet.

e. Les parents n'obligent pas les enfants à prendre part aux discussions révélant les dissensions et les désaccords des parents.

f. Les parents ne demandent pas à leurs enfants d'espionner et de rapporter le comportement de l'autre.

g. Les parents s'engagent à continuer à collaborer et coopérer pour assurer ensemble l'éducation des enfants.

(Il est important que les couples vivant une séparation-réflexion évitent autant que possible que leurs enfants en souffrent.)

E. Signature du contrat

Nous avons lu et parlé du contrat de séparation-réflexion et en acceptons les termes. Nous acceptons en outre d'informer notre partenaire de notre désir d'en modifier les clauses ou d'y mettre fin.

Partenaire A Date

Partenaire B Date

Quelques suggestions

J'ai constaté que les couples qui lisent cet ouvrage peuvent recréer des relations saines et que ceux qui participent aux séminaires d'après-divorce le font plus facilement. Ce qui est capital c'est que les conjoints tentent de *divorcer de l'ancienne relation et non de l'ancien partenaire.*

La séparation-réflexion est difficile à gérer. Je vous recommande a) de vous faire aider par un thérapeute de couple, b) de participer à un séminaire d'après-divorce et c) de créer un cercle d'amis pour vous aider à progresser et à résoudre vos problèmes. Si vous n'avez pas pu gérer votre relation avant la séparation, vous aurez du mal à le faire pendant la séparation sans aide extérieure : thérapie, information ou soutien.

Bibliographie

Peur

JAMPOLSKY Gerald G., *Aimer c'est se libérer de la peur*, Le Soleil, Chêne-Bourg (Suisse), 1986.

Adaptation

BRADSHAW John, *Retrouver l'enfant en soi*, Le Jour, Paris, 1992.

PAUL Margaret, *Renouez avec votre enfant intérieur*, Le Souffle d'or, Barret-le-Bas, 1993.

Colère

ALBERTI Robert E. et EMMONS Michael L., *S'affirmer. Savoir prendre sa place*, Le Jour, Paris, 1992.

LERNER Harriet G., *La Danse de la colère*, First, Paris, 1990.

Amour-propre

BLOOMFIELD Harold et FELDER Leonard, *Transformer ses faiblesses en forces : Surmonter le syndrome d'Achille*, Le Jour, Paris, 1988.

BRANDEN Nathaniel, *Ayez confiance en vous*, Marabout, Paris, 1992.

Lâcher prise

WANDERER Zev et FABIAN Erika, *S'aimer pour la vie*, Éditions de l'Homme, Montréal, 1981.

Attachement

CAMPBELL Susan, *Changer ensemble*, Éditions de l'Homme, Montréal, 1989.

Méditation, spiritualité

GIBRAN Khalil, *Le Prophète*, LGF, Paris, 1993.

Hommes et femmes

BLY Robert, *L'Homme sauvage et l'enfant : L'avenir du genre masculin*, Le Seuil, Paris, 1992.

SUGGESTIONS DE L'ÉDITEUR

Développement personnel

ADLER Allan J. et ARCHAMBAULT Christine, *Survivre au divorce*, Éditions de l'Homme, Montréal, 1993.

BERNE Eric, *Des Jeux et des Hommes*, Stock, Paris, 1975.

BUSS David, *Les Stratégies de l'amour : Comment hommes et femmes se trouvent, s'aiment et se quittent depuis 4 millions d'années*, InterÉditions, Paris, 1994.

FORWARD Susan, *Parents toxiques. Comment échapper à leur emprise*, Stock, Paris, 1994.

JAMES Muriel et JONGEWARD Dorothy, *Naître gagnant : L'Analyse Transactionnelle dans la vie quotidienne*, InterEditions, Paris, 1978.

JAOUI Gysa, *Le Triple Moi*, Robert Laffont, Paris, 1979.

KAUFMAN Barry Neil, *Aimer, c'est choisir d'être heureux*, Le Jour, Paris, 1986.

MCKENNA James, *Rompre avec les tabous : Comment acquérir les « permissions » qui nous libèreront des interdits de l'enfance*, InterEditions, Paris, 1992.

POUJOL Jacques et POUJOL Claire, *Le Divorce : Impasse ou dépassement*, Empreinte, Mazerolles, 1990.

SAINT PAUL Josiane de, *Choisir sa vie : Découvrir et réaliser ses valeurs et ses buts de vie avec la Programmation Neuro-Linguistique*, InterEditions, Paris, 1993.

SALOMÉ Jacques, *Apprivoiser la tendresse*, Jouvence, Genève, 1988.

SATIR Virginia, *Pour retrouver l'harmonie familiale*, Éditions Universitaires, Paris, 1980.

SATIR Virginia, *Thérapie du couple et de la famille : Thérapie familiale*, L'Epi, Paris, 1983.

STEINEM Gloria, *Une Révolution intérieure. Essai sur l'amour-propre et la confiance en soi*, InterEditions, Paris, 1992.

TENENBAUM Sylvie, *Nos Paysages intérieurs : Ces idées qui nous façonnent*, InterEditions, Paris, 1992.

VIORST Judith, *Les Renoncements nécessaires*, Robert Laffont, Paris, 1988.

WATZLAWICK Paul, *Faites vous-même votre malheur*, Le Seuil, Paris, 1984.

WATZLAWICK Paul, *Comment réussir à échouer*, Le Seuil, Paris, 1988.

Les enfants et le divorce

Le Divorce, ouvrage collectif, Gamma École active, Paris, 1991.

ALONSO Manuel L. et BALZOLA Asun, *Papa n'habite plus avec nous*, Sorbier, Paris, 1994.

DESMEUZES-BALLARD Sylvette, *Le Divorce vécu par les enfants*, Plon, Paris, 1993.

DOLTO Françoise et ANGELINO Inès, *Quand les parents se séparent*, Le Seuil, Paris, 1988.

LAROQUE Muriel et Théault, *Notre enfant d'abord : Le divorce et la médiation familiale*, Albin Michel, Paris, 1994.

MALAVAL Catherine et VALÉRIE Philippe, *Pères en solo : Retrouver son enfant*, A. Carrière, Paris, 1994.

MONBOURQUETTE Jean, LADOUCEUR Myrma et VIAU Monique, *Grandir ensemble dans l'épreuve : Groupes d'accompagnement de jeunes confrontés au divorce et au deuil* (présentation François J. Paul-Cavallier), Médiaspaul, Paris, 1993.

STEINER Claude, *Le Conte chaud et doux des chaudoudoux,* InterEditions, Paris, 1984.

WALLERSTEIN Judith et KELLY Joan, *Pour dépasser la crise du divorce,* Privat, Toulouse, 1989.

CAHIER D'EXERCICES

LE TEMPS QUE VOUS PASSEREZ À FAIRE ces exercices sera du temps bien investi. Ce travail devrait déboucher sur une nouvelle confiance en vous-même et en votre capacité à gérer les hauts et les bas qui font inévitablement partie de la vie. L'une des choses essentielles que ces exercices vous permettront de comprendre, c'est que *les deux partenaires contribuent à mettre fin à une relation*. En les faisant, un grand nombre de personnes découvre qu'elles portaient en elles des problèmes non résolus qu'elles avaient projetés sur leur partenaire – et c'est l'une des principales causes de malheur et de douleur émotionnelle. Ces exercices rendent possible la création de nouvelles relations, saines – ou parfois même le renouveau de la relation avec l'ancien partenaire – grâce à la connaissance de soi et la guérison intérieure qu'ils procurent.

Exercice 1 : Les pierres de reconstruction

Dessinez la pyramide des pierres de reconstruction et notez vos réactions quant à leur ordre de présentation. Y en a-t-il une que vous oubliez ? ou que ne mettez pas à la même place ? Pourquoi, à votre avis ?

Petit rappel : 1. Déni ; 2. Peur ; 3. Suradaptation ; 4. Solitude ; 5. Amitié ; 6. Culpabilité/Rejet ; 7. Deuil/Chagrin ; 8. Colère ; 9. Lâcher prise ; 10. Amour propre/Estime de soi ; 11. Transition ; 12. Ouverture ; 13. Amour ; 14. Confiance ; 15. Attachement ; 16. Sexualité ; 17. Célibat ; 18. Objectif ; 19. Liberté

Exercice 2 : De puissantes affirmations

Écrire et prononcer des affirmations à voix haute peut être une expérience puissante. En voici quelques exemples : 1. Je fais de cette crise une expérience créative ; 2. J'apprends des façons nouvelles et plus saines d'interagir avec les autres ; 3. Je prends ma vie en main et je crée le bonheur que je mérite. Je vous invite à noter une ou plusieurs affirmations importantes pour votre croissance et votre réalisation personnelles. Disposez-les bien en évidence et dites-les à haute voix au moins une fois par jour.

– Ma première affirmation :
– Ma seconde affirmation :
– Ma troisième affirmation :

Exercice 3 : Premier bilan

Mes réactions à la lecture du livre :

Quelles sont les choses importantes que j'ai apprises en le lisant ?

Quels sont les changements significatifs qui se font jour dans ma manière de penser et dans mes actes ?

Exercice 4 : Un journal

Tenez un journal tout au long de votre progression dans ce cahier d'exercices. Commencer chaque phrase par le pronom « je » vous aidera. Les phrases exprimant votre ressenti (« je ressens ») sont encore plus utiles.

Exercice 5 : Travail sur la suradaptation -1

Faites une liste de comportements sains, naturels et authentiques. Voici quelques exemples : (1) Exprimer vos sentiments (2) Prendre soin de vous (3) Demander ce que vous voulez et ce dont vous avez besoin (4) Vous montrer vulnérable devant d'autres personnes (5) Poser des questions (6) Vous amuser. Continuez votre propre liste et commencez à réfléchir à des comportements sains et guérisseurs.

Exercice 6 : Travail sur la suradaptation -2

Identifiez, dans votre propre liste, les comportements qui étaient favorisés, encouragés et soutenus chez vous, ou par votre famille d'origine. C'est une question difficile qui vous aidera à regarder votre enfance de plus près. Si vos besoins n'ont pas pu être satisfaits de manière naturelle et authentique, il est probable que vous ayez développé des comportements adaptatifs (de « survie »). Les comportements que vous avez choisis étaient probablement les meilleurs compte tenu de votre situation.

Exercice 7 : Travail sur la suradaptation - 3

Identifiez quelques comportements de suradaptation et accomplissez une ou plusieurs des tâches proposées pour chacun d'eux.

1. Si vous avez repéré que vous avez été **perfectionniste** dans votre (vos) relation(s) précédente(s), efforcez-vous d'accomplir moins d'actions compulsives : laissez votre lit défait ; la vaisselle s'accumuler un peu, etc.
2. Si vous avez repéré que vous avez été **hyper responsable**, efforcez-vous de demander à quelqu'un de faire quelque chose pour vous et de dire « non » lorsqu'une autre personne vous demande de faire quelque chose pour elle.
3. Si vous avez repéré que vous avez été **logique et rationnel**, efforcez-vous d'exprimer votre ressenti (« Je ressens ») et de mentionner le plus de sentiments possible à chaque fois.
4. Si vous avez repéré que vous étiez du type « fais plaisir », efforcez-vous d'imaginer une tâche à faire seul(e) qui vous plaira et vous aidera à construire une identité qui vous est propre en vous alignant sur vos propres besoins.
5. Si vous avez eu d'autres comportements de suradaptation, déterminez des tâches qui vous permettront d'expérimenter d'autres choix et vous aideront à devenir plus authentique ou plus équilibré(e).
6. Si vous ne savez pas quel comportement de suradaptation et de survie vous avez pratiqué, votre travail est de réaliser toutes ces cinq tâches afin de trouver laquelle est la plus difficile (il peut y en avoir plus d'une). C'est sur elle(s) que vous avez le plus besoin de travailler.

Exercice 8 : Travail sur la suradaptation - 4

Identifiez vos sentiments sous-jacents ou les besoins non satisfaits de votre enfance. Lequel des six sentiments suivants semble avoir motivé votre comportement de suradaptation : culpabilité, rejet, peur, faible conscience de votre propre valeur, colère ? Efforcez-vous chaque jour de vous donner à vous-même l'amour et le soutien qui vous ont fait défaut. Voici quelques idées :

1. **Culpabilité** : affichez un panneau où il est écrit : « Je ne suis pas responsable », et lisez-le tous les jours.
2. **Rejet** : demandez à un ami ou une personne que vous aimez d'écrire une liste de dix choses (ou plus) qu'elle aime chez vous. Lisez cette liste jusqu'à ce que vous y croyiez.
3. **Peur** : faites une liste de vos peurs. Parlez-en à quelqu'un en qui vous avez confiance.
4. **Faible croyance en votre valeur personnelle** : notez dix choses que vous aimez chez vous. Lisez cette liste jusqu'à ce que vous commenciez à croire que ce que vous avez écrit est vrai.
5. **Colère** : écrivez : « Je suis en colère contre toi parce que… » autant de fois que possible. Puis récrivez la liste en notant : « Je suis en colère contre moi-même parce que… ».
6. **Comportements appris** : faites une liste des « il faut » que vous avez appris en étant enfant. Lisez ensuite chacun d'eux et si vous n'êtes pas d'accord, récrivez-le en lui donnant un sens auquel vous croyez. Exemple : « Mange toujours tout ce qu'il y a dans ton assiette » peut être transformé en « Je n'ai pas à finir mon assiette si je suis au régime », ou « Il est convenable que j'arrête de manger lorsque je n'ai plus faim. »

Exercice 9 : Travail sur la suradaptation - 5

Voici une liste de comportements de suradaptation (il en existe bien d'autres !). Repérez ceux qui vous correspondent. Soyez honnête avec vous-même. Ce que vous faisiez auparavant vous a été utile, mais maintenant les choses ont changé. Être authentique demande moins d'efforts que vous ne le pensiez, et transforme la vie !

Agressif	*par opposition à*	Passif
Hyper responsable		Irresponsable
Perfectionniste		« Fais plaisir »
Contrôleur		Rebelle

Bon berger		Mouton noir
Besoin d'aider		J'ai besoin d'aide
Aime trop		Joue les détachés
Mère possessive		Enfant blessé
Superman		Lois Lane[1]
Superwoman		Casper Milquetoast[2]
Intimidant		Martyr
Compétiteur		Je ne peux pas
Soignant		Victime
Je sais tout		Je ne sais pas
Critique les autres		Prend la critique pour soi
Lance-flammes		Cuirassé
Optimiste		Pessimiste
Sans reproche		Je ne suis pas OK
Soyons logique	*par opposition à*	Dingue
Se bat		Part en courant
Accusateur		Je suis à blâmer
Clown		Invisible
Juge		Caméléon
Je le fais tout seul		Aide-moi
En fait trop		Remet à plus tard
Accro au travail		Relax
Routinier		Amusons-nous
Se plaint		Vérifie
C'est de ta faute		C'est de ma faute
Parieur		Ne compromets pas les choses
Pleurnicheur		Souffre en silence
Planificateur		Désorganisé
Boute-en-train		Timide
Centre de l'attention		En retrait
Confronte		Évite
Pourvoyeur de solutions		Consommateur de drogues

1. Compagne de Superman. Dans la première période de cette bande dessinée, elle était la ménagère passive, la femme au foyer. (N.d.T.)
2. Autre personnage de bande dessinée américain, un petit homme doux, timide et retiré. (N.d.T.)

Exercices 10 : Les comportements authentiques et les comportements de suradaptation/survie

Étudiez le tableau suivant et gardez-le tête. Les comportements authentiques vont devenir une habitude si vous décidez de les intégrer en vous et de les mettre en œuvre jour après jour.

COMPORTEMENT DE SURADAPTATION/ SURVIE	COMPORTEMENT AUTHENTIQUE
Perfectionniste Attend la perfection chez les autres Fixe aux autres des limites rigides Veut avoir l'air bien S'efforce d'atteindre la perfection Suscite des réactions défensives chez les autres Fait que les autres ne se sentent pas bien Veut changer les autres Jamais assez	**Fait son possible pour atteindre l'excellence** Fait aux autres des retours constructifs Pose aux autres des limites saines Ne se soucie pas des apparences Fait son possible pour atteindre l'excellence Suscite des réactions adéquates chez les autres Aide les autres à se sentir bien Accepte les autres Satisfait de ce qui est accompli
Hyper responsable Mère possessive Fournit des poissons aux autres Donner est un acte intéressé Suscite des réactions de suradaptation chez les autres Fait que les autres ne se sentent pas bien Contrôle S'occupe des affaires des autres Facilite Se sent égoïste en prenant soin de soi	**Responsable de soi** Soutien autrui avec empathie Apprend aux autres à pêcher Donner est un acte désintéressé Suscite des réactions naturelles chez les autres Aide les autres à se sentir bien Catalyse la croissance d'autrui Prend soin Responsabilise Est capable de s'occuper de soi
Rationnel-Logique Rigide Incapable d'accéder aux sentiments N'utilise que des faits et des interprétations Dictateur Fait que les autres ne se sentent pas bien A recours à des stratégies de survie apprises Se soucie de la manière correcte de faire Exprime des opinions, tente de convaincre les autres	**Équilibre des pensées et des sentiments** Souple Capable d'accéder aux sentiments Utilise toutes les parties de sa personnalité Président du comité Fait que les autres se sentent bien Choisit en fonction de ce qu'il aime Se soucie d'autrui Exprime ses croyances et écoute les autres
Rebelle Veut que les choses soient comme il l'entend, rebelle Bouleverse le système Son comportement génère davantage de chaos Préoccupé par le fait de se rebeller Manipulation égoïste Suscite la critique chez les autres	**Identité saine** Capable de générer le changement Aide le système à mieux fonctionner Son comportement génère de l'efficience et de l'efficacité S'adapte à la situation Manipulation positive Suscite le soutien chez les autres

☞

☞

Enfant blessé et dépendant	**Enfant créatif et naturel**
Imite les autres	Créatif et spontané
Fait sembler de s'amuser	Aime s'amuser
Exprime ce que les autres ressentent et expriment	Exprime facilement ce qu'il ressent
Soucieux de s'adapter	Centré sur son être intérieur
Suiveur	Meneur
Suscite un comportement de sauveteur chez autrui	Suscite la spontanéité chez autrui

Vous sentez-vous responsable *des* autres ou savez-vous laisser à la personne sa propre responsabilité tout en vous montrant bienveillant à son égard ? Et si vous transformiez votre partie « don aux autres » si développée en partie « don à soi-même ». Vous pourriez trouver le bonheur, le contentement et la paix intérieure que vous méritez.

JE ME SENS RESPONSABLE DES AUTRES	JE ME SENS BIENVEILLANT ENVERS LES AUTRES
J'arrange	Je témoigne de l'empathie
Je protège	J'encourage
Je sauve	Je partage
Je contrôle	Je confronte
Je m'identifie à leurs émotions	Je me mets en accord avec eux
Je n'écoute pas	J'écoute
Je suis insensible	Je suis sensible
***	***
Je me sens fatigué	Je me sens détendu
Je suis anxieux	Je me sens libre
Je suis craintif	Je suis conscient
Je me sens garant	J'ai de l'estime pour moi-même
***	***
Je me soucie :	*Je me soucie :*
de la solution	d'avoir des relations personnelles
des réponses	des sentiments
de la situation	de la personne
d'avoir raison	de découvrir la vérité
des détails	de la globalité
de la performance	de la relation
***	***
Je suis un manipulateur. J'exige que l'autre se montre à la hauteur de mes attentes. J'ai peur et je m'accroche.	Je suis un guide aidant. J'attends de l'autre qu'il soit responsable de lui-même. Je peux être confiant et lâcher prise.

Exercice 11 : Check-up

Mes réactions à propos du travail sur la suradaptation :

Quelles sont les choses importantes que j'ai apprises sur mes attitudes ?

Quels sont les changements significatifs qui se font jour dans ma manière de penser et dans mes actes ?

Exercice 12 : Travail sur le chagrin et le deuil

Lisez le texte suivant à voix haute ; imprégnez-vous de lui. Et puis relisez-le maintenant en changeant le « vous » en « je » :

Hier, maintenant, demain. *Hier*, c'était le passé. *Maintenant,* c'est le présent. *Demain* sera le futur. *Hier*, c'était les souvenirs, les bons comme les mauvais ; c'était les vieux amis. Vous ne pouvez pas vivre dans le *passé*. Vous devez vous accrocher aux bonnes choses et apprendre des mauvaises. Vous devez vous rappeler la réussite et comprendre les échecs, vous en servir pour grandir et devenir une personne plus complète. *Maintenant* est douloureux. C'est le souvenir du passé, quand bien même vous faites tout pour ne pas vous souvenir. *Maintenant*, c'est scruter les échecs d'un regard pénétrant. La réussite, elle, est difficile à mesurer ou à comprendre. *Maintenant*, c'est se rétablir, penser à la vie. C'est *maintenant* que vous devez vivre. Chaque jour est *maintenant*, le présent. Les décisions prises *maintenant* ont un impact sur votre futur. *Maintenant* est le présent, *maintenant* est le passé, *maintenant* est le futur. Toutes ces choses ne font qu'une, MAINTENANT. *Demain* est ce qui adviendra. Bonheur, tristesse, douleur et AMOUR. Serons-nous heureux demain ? Personne ne le sait vraiment, mais on peut le décider. *Demain*, ce sont les rêves, les espoirs et les prières. Le changement, pour le meilleur ou pour le pire. *Demain.* Il doit advenir, ou la vie se met à stagner comme un marais sans vie dans la plaine de la désolation. *Demain* est ce que vous en faites.

Exercice 13 : La lettre d'adieu

Vous vous rappelez la lettre écrite par Patricia en page 102. Et si vous rédigiez vous aussi une telle lettre ? Maintenant.

Exercice 14 : Où en suis-je ?

Pouvez-vous prononcer à voix haute les affirmations suivantes comme si elles venaient de vous : 1. Je suis prêt à reconnaître les pertes, les événements douloureux que je rencontre dans ma vie et à en faire le deuil. 2. Je m'engage à investir davantage dans la relation avec moi-même, pour que je puisse devenir la personne que je suis capable d'être. 3. Je suis assez fort émotionnellement pour me permettre d'éprouver le chagrin nécessaire et faire le deuil de manière adéquate. 4. Je suis ouvert et prêt à apprendre à m'aimer plus. 5. Je m'engage à me tourner vers les autres et à demander ce que je veux et ce dont j'ai besoin. 6. Je suis simplement en contact avec ce que je ressens, et cela est parfaitement naturel.

Avez-vous d'autres affirmations qui vous viennent à l'esprit à propos de votre chagrin et du sentiment de perte que vous éprouvez ? Quelles sont-elles ?

Ma première affirmation :

Ma seconde affirmation :

Ma troisième affirmation :

Exercice 15 : Check-up

Mes réactions à propos du travail sur le deuil :

Quelles sont les choses importantes que j'ai apprises ?

Quels sont les changements significatifs qui se font jour dans ma manière de penser et dans mes actes ?

Exercices 16 : Vous et votre colère

Lisez la liste ci-dessous des manières saines de répondre à sa colère. Quelle est celle qui vous convient ? Arrangez-vous pour la mettre en application le plus tôt possible et autant de fois que vous en sentez le besoin. Variez en prenant votre deuxième et troisième choix.

1. Faites un temps mort pour vous calmer, puis parlez du problème et mettez les choses au clair.
2. Courez aussi vite que vous le pouvez.
3. Chantez.
4. Faites rebondir un ballon de toutes vos forces.

5. Donnez des coups de poing dans un coussin/un tapis/l'herbe.
6. Pleurez.
7. Hurlez dans un oreiller (ou loin des autres).
8. Gribouillez.
9. Dessinez l'objet de votre colère.
10. Écrivez un « journal des émotions ».
11. Déchiquetez du papier journal.
12. Comptez jusqu'à dix (ou 20, ou 100, ou…).
13. Tapez du pied et fulminez (tout seul).
14. Faites comme si vous étiez un ballon de baudruche : inspirez profondément et lentement, comptez jusqu'à trois en maintenant l'air puis expirez lentement.
15. Parlez à un ami.
16. Écrabouillez des marshmallows.
17. Faites de l'exercice physique.
18. Écoutez de la musique.
19. Faites du bruit avec un sifflet, une cuillère en bois et une casserole etc.
20. Faites des grimaces exprimant ce que vous ressentez.

Exercice 17 : Utiliser sa colère pour gagner en énergie personnelle

Imaginez une femme qui n'a pas suivi de formation supérieure et qui, tout en étant un soutien pour son compagnon jusqu'à la fin de ses études à lui, s'est vue constamment critiquer pour son manque d'« éducation ». Lors de son divorce, elle découvre en elle une colère énorme de n'avoir pas fait d'études. Sa colère, elle la transforme en détermination : celle de trouver le temps et l'argent nécessaires pour obtenir un diplôme universitaire. Imaginez un homme à qui l'on a très souvent reproché d'être insensible. Quand il se sépare de sa femme, il découvre en lui un immense brasier de colère. Il suit une thérapie, déterminé à apprendre à entrer en contact avec ses sentiments de colère et à en parler. Il transforme ainsi sa colère en connaissance de soi et force émotionnelle.

Et vous ? Pouvez-vous trouver des moyens d'utiliser votre colère pour devenir une personne plus forte et plus épanouie ? Examiner la question en vaut la peine. Découvrez à quel point il est bon d'être aux commandes de sa propre vie au lieu de trimballer un fardeau de colère qui vous maintient dans un état d'épuisement émotionnel et vous submerge. Dégagez la force de vivre mieux.

Exercice 18 : Les sculptures corporelles

Référez-vous aux pages 183 à 188 et testez chacune des « sculptures ». Formulez oralement ou par écrit les sentiments que vous avez éprouvés dans chacune des situations. Laquelle décrit votre relation amoureuse passée ou présente ? Aucune ? Créez alors la vôtre. La position de la relation saine vous a-t-elle été inconfortable ? Rappelez-vous que toute relation malsaine peut engendrer un sentiment de colère.

Exercice 19 : Que puis-je donc faire de ma colère ?

La colère est complexe et la traiter est donc également difficile. Vous avez cependant trois options : (1) réduire l'importance de la colère dans votre vie ; (2) savoir supporter avant de vous mettre en colère ; et (3) réagir en réussissant à exprimer sans agressivité que vous êtes fâché(e). Entraînez-vous pour chacun de ces points, usez d'imagination et de trouvailles et n'hésitez pas à demander de l'aide à des spécialistes pour que votre colère se transforme en énergie positive.

Exercice 20 : Check-up

Pouvez-vous reprendre à votre compte ces affirmations : 1. Je peux exprimer ma colère de manière saine. 2. Être en colère est quelque chose d'acceptable. 3. La colère peut donner du pouvoir. 4. La colère peut avoir de nombreuses causes.

Que souhaitez-vous affirmer à propos de votre colère ?

Mon ou mes affirmations sont :

Mes réactions à propos du travail sur la colère :

Quelles sont les choses importantes que j'ai apprises ?

Quels sont les changements significatifs qui se font jour dans ma manière de penser et dans mes actes ?

Exercice 21 : Travail sur l'amour-propre et l'estime de soi - 1

Vous êtes ce que vous pensez. Décidez donc maintenant que vous voulez RÉELLEMENT améliorer votre estime personnelle. Ce n'est pas une décision à prendre à la légère, parce que changer l'opinion que vous avez de vous-même modifiera presque tout dans votre vie.

Exercice 22 : Travail sur l'amour-propre et l'estime de soi - 2

Débarrassez-vous déjà de vos mauvaises habitudes en ce domaine. Dressez la liste de tous les messages négatifs que vous vous adressez continuellement : « Tu es vraiment stupide » ; « Tu es prétentieux(se) » ; « Tu ne feras jamais rien », etc. Puis essayez de les transformer en messages plus positifs. Ex. « Tu es égoïste et égocentrique » peut devenir « Je sais prendre soin de moi ».

Exercice 23 : Travail sur l'amour-propre et l'estime de soi - 3

Apprenez à vous trouver des qualités. Faites une liste de dix choses que vous aimez chez vous. Demandez à un(e) ami(e) proche, un membre de votre famille ou un(e) amant(e) de faire une liste de dix qualités qu'il (elle) apprécie chez vous. Affichez ces listes dans un endroit où vous pourrez les lire tous les jours, par exemple sur le miroir de votre salle de bains. Lisez-les jusqu'à ce que vous commenciez à y croire !

Exercice 24 : Travail sur l'amour-propre et l'estime de soi - 4

Apprenez à accepter les compliments et à y croire. Avez-vous déjà essayé de faire un compliment à une personne dont l'estime personnelle est faible ? C'est comme de l'eau glissant sur les plumes d'un canard. La prochaine fois que vous recevez un compliment, dites « merci », « cela fait du bien », ou « je ne le savais pas ». Concentrez-vous pour laisser le compliment pénétrer en vous le plus loin possible, de sorte que vous vous sentiez différent(e) au plus profond de vous-même.

Exercice 25 : Travail sur l'amour-propre et l'estime de soi - 5

Nourrissez votre être chaque jour de ce qui est bon et beau autour de vous. Prenez du temps pour profiter des couchers de soleil, pour méditer, passer un moment tranquille, seul(e) ou en compagnie, pour faire des lectures stimulantes, regarder les fleurs. Faites des choses de ce genre, de sorte qu'en allant vous coucher vous puissiez dire : « Aujourd'hui, j'ai fait cela pour moi. »

Exercice 26 : Travail sur l'amour-propre et l'estime de soi - 6

Répétez avec force et conviction les phrases suivantes : 1. Je suis une personne unique. 2. J'aime mon appréciation de moi-même. 3. Je m'accepte de manière inconditionnelle. 4. Je suis OK. Cherchez d'autres affirmations qui vous conviennent sur vous-même :

Mon ou mes affirmation(s) :

Exercice 27 : Check-up

Mes réactions à propos du travail sur l'estime de soi :

Quelles sont les choses importantes que j'ai apprises ?

Quels sont les changements significatifs qui se font jour dans ma manière de penser et dans mes actes ?

Exercice 28 : La transition

Relisez le chapitre sur la transition et réfléchissez au processus qui se fait en vous pour devenir – ou redevenir – une personne autonome, épanouie et heureuse. Pouvez-vous affirmer à voix haute : 1. Plus je me comprends moi-même, mieux je me sens. 2. J'apprécie ma capacité à mettre en pratique dans ma vie quotidienne ce que j'apprends ?

Trouvez-la ou les autres affirmations personnelles qui vous stimulent :

Mon ou mes affirmations :

Mes réactions à propos de cette phase de transition :

Quelles sont les choses importantes que j'ai apprises ?

Quels sont les changements significatifs qui se font jour dans ma manière de penser et dans mes actes durant cette phase ?

Exercice 29 : Travail sur l'ouverture - 1

Répétez ces phrases jusqu'à être convaincu(e) de ce que vous dites :

1. Je peux partager avec certaines personnes ce que je pense et ressens sans être effrayé(e).
2. Je préfère être authentique que supporter le poids d'un masque.

Trouvez la ou les affirmations qui vous aident à décider de vous montrer authentiquement vous-même et à le vivre :

Mon ou mes affirmation(s) :

Exercice 30 : Travail sur l'ouverture - 2

Lisez le texte qui suit, de préférence à voix haute, autant de fois que vous le voulez. Ressentez comme il agit en vous pour votre bien : *« Je suis moi. Voilà ma déclaration d'estime de moi. Dans le monde entier, il n'y a personne qui soit exactement pareil à moi. Tout ce qui vient de moi est authentiquement mien parce que je suis le seul à l'avoir choisi. Tout ce qui est moi, je le reconnais : mon corps, ma bouche, ma voix, mes émotions et mes actions, qu'ils soient orientés vers les autres ou moi-même. Je reconnais mes fantasmes, mes rêves, mes espoirs, mes peurs. Je reconnais tous mes triomphes et mes succès, tous mes échecs, toutes mes erreurs. Parce que je reconnais et assume tout de moi, je me connais intimement. Ainsi, je peux m'aimer et être amical envers moi-même et envers toutes les parties qui me composent. Je sais que certains aspects de moi-même me déconcertent et qu'il y en a d'autres que je ne connais pas. Mais tant que je suis amical et bon à mon propre égard, je peux avec courage et espoir chercher des solutions à mes énigmes et mes manières, afin de me découvrir davantage. Quelle que soit mon apparence, quoi que je dise, fasse, pense et ressente à un moment donné, tout cela est authentiquement moi. Si je découvre que certaines parties de ce dont j'ai l'air, de ce que je dis, pense et ressens ne sont pas appropriées, je peux rejeter ce qui ne convient pas, garder le reste, et inventer quelque chose de nouveau pour remplacer ce que je rejette. Je peux voir, entendre, sentir, penser, dire et faire. J'ai les moyens de survivre, d'être proche des autres, d'être productif et de donner un sens et un ordre au monde des gens et des choses extérieurs à moi. Je me possède, et c'est pourquoi je peux me fabriquer. Je suis moi, et je suis OK. »*

Exercice 31 : Travail sur l'ouverture - 3

Mes réactions à propos du travail sur l'ouverture :

Quelles sont les choses importantes que j'ai apprises ?

Quels sont les changements significatifs qui se font jour dans ma manière de penser et dans mes actes ?

Exercice 32 : Travail sur l'amour - 1

Qu'est-ce qui vous effraie dans le fait d'être aimé(e) ?

En quoi aimer une autre personne vous fait-il peur ?

Qu'est-ce que l'amour ?

Comment savez-vous que vous êtes sympathique ?

Comment le vivez-vous ?

Comment exprimez-vous votre amour ?

Comment voudriez-vous que l'on vous aime ?

Comment faites-vous pour satisfaire vos propres besoins sans vous sentir égoïste ?

Qu'est-ce qui rend possible le fait que vous acceptez l'amour des autres ? Comment les autres savent-ils que vous les aimez ?

Comment vous aimez-vous vous-même ?

En quoi votre idée de l'amour est-elle en train de devenir plus mature ? Sous quels aspects est-elle encore immature ? En quoi votre amour est/était-il exigeant ? En quoi votre amour est/était-il excessivement dépendant ?

Nous ne pouvons donner ce que nous n'avons pas. Pour aimer un autre être, nous devons commencer par nous aimer nous-même. Contrairement à l'idée malheureusement persistante que s'aimer soi-même est une notion égocentrique, infantile et destructrice, l'amour de soi est sain et contagieux.

Exercice 33 : Travail sur l'amour - 2

Décidez de vous aimer et de vous estimer vous-même de façon autonome et joyeuse. Cessez de rechercher à l'extérieur la validation de votre valeur, de votre beauté, de votre intelligence et de votre personnalité. Avant d'aller à la pêche aux compliments, commencez par vous demander si *vous* êtes satisfait(e) de votre performance ou de votre aspect. Le cas échéant, demandez-vous pourquoi vous avez besoin que quelqu'un d'autre vous le dise.

Exercice 34 : Travail sur l'amour - 3

Décidez d'aimer la vie ; décidez d'aimer *votre* vie. Décidez d'apprécier la vie même si les contradicteurs systématiques et les grincheux sont déterminés à vous tirer vers le bas. Entourez-vous de gens contents. Cessez de pensez que *vous* avez la responsabilité de changer ceux qui s'acharnent à être malheureux. Vos propres attentes sont la clé de toute cette grande affaire qu'est la santé mentale. Si vous vous attendez à être heureux, en bonne santé et satisfait(e) de la vie, il est vraisemblable que c'est ce qui va se produire.

Exercice 35 : Travail sur l'amour - 4

Rappelez-vous le pouvoir des affirmations. Répétez de façon haute et claire et aussi souvent que cela vous fait du bien les paroles suivantes : 1. Je m'aime et m'apprécie chaque jour davantage. 2. Je me donne l'amour que je mérite recevoir de la part des autres et de la mienne.

Trouvez votre ou vos propres affirmations énergisantes :

Ma ou mes affirmation(s) :

Exercice 36 : Où en suis-je ?

Mes réactions à propos du travail sur l'amour :

Quelles sont les choses importantes que j'ai apprises ?

Quels sont les changements significatifs qui se font jour dans ma manière de penser et dans mes actes ?

Exercice 37 : Travail sur l'attachement - 1

Afin d'établir des relations constructives avec les autres, entraînez-vous à :

– utiliser des « messages-je » à la place des « messages-tu »;
– mettre les choses au clair devant un problème ou un obstacle avant de réagir à partir de déductions hâtives ;

– vous exposer et vous montrer vulnérable dans une mesure qui reste confortable, pas trop, ni trop peu ;

– trouver l'équilibre entre donner et recevoir, être responsable et s'amuser ;

– trouver l'équilibre entre suivre une tradition et être prêt à essayer de nouvelles choses ;

– établir des frontières souples plutôt que dresser des murs ;

– prendre soin de vous-même sans vous sentir égoïste ;

– vivre davantage dans le présent que dans le passé ou le futur ;

– apprivoiser vos parties suradaptées plutôt que de les laisser contrôler votre comportement.

Exercice 38 : Travail sur l'attachement - 2

Apprenez à écouter vraiment et à monter aux autres votre intérêt par une écoute active. Entraînez-vous à :

– *encourager* l'expression des pensées et des sentiments ;

– *vous accorder* à l'autre, en interrompant toute autre activité (éteindre la télévision, ne pas prêter attention aux autres bruits, concentrer votre énergie dans sa direction) ;

– *prêter attention* à son message, si possible en établissant un contact oculaire, en hochant la tête pour montrer que vous entendez, éventuellement en touchant la personne ; et

– essayer de *comprendre* avant de répondre, en réfléchissant au message sous-jacent – le ressenti derrière les mots – plutôt qu'en tâchant d'interpréter ou de suggérer une réponse.

Exercice 39 : Travail sur l'attachement - 3

Pour acquérir les bons réflexes et développer les compétences d'aide authentique, efforcez-vous de :

– poser des questions ouvertes ;

– éviter les questions auxquelles on peut répondre par « oui » ou par « non » ;

– éviter les « pourquoi », qui bloquent la communication ;

– employer les mots « quoi » et « comment » ;

– utiliser des signes d'encouragement (hochements de tête, contact oculaire ; « hmm hmm » ; « oui » ; « continue » ; « et... » ; « parce que... » ; « souhaites-tu m'en dire plus ? ») ;
– éviter de vouloir sauver la personne ;
– laissez-la ressentir la douleur, la confusion, la tristesse et la colère - cela fait partie de son apprentissage ;
– soutenez-la sans fusionner avec elle ; restez objectif. Les gens peuvent résoudre leurs problèmes si on leur donne la chance d'en parler dans un contexte rassurant.

Exercice 40 : Travail sur l'attachement - 4

Réfléchissez aux questions suivantes pour savoir où vous en êtes :

1. De quoi a-t-on besoin pour avoir confiance en des personnes du sexe opposé ?
2. En quoi les hommes et les femmes se ressemblent-ils dans leurs réponses à des sentiments tels que l'amour, la haine, l'intimité et la peur ?
3. En quoi les hommes et les femmes sont-ils différents dans leurs réponses à des sentiments tels que l'amour, la haine, l'intimité et la peur ?
4. Comment est-ce que je sais que je peux avoir confiance en moi et en ce que je ressens ?
5. Quels sont, chez moi, les ressentis en lesquels j'ai confiance et en fonction desquels j'agis ?
6. Qu'est-ce qui rend possible le fait d'être émotionnellement proche d'un éventuel partenaire amoureux ?
7. Comment est-ce que je fais pour garder mes distances par rapport aux autres ? Qu'est-ce que je fais pour les éloigner ?
8. Quelles sont les relations que je construis et qui m'aident à guérir ma blessure d'amour ? Pourquoi est-ce important ?
9. Qu'est-ce que je fais pour construire des relations de confiance, saines, avec des amis des deux sexes ?
10. Que se passe-t-il lorsque j'émets des messages contradictoires au lieu de communiquer mes vrais sentiments ?
11. Qu'est-ce qui me permet de savoir que je ne peux pas avoir confiance en quelqu'un ?

12. Qu'est-ce qui me permet de savoir que je peux avoir confiance en quelqu'un ?
13. Pourquoi est-il important que ma blessure d'amour guérisse ? En quoi cela m'aidera-t-il à vivre une expérience intime ?
14. Que signifie, dans le contexte de mes relations, « vivre dans le présent »?
15. Quelle est la différence essentielle entre vivre une relation à court terme et s'engager dans une relation à long terme ?
16. Quels genres de risques est-ce que je prends dans ma relation, hormis le fait d'exposer mes sentiments et pensées véritables ?
17. Comment est-ce que je témoigne un vrai intérêt pour mes amis ? En quoi cela est-il différent du fait de chercher une nouvelle relation amoureuse ?

Exercice 41 : Travail sur l'attachement - 5

Encouragez-vous. Comme pour les autres pierres sur lesquelles rebâtir votre vie, utilisez à votre profit la puissance des affirmations. Dites-vous et ayez sous les yeux les phrases suivantes : 1. Je peux avoir confiance en moi et être moi-même dans toutes mes relations. 2. Je ressens une plus grande paix intérieure lorsque je me connecte honnêtement et ouvertement à moi-même et aux autres.

Trouvez-la ou les affirmations qui vous font du bien :

Ma ou mes affirmation(s) :

Exercice 42 : Check-up

Mes réactions à propos du travail sur l'attachement :

Quelles sont les choses importantes que j'ai apprises ?

Quels sont les changements significatifs qui se font jour dans ma manière de penser et dans mes actes ?

Exercice 43 : Travail sur la sexualité - 1

Complétez les phrases suivantes :

Lorsque je pense aux relations sexuelles, je…

Lorsque j'étais enfant, je pensais que le sexe était…

Maintenant, je considère qu'il est…

En ce qui concerne la sexualité, mon père disait toujours...
En ce qui concerne la sexualité, ma mère disait toujours...
J'ai grandi en pensant que le plaisir sexuel était...
Au début de ma dernière relation amoureuse, je m'attendais à ce que les relations se'xuelles soient...
Le message que j'ai reçu de mon dernier partenaire à propos de la sexualité était que...
Dans ma dernière relation amoureuse, j'ai contribué aux difficultés d'ordre sexuel en...
Depuis la fin de ma dernière relation, la sexualité...
Dans ma prochaine relation amoureuse, pour ce qui est de la sexualité, je m'assurerai de...
Ma fantaisie sexuelle préférée est...

Exercice 44 : Travail sur la sexualité - 2

Je vous l'ai déjà dit : écrire et prononcer des affirmations à voix haute peut être une expérience puissante. En voici quelques exemples. Je vous invite à noter une ou plusieurs affirmations importantes pour votre croissance et votre réalisation personnelles. Disposez-les bien en évidence et dites-les à haute voix au moins une fois par jour. 1. Dans ma vie, je fais des choix par amour. 2. Je suis responsable de la façon dont je vis ma vie. 3. Je suis capable de construire et de créer des relations saines avec des amis des deux sexes. 4. Plus j'apprends à me connaître, plus je m'apprécie.

Votre ou vos propre(s) affirmation(s) :

Exercice 45 : Check-up

Mes réactions à propos du travail sur la sexualité :

Quelles sont les choses importantes que j'ai apprises ?

Quels sont les changements significatifs qui se font jour dans ma manière de penser et dans mes actes ?

Exercice 46 : Bilan : 100 questions pour faire le point

Les phrases qui suivent décrivent des sentiments et des attitudes dont les personnes qui parviennent aux termes d'une relation amoureuse font fréquemment l'expérience. Tout en ayant à l'esprit une relation spécifique qui est terminée ou qui se termine pour vous, lisez chacune des phrases et décidez de la fréquence avec laquelle elle s'applique à vos sentiments et attitudes actuels. Notez votre réponse. Ne laissez aucune phrase sans réponse. Si la phrase ne semble pas correspondre à la situation que vous vivez, répondez comme vous le feriez si cette phrase était adéquate.

Choisissez entre les cinq réponses suivantes :

(1) presque toujours **(2)** en général **(3)** parfois **(4)** rarement **(5)** presque jamais

1. Je me sens à l'aise de dire aux gens que je suis séparé(e) de mon partenaire. 1 2 3 4 5
2. Je suis physiquement et émotionnellement épuisé(e) du matin au soir. 1 2 3 4 5
3. Je pense constamment à mon ancien(ne) partenaire. 1 2 3 4 5
4. Je me sens rejeté(e) par la plupart des amis que j'avais lorsque nous étions ensemble. . . . 1 2 3 4 5
5. Quand je pense à mon ancien(ne) partenaire, je suis bouleversé(e). 1 2 3 4 5
6. J'aime être qui je suis. 1 2 3 4 5
7. J'ai envie de pleurer, je me sens si triste. 1 2 3 4 5
8. Je peux communiquer avec mon ex de façon calme et rationnelle. 1 2 3 4 5
9. Je voudrais changer de nombreux aspects de ma personnalité. 1 2 3 4 5
10. Il m'est facile d'accepter que je suis devenu(e) célibataire. 1 2 3 4 5
11. Je suis déprimé(e). 1 2 3 4 5
12. Je me sens émotionnellement distant(e) de mon ancien(ne) partenaire. 1 2 3 4 5
13. Si les gens me connaissaient, ils ne m'apprécieraient pas. 1 2 3 4 5
14. Je me sens à l'aise lorsque je vois mon ancien(ne) partenaire et que je lui parle. 1 2 3 4 5

15. J'ai le sentiment d'être une personne attirante. 1 2 3 4 5
16. Je suis dans un état de confusion, et le monde semble irréel. 1 2 3 4 5
17. Je me retrouve en train de faire des choses pour plaire à mon ancien(ne) partenaire. . . . 1 2 3 4 5
18. Je me sens seul(e). 1 2 3 4 5
19. Il y a beaucoup de choses concernant mon corps que je voudrais changer. 1 2 3 4 5
20. J'ai de nombreux plans et objectifs pour le futur. 1 2 3 4 5
21. J'ai l'impression de ne pas être très attirant(e) 1 2 3 4 5
22. Depuis ma séparation, j'expérimente de nouvelles manières d'être en relation et d'interagir avec les gens. 1 2 3 4 5
23. Si je me joignais à un groupe de célibataires, j'aurais l'impression d'être un perdant, comme eux. 1 2 3 4 5
24. Il m'est facile d'organiser mon emploi du temps quotidien. 1 2 3 4 5
25. Je me retrouve en train de chercher des prétextes pour voir et parler à mon ancien(ne) partenaire. 1 2 3 4 5
26. Puisque ma relation amoureuse a échoué, je ne vaux rien. 1 2 3 4 5
27. J'ai envie de décharger ma colère et ma douleur sur mon ancien(ne) partenaire. 1 2 3 4 5
28. Je me sens à l'aise en compagnie. 1 2 3 4 5
29. J'ai des difficultés à me concentrer. 1 2 3 4 5
30. Je considère mon ancien(ne) partenaire comme quelqu'un qui est lié à moi plutôt que comme une personne séparée. 1 2 3 4 5
31. Je pense que je suis OK. 1 2 3 4 5

32. J'espère que mon ancien(ne) partenaire éprouve autant de douleur psychique que moi, si pas plus. 1 2 3 4 5
33. J'ai des amis proches qui me connaissent et me comprennent. 1 2 3 4 5
34. Je suis incapable de contrôler mes émotions. 1 2 3 4 5
35. Je me sens capable de construire une relation amoureuse profonde et pleine de sens. 1 2 3 4 5
36. J'ai du mal à dormir. 1 2 3 4 5
37. Je me mets facilement en colère contre mon ancien(ne) partenaire. 1 2 3 4 5
38. J'ai peur de faire confiance à des gens qui pourraient devenir des partenaires amoureux 1 2 3 4 5
39. Du fait que ma relation est terminée, j'ai l'impression que quelque chose ne va pas chez moi. 1 2 3 4 5
40. Je n'ai pas d'appétit, ou alors je mange continuellement, ce qui est inhabituel pour moi. . 1 2 3 4 5
41. Je refuse d'accepter le fait que notre relation se termine. 1 2 3 4 5
42. Je me force à manger même si je n'ai pas faim 1 2 3 4 5
43. J'ai laissé tomber l'idée que nous nous remettions ensemble. 1 2 3 4 5
44. Je me sens complètement effrayé(e) intérieurement. 1 2 3 4 5
45. Il est important que ma famille, mes amis et mes associés soient de mon côté, et non du côté de mon ancien(ne) partenaire. 1 2 3 4 5
46. La seule pensée de sortir avec quelqu'un me met mal à l'aise. 1 2 3 4 5
47. Je me sens capable de vivre la vie qui me plaît. 1 2 3 4 5
48. J'ai remarqué que mon poids a beaucoup changé. 1 2 3 4 5

49. Je crois au fait que, si nous essayons, mon ancien(ne) partenaire et moi, nous pouvons sauver notre relation. 1 2 3 4 5
50. J'ai l'impression que mon ventre est vide et creux. 1 2 3 4 5
51. J'éprouve des sentiments d'amour romantique pour mon ancien(ne) partenaire. 1 2 3 4 5
52. Je peux prendre les décisions que j'ai besoin de prendre, car je sais et j'ai confiance en ce que je ressens. 1 2 3 4 5
53. Je voudrais me venger de mon ancien(ne) partenaire pour ce que j'ai souffert. 1 2 3 4 5
54. J'évite les gens, bien que je souhaite et aie besoin d'avoir des amis. 1 2 3 4 5
55. J'ai vraiment gâché ma vie. 1 2 3 4 5
56. Je soupire beaucoup. 1 2 3 4 5
57. Je crois qu'il vaut mieux pour tout le monde que notre relation soit terminée. 1 2 3 4 5
58. J'accomplis mes activités quotidiennes de manière mécanique, sans ressenti. 1 2 3 4 5
59. Quand j'imagine mon ancien(ne) partenaire dans une relation amoureuse avec quelqu'un d'autre, je suis perturbé(e). 1 2 3 4 5
60. Je me sens capable de faire face à mes problèmes et de les gérer. 1 2 3 4 5
61. Je tiens mon ancien(ne) partenaire pour responsable de l'échec de notre relation. 1 2 3 4 5
62. J'ai peur de m'impliquer sexuellement avec une autre personne. 1 2 3 4 5
63. En tant que partenaire amoureux, je me sens à la hauteur. 1 2 3 4 5
64. Mon ancien(ne) partenaire et moi, nous allons nous retrouver ; ce n'est qu'une affaire de temps. 1 2 3 4 5

65. Je me sens détaché(e) et distant(e) des activités qui m'entourent, comme si je regardais tout sur un écran de cinéma. . . . . [1] [2] [3] [4] [5]
66. Je voudrais continuer à avoir des relations sexuelles avec mon ancien(ne) partenaire. . . [1] [2] [3] [4] [5]
67. D'une certaine manière, je ne vis pas. . . . . . . [1] [2] [3] [4] [5]
68. Je me sens à l'aise lorsque je vais seul(e) dans un lieu public, au cinéma par exemple. . . . . . [1] [2] [3] [4] [5]
69. C'est bon d'être à nouveau vivant(e), après s'être senti(e) engourdi(e) et mort(e) émotionnellement. . . . . [1] [2] [3] [4] [5]
70. Il me semble que je me connais, et que je me comprends. . . . . [1] [2] [3] [4] [5]
71. Je me sens émotionnellement lié(e) à mon ancien(ne) partenaire. . . . . [1] [2] [3] [4] [5]
72. J'ai envie d'être avec des gens, mais je me sens émotionnellement éloigné(e) d'eux. . . . [1] [2] [3] [4] [5]
73. Je suis le genre de personne que je voudrais avoir pour ami(e). . . . . [1] [2] [3] [4] [5]
74. J'ai peur d'être émotionnellement proche d'un autre partenaire amoureux. . . . . [1] [2] [3] [4] [5]
75. Même les jours où je me sens bien, il peut m'arriver d'être subitement triste et de fondre en larmes. . . . . [1] [2] [3] [4] [5]
76. Je n'arrive pas à croire que notre relation se termine. . . . . [1] [2] [3] [4] [5]
77. Je suis perturbé(e) à l'idée que mon ancien(ne) partenaire sorte avec quelqu'un d'autre. . . . . . . [1] [2] [3] [4] [5]
78. J'ai une dose normale de confiance en moi. . . [1] [2] [3] [4] [5]
79. Il semble que les gens ont plaisir à être avec moi. . . . . [1] [2] [3] [4] [5]
80. Moralement et spirituellement, j'ai la conviction que c'est une erreur que notre relation se termine. . . . . [1] [2] [3] [4] [5]

81. Je me réveille le matin avec le sentiment de n'avoir aucune bonne raison de me lever. . . . [1] [2] [3] [4] [5]
82. Je me retrouve en train de rêver à tous les bons moments passés avec mon ancien(ne) partenaire. . . . . [1] [2] [3] [4] [5]
83. Si les gens veulent avoir une relation amoureuse avec moi, c'est parce que je suis une personne sympathique. . . . . [1] [2] [3] [4] [5]
84. J'ai envie de blesser mon ancien(ne) partenaire en lui faisant savoir combien je souffre émotionnellement. . . . . [1] [2] [3] [4] [5]
85. Je me sens à l'aise quand je sors en société même si je suis célibataire. . . . . [1] [2] [3] [4] [5]
86. Je me sens coupable de la fin de ma relation amoureuse. . . . . [1] [2] [3] [4] [5]
87. Je me sens émotionnellement insécurisé(e). . [1] [2] [3] [4] [5]
88. Rien qu'à l'idée d'avoir une relation sexuelle, je me sens mal à l'aise. [1] [2] [3] [4] [5]
89. Je me sens émotionnellement faible et impuissant(e). . . . . [1] [2] [3] [4] [5]
90. J'ai des idées de suicides. . . . . [1] [2] [3] [4] [5]
91. Que mes amis sachent que notre relation se termine ne me dérange pas. . . . . [1] [2] [3] [4] [5]
93. Je suis en colère contre mon ancien(ne) partenaire pour ce qu'il(elle) a fait. . . . . [1] [2] [3] [4] [5]
94. J'ai l'impression de devenir fou(folle). . . . . . . [1] [2] [3] [4] [5]
95. Je suis incapable d'avoir une relation sexuelle. . . . . [1] [2] [3] [4] [5]
96. J'ai l'impression d'être le seul célibataire (la seule célibataire) dans une société de couples [1] [2] [3] [4] [5]
97. Je me sens davantage célibataire qu'en couple. . . . . [1] [2] [3] [4] [5]

98. Il me semble que mes amis me considèrent comme instable maintenant que je suis séparé(e). 1 2 3 4 5

99. Au cours de la journée, je rêve que je suis avec mon ancien(ne) partenaire, que je lui parle. 1 2 3 4 5

100. J'ai besoin d'améliorer mon estime de moi-même en tant qu'homme(femme). 1 2 3 4 5

Êtes-vous satisfait(e) de votre bilan ? Si oui, tant mieux et bonne chance ! Si non, souvenez-vous des concepts importants dont nous avons parlé dans cet ouvrage. Vous êtes sur la voie du bien-être psychologique et de la liberté intérieure. Ils valent les efforts que vous faites pour les gagner. Laissez passer un peu de temps et reprenez ce cahier d'exercices, vous prendrez alors mieux conscience des progrès accomplis.

48867 – (V) – (2) – OSB 90° – FAB – CDD

Achevé d'imprimer sur les presses de
SNEL
Z.I. des Hauts-Sarts - Zone 3
Rue Fond des Fourches 21 – B-4041 Vottem (Herstal)
Tél +32(0)4 344 65 60 - Fax +32(0)4 289 99 61
septembre 2009 – 49023

Dépôt légal : février 2005, suite du tirage : octobre 2009
Dépôt légal de la 1re édition : mai 1995

Imprimé en Belgique